Le Moment
de
La Comédie humaine

PUV

Déjà parus dans la même collection :

Le Texte en mouvement
sous la direction de Roger Laufer

Maupassant miroir de la nouvelle
sous la direction de Jacques Lecarme et Bruno Vercier

Littérature et pathologie
sous la direction de Max Milner

Le Roman policier et ses personnages
sous la direction de Yves Reuter

Marie-Claude Taranger
Luis Buñuel. Le jeu et la loi

Hélène Cixous, chemins d'une écriture
sous la direction de F. Van Rossum-Guyon et M. Diaz-Diocaretz

L'Imagination informatique de la littérature
sous la direction de Jean-Pierre Balpe et Bernard Magné

Elisheva Rosen
Sur le grotesque

L'ancien et le nouveau dans la réflexion esthétique
Philippe Dufour

Flaubert et le Pignouf
Essai sur la représentation romanesque du langage

Régine Robin
Le Deuil de l'origine
Une langue en trop, la langue en moins

© PUV, Saint-Denis, 1993
Presses Universitaires de Vincennes
Université Paris VIII
2, rue de la Liberté
93526 Saint-Denis Cedex 02

L'Imaginaire du Texte

Groupe international de recherches balzaciennes

Balzac, Œuvres complètes
Le Moment
de
La Comédie humaine

Textes de
Anne-Marie Baron, Roland Chollet, José-Luis Diaz, Claude
Duchet, Jeannine Guichardet, Raymond Mahieu,
Joëlle Mertès-Gleize, Chantal Massol, Nicole Mozet,
Jacques Neefs, Catherine Nesci, Paule Petitier, Roger Pierrot,
Isabelle Tournier, Stéphane Vachon, Alain Vaillant,
André Vanoncini, Françoise Van Rossum-Guyon.

**Réunis et édités
par CLAUDE DUCHET et ISABELLE TOURNIER**

Presses Universitaires de Vincennes

1004091722

Remerciements

Nous tenons à remercier tous les balzaciens qui, à des degrés divers, ont contribué à la réalisation de cet ouvrage, et en particulier Madame Madeleine Ambrière, Présidente du Groupe d'Études balzaciennes, qui a bien voulu inaugurer le colloque qui en fut l'origine, et Madame Judith Petit, Conservateur de la Maison-Musée de Balzac, qui nous a beaucoup aidés dans nos recherches à travers la librairie balzacienne et nous a généreusement accueillis pour la clôture de nos travaux.

Nos remerciements vont aussi à l'Université Paris VIII qui nous a permis de développer notre activité dans le cadre d'une formation de recherche spécifique et à l'Institut des textes et manuscrits modernes (CNRS) qui s'est intéressé aux aspects génétiques de notre projet et nous a offert son concours matériel.

Nous sommes enfin particulièrement heureux que les Presses universitaires de Vincennes aient accepté de publier l'ouvrage dans une collection qui permettra, nous l'espérons, de situer le texte de Balzac dans le travail de son imaginaire.

Les éditeurs.

Sommaire

Références et abréviations

AB [et] *millésime* L'Année balzacienne. Revue annuelle du Groupe d'Études balzaciennes. Depuis 1960, Garnier ; nouvelle série ouverte en 1980, PUF à partir de 1983.

CHH Œuvres complètes. Édition nouvelle établie par la Société des Études balzaciennes, sous la direction de Maurice Bardèche, Club de l'honnête homme, 1955-1963, 28 vol. Les tomes XXV-XXVIII contiennent les Œuvres diverses.

Corr. Correspondance de Balzac. Textes réunis, classés et annotés par Roger Pierrot, Garnier, 1960-1969, 5 vol.

LH B Lettres à Madame Hanska. Textes réunis, classés et annotés par Roger Pierrot, « Bouquins », Laffont, 1990, 2 vol. (*L H* B I et *LH* B II).

Pl. [et] tome La Comédie humaine. Nouvelle édition publiée sous la direction de Pierre-Georges Castex, « Bibliothèque de la Pléiade », Gallimard, 1976-1981, 12 vol. Un tome XIII (Œuvres diverses I, 1990) contient Les Cent Contes drolatiques et les Premiers Essais (1818-1823).

N.B. – Selon les habitudes balzaciennes, il faudrait écrire « Avant-propos ». Mais, vu l'absence de toute incertitude, nous préférons alléger le terme de ses guillemets et le traiter comme les autres éléments paratextuels : Préface, Introduction, Avertissement.

Prologue

«Avertissement quasi littéraire»

Claude Duchet
Isabelle Tournier

> ... on est journaliste ; on l'est, fût-on
> romancier, car c'est en feuilletons que
> paraissent vos livres même, et l'on s'en
> aperçoit ; ils se ressentent des coupures, des
> attentes et des suspensions d'intérêt du
> feuilleton ; ils en portent la marque et le
> pli.
>
> Sainte-Beuve, *Premiers lundis*.

Cet ouvrage tente de répondre au défi de *La Comédie
humaine*. Il essaye de comprendre à la fois les ambitions, les
paradoxes et les apories d'une décision éditoriale, tout en la
situant dans sa conjoncture. Notre objectif : rendre compte,
historiquement d'une «entreprise à nulle autre pareille». Ce qui
n'aurait pu être envisagé sans le travail continu des spécialistes
de Balzac et l'avancement décisif que constitue la nouvelle
édition dans la «Bibliothèque de la Pléiade» publiée sous la
direction de Pierre-Georges Castex. Notre volume s'inscrit dans
la droite ligne des précédentes interventions du Groupe international de recherches balzaciennes qui, depuis des années, a
pour programme de réfléchir, à partir de l'inépuisable chantier
balzacien, sur l'évolution du genre romanesque et plus
généralement la problématique littéraire du XIXᵉ siècle.

Un précédent volume s'intitulait, non sans quelque présomption, *Balzac, l'invention du roman.* Il s'agissait aussi bien de revenir sur la pratique balzacienne du roman pour en préciser la nature et les divers aspects, selon une typologie du genre – ce qui s'inventait sous le nom de « roman balzacien » – que de reconnaître les visées cognitives et critiques de l'entreprise – ce que la forme romanesque chez Balzac invente comme modalité du savoir et de la pensée. Un prochain volume, en préparation, tentera de faire le point sur la poétique balzacienne consciente ou « insciente », telle qu'elle se définit dans le commentaire paratextuel ou dans la mise en texte(s) proprement dite.

Nous avons voulu cette fois nous limiter au *moment* de *La Comédie humaine,* ce qui impliquait d'examiner l'hypothèse critique d'une coupure épistémologique dans la production balzacienne. Que signifie exactement cette décision de rassemblement et ce désir de totalisation ? Quelle est son influence en amont sur les œuvres déjà publiées ou esquissées, en aval sur les œuvres encore non écrites, qu'elles soient désormais programmées ou qu'elles doivent prendre une place non prévue dans un ensemble signifiant conçu en dehors d'elle – et mises ainsi dans une situation de lecture surdéterminée ?

Mais, à s'en tenir même à la simple réunion du déjà écrit dans ce nouveau dispositif, qui regroupe autrement les textes antérieurs
– en bouleversant l'ordre chronologique de la rédaction, et de la publication ;
– en (s')accommodant, non sans coup de force, (d)'un ordre diégétique intertextuel,
en quoi peut-on voir là la création d'une œuvre et selon quel point de vue peut-on la juger *nouvelle* ? Il y va des acceptions possibles – resémantisées – du terme *moment* auquel les historiens des *Annales* ont redonné aujourd'hui une valeur particulière pour définir une durée échappant aux catégories constituées de la chronologie, faite d'un système de relations internes, et désignant un espace-temps caractérisé par un complexe d'idées. En ce sens, il y a un *moment* Balzac – qu'emblématise *La Comédie humaine* – pour l'histoire du roman, comme un *moment* Guizot pour l'histoire politique. C'est un peu le sens que lui attribue Taine dans sa célèbre formule « la race, le milieu, le moment ». L'italique renvoie, dans notre texte, à une polysémie latente – expérimentale en

quelque sorte : qu'on veuille bien se souvenir aussi de l'étymologie latine, plus fidèlement conservée dans l'allemand *Das
Moment*, qui signifie « la raison décisive, le facteur ».

Laissons provisoirement de côté le moment-siècle qui
serait l'horizon de ce livre, comme il était celui de *La Comédie
humaine*. Les contributions ici rassemblées s'articulent plus
précisément autour des deux extrêmes du *moment* : soit
l'instant discursif, ponctuel, où survient une impulsion, où
s'ajoute une valeur déterminante qui modifie l'orientation du
processus – en mécanique le *moment* était défini comme le
produit de l'intensité d'une force –, soit l'espace pendant
lequel s'accomplit un mouvement. Il s'agit dans les deux cas,
on l'aura compris, de restituer son dynamisme et son poids à
une unité de mesure toujours menacée d'une lexicalisation
abrasive. *La Comédie humaine*, par le titre qu'elle « invente »
ou réinvente, s'inscrit à la fois dans la durée et dans
l'incertitude de l'événement, dans l'intemporalité des siècles –
et des chefs-d'œuvre – et dans l'intuition géniale d'un instant
(qui « retrouve le temps », comme Proust a si bien su le
percevoir). Elle dépend en même temps du geste qui la projette
en avant (c'est une traite à conte d'auteur), à la poursuite d'un
improbable dénouement et d'une problématique « explication » –, et d'une conjoncture bien circonscrite, qui la justifie
et la fragilise, en interférence de signes, et de sens, avec l'autre
titre : *Œuvres complètes de M. de Balzac*.

Comment dater alors ce *moment* ? Est-ce celui de la
première lettre à l'Étrangère (mai 1832) où Balzac annonce son
dessein de représenter « l'ensemble de la littérature », dessein
dont Roland Chollet et Stéphane Vachon repèrent ici les traces
en amont ? Celui de la première signature éponyme par quoi
« Balzac » confirme son identité comme « auteur du *Dernier
Chouan* » (tel sera le rappel de signature, en avril 1830, pour
l'édition originale des *Scènes de la vie privée*) ? Celui du
premier sous-ensemble constitué en intertexte (*Romans et
contes philosophiques*, septembre 1831), dont les différents
éléments doivent mutuellement s'éclairer, et qui reçoivent leur
signification des rapports qui les unissent ? Celui du premier
retour des personnages (*Le Père Goriot*, mars 1835) par quoi se
tisse d'une œuvre à l'autre un texte en partie double, selon le
paradigme des acteurs et la syntagmatique des récits ? Celui de
la première apparition du terme *Comédie humaine* (janvier
1840) ? Celui enfin, inaugural, qui voit paraître sous ce titre,

chez Hetzel et Furne, en avril 1842, la première livraison des
Œuvres complètes de M. de Balzac ? *La Maison du chat-qui-pelote*, avatar de *Gloire et malheur*, inaugurait l'entreprise par
la réécriture d'un titre et par un triple emboîtement : la
nouvelle, placée sous la référence des *Scènes de la vie privée*
était par elles intégrée aux *Études de mœurs*, première assise de
La Comédie humaine. Les mœurs, la vie privée, le détail
« archéologique » définissaient tout à la fois un parcours, un
programme, une méthode et impliquaient, selon la formule de
l'Avant-propos, une « décision sur les choses humaines ».

Faut-il le rappeler, l'Avant-propos puise certaines de ses
idées et de ses formulations dans l'introduction par Félix
Davin (le « porte-pensée » de Balzac, comme le nomme
Anne-Marie Meininger) aux *Études de mœurs au dix-neuvième siècle* (juillet 1835), qu'il prolonge et remplace.
Gloire et malheur y est présenté alors comme l'« histoire d'une
mésalliance entre un capricieux artiste et une jeune fille au cœur
simple », mais aussi comme le « drame » – quotidien – d'une
société « maladroitement organisée ». Dans les dernières lignes
de *La Maison du chat-qui-pelote*, passe, pour donner toute sa
perspective à la nouvelle, la silhouette de l'auteur (ajoutée en
1842) : ce [poète] ami de la jeune morte qui vient chaque année
méditer devant la tombe de madame de Sommervieux sur les
fatales et « puissantes étreintes du génie ». Commencer par
[*Gloire et malheur*], avec le refoulement du titre original, mais
avec la mention (apparue dans l'édition Béchet de 1835) de la
date initiale (octobre 1829), et avec sa chronologie diégétique
(qui conduit à la fin de l'Empire), c'est aussi assigner une
origine au génie comme au siècle.

Si nous nous attachons dans ce volume au *moment* de
1842, qui transforme en monument unique les œuvres du
« plus fécond de nos romanciers », nous ne saurions oublier
que, chez Balzac, « tout vient de loin » (Pierre Barbéris),
comme l'attestent à la fois l'intégration de textes « pré-balzaciens » dans *La Comédie humaine* et la publication
actuellement en cours des *Œuvres diverses,* au point de poser
autrement la question des Œuvres de jeunesse : essais de plume,
échantillon de tous les styles ou préparation-anticipation d'un
projet longuement mûri ? Nous ne saurions oublier non plus
ce « tournant de 1830 », magistralement profilé par Roland
Chollet, comme fondateur, par le journalisme, de la conversion
du regard balzacien vers la société civile née de la Révolution.

Le *moment* de *La Comédie humaine*, celui auquel Balzac
entend identifier son œuvre, ne serait donc autre que le « dix-
neuvième siècle » : «Bonne ou mauvaise, cette œuvre est du dix-
neuvième siècle. Mêmes critiques, mêmes éloges s'adressent à
Balzac et à son temps ; c'est là un grand honneur». C'est en ces
termes qu'au lendemain de la mort de Balzac Philarète Chasles
entérine après coup cette volonté, hasardeuse et nécessaire, de
donner au siècle nouveau, émergé des décombres de l'Ancien
Régime, un état civil, et de le fonder en littérature, pour qu'il
soit. Hugo ne disait pas autre chose dans son célèbre *incipit* « ce
siècle avait deux ans... », qui fait coïncider la naissance du siècle
et l'avènement du Poète. *La Comédie humaine* est en ce sens
une main mise de la littérature sur le siècle, à tous risques,
puisque le JOURNAL (selon les capitales de la préface de
l'édition Dumont de *David Séchard*, datée de 1843) y dispute
aux génies le commerce des choses de l'esprit, et qu'un « avertissement quasi littéraire » doit désormais se partager (dans la
quasi-monarchie) avec une « Note éminemment commerciale»
pour négocier dans *Le Constitutionnel* du 18 mars 1847 la
publication du *Cousin Pons*, métamorphose des *Deux
Musiciens*. A-t-on remarqué enfin que le *Catalogue des ouvrages que contiendra* La Comédie humaine (1845), prévoit de
conclure l'ensemble, au niveau, bien sûr, des *Études analytiques*, par un *Dialogue philosophique et politique sur les
perfections du XIXe siècle*, énoncé inépuisable... ?

Revenons sur l'acte catalyseur de l'entreprise, dont il faut
bien dire qu'elle s'avère d'abord (aussi) comme une spéculation
de librairie, et fut (surtout?) perçue comme telle à l'époque.
C'est le dernier tiers du siècle qui instituera *La Comédie
humaine* et l'établira comme référence globale de Balzac. Il y
faudra du reste le déplacement, caractéristique du siècle, de
l'homme vers l'œuvre et de l'auteur vers le Livre. Le phénomène Balzac (personnage reparaissant), mais aussi bien ses
romans, reparaissant en ordre dispersé selon les aléas de la commande sociale et des politiques éditoriales, occulteront un
temps l'identification spécifique de *La Comédie humaine*.

L'affiche prospectus, les annonces, l'Avant-propos en
forme de manifeste et de déclaration solennelle, organisent une
mise en scène : il s'agit, proprement, de re-présenter une œuvre
déjà publiée en forçant l'accès d'un lectorat nouveau aussi bien
du côté lettré, par un dispositif de lecture renouvelé et la mise
en perspective d'un à-venir d'écriture, que du côté de la « masse

lisante », par le double attrait de l'illustration et de la publication « de luxe à bon marché », qui applique la formule d'une
livraison par fascicules. C'est ainsi que, soumise aux nouvelles
lois du marché – sinon aux nouvelles « règles de l'art » –
l'entreprise se fragmente à peine achevée et le grand œuvre
n'apparaît que pour se monnayer. Du reste, on le sait, la
publication méthodique de *La Comédie humaine* n'empêche
nullement la réédition de romans isolés, voire la publication
originale (ou préoriginale) de nouveaux textes. Quoi qu'il en
soit, il importe de souligner que, par l'Avant-propos, Balzac se
fait en quelque sorte l'éditeur de ses œuvres. Le terme était à
l'époque d'un emploi à la fois général et spécifique, ce qu'un
ex-imprimeur ne pouvait ignorer : les manuels de typographie
recommandaient une composition spéciale (caractère et corps)
qui distinguât cette partie liminaire des autres. L'Avant-propos
n'est donc pas une préface proprement dite (ce lieu où l'auteur
peut « parler de lui », fût-ce fictivement comme l'Avertissement
du *Gars).* Contre son gré peut-être, puisqu'il espérait une autre
caution, en particulier celle de Nodier puis de George Sand
(mieux accrédités ou « positionnés » que lui-même, pour des
raisons *diamétralement* inverses), et en infraction au code
auctorial, le Balzac de l'Avant-propos usurpe ici un rôle
(paratextuel) d'auto-légitimation, attitude qui consacre
l'autonomie du romancier ou plutôt entend affirmer celle de
l'écrivain en tant qu'« homme d'intelligence » (cf. le prospectus
adressé aux « lecteurs intelligents »...), à contre-courant de la
« littérature industrielle ».

Une preuve *a contrario* nous semble fournie par un autre
Avant-propos postérieur, celui du *Provincial à Paris* (cette
mosaïque de réemplois qui deviendra *Les Comédiens sans le
savoir)* en 1847, chez Roux et Cassanet, signé, lui, L'éditeur,
bien que vraisemblablement sorti de la dictée de Balzac, sinon
de sa plume. Cet Avant-propos commence par le moment-
siècle : « Si le dix-neuvième siècle a vu naître et grandir beaucoup
de réputations [...] bien peu d'écrivains sont destinés à franchir
les limites de ce siècle », et évoque pour finir la « révolution »
du roman-feuilleton, « cette nouvelle littérature » pour laquelle
« M. de Balzac retrouva [...] un nouvel élan qui rappelait les
jours les plus actifs de sa jeunesse littéraire ».

Ce simulacre d'auto-édition constitue une sorte de
compromis fantastique entre deux logiques ou régimes

d'écriture, entre les deux stratégies de la production littéraire qui se mettent en place au cours de la rédaction de ce qui devient *La Comédie humaine* : l'une qui vise l'estime des pairs et la reconnaissance par la classe pensante, l'autre qui vise à fidéliser la clientèle des feuilletons et des cabinets de lecture, à étendre ou préparer un lectorat potentiel.

Il importe d'insister sur les implications d'un énoncé qui peut paraître contradictoire : *Comédie humaine* versus *Œuvres complètes de M. de Balzac*, et qui souligne le paradoxe de l'entreprise, à la fois programme et bilan. Les *Œuvres complètes* consacrent un auteur, elles ne construisent pas une œuvre, mais *La Comédie humaine* hypostasie en quelque sorte une œuvre sans auteur (mais l'auteur le cède à l'« historien », au greffier, au « secrétaire »...). Elle permet d'accueillir tous les textes attestant les droits du penseur à mêler littérature et philosophie, tout en arrachant à la condition romanesque, à la promiscuité bourgeoise, les romans qui la composaient – ou composeront. En ce sens *La Comédie humaine* est la légitimité de Balzac *écrivain* et crée « le roman balzacien » comme entité spécifique en le situant dans la perspective romantique de *la* Littérature, et moins comme achèvement que comme mouvement perpétuel : « À mesure que M. de Balzac rempli*ra* les *vides* qui restent à *combler* dans son *cadre*, nous imprim*erons* ses *nouvelles* productions. Cette édition renferme*ra* donc *véritablement* les *Œuvres complètes* de l'*auteur* ». Tous les termes de ce N.B.. du *Prospectus* (nos italiques ne sont qu'indicatives et il faudrait souligner aussi l'absence du mot « roman ») seraient à commenter, qui tentent l'impossible synthèse d'un acte éditorial et d'un devenir créateur. Sous une apparente équivalence les deux titres sont en concurrence et se problématisent l'un par l'autre : *La Comédie humaine* ne *sera* que quand les *Œuvres seront* complètes, mais *La Comédie humaine* est, dès maintenant, autre chose que la somme des œuvres qu'elle encadre.

Guy Rosa a très bien montré ce que le syntagme *Œuvres complètes* signifie, historiquement et dans la pratique éditoriale de l'époque : « ...des ensembles définis par leur indistinction générique – même s'ils se décomposent ensuite selon ce critère – et par la juxtaposition de textes reconnus différents mais dont l'identité propre à chacun s'efface devant celle que forme leur commun auteur » (*Revue des sciences humaines*, « L'œuvre-texte », 1989-3, p. 84). Cette pratique permettait donc à Balzac de n'être plus seulement l'auteur de tel ou tel roman, mais d'accéder à une pleine et irréductible individualité (auteur et œuvre confondus).

Reste que ces œuvres ne sont pas, dès l'origine, absolument complètes et l'effet Balzac leur attribue par ailleurs une personnalité générique, même si elles brouillent les définitions du roman. Le Balzac des *Œuvres complètes* se mesure, malgré lui, à l'aune de la fiction. Mais surtout (comme le montrent les enquêtes de Guy Rosa et ici même d'Alain Vaillant), elles surviennent à contretemps, dans le contexte le plus défavorable (comme si le surtitre *Comédie humaine* tentait de conjurer les aléas de la librairie) : en effet les éditions d'*Œuvres complètes*, florissantes sous la Restauration, connaissent une baisse spectaculaire sous la monarchie de Juillet, ce qui semble indiquer des mutations profondes, et relativement rapides, dans la composition socio-culturelle du lectorat – et donc dans les politiques éditoriales : un glissement progressif s'opère du lecteur prévisible, sinon identifiable au sein d'une communauté homogène (celui ou celle qu'un narrateur peut interpeller et élire comme narrataire, et garant des idées ou observations qu'il avance), vers un vaste public anonyme et différencié, plus sensible de surcroît aux « nouveautés » qu'aux valeurs « classiques ».

On évoquera ici le propos de Stendhal (l'unique romancier que Balzac reconnaisse comme véritable interlocuteur), propos qui n'eût pas suffi à détourner Balzac de la tentation du théâtre, mais éclaire le titre qui nous occupe : « Depuis que la démocratie a rempli les théâtres de gens grossiers, incapables de comprendre les choses fines, je regarde le roman comme la comédie du XIXᵉ siècle ». Pour ce qui est des *Œuvres complètes* d'un romancier, le vrai modèle préexistant, et de durable fortune, est celui de Walter Scott (dont l'Avant-propos réclame l'héritage) ; il instaure sans doute, ou autorise, cette revendication d'une lecture globale qui seule peut donner sens et forme à des « compositions » parcellaires. Mais, en 1842, la simple mention *Œuvres complètes* ne saurait suffire à s'ouvrir un nouveau marché ou à échapper à un péril plus que redoutable pour Balzac (qui le conjurait à longueur de préfaces) : celui d'une lecture éclectique ou sélective, donc doublement partielle. Ce changement dans l'horizon d'attente, le modèle éprouvé de la narration balzacienne peut en être affecté, ou même ébranlé. L'entreprise de *La Comédie humaine* est aussi une fuite en avant qui met l'œuvre à distance, et la sauvegarde – dans son ordre de valeurs.

Tout se passe cependant comme si Balzac n'entendait renoncer ni à un lecteur véritable, « intelligent », ni à ce lectorat ouvert qui lui permettra, par exemple, de figurer plus tard dans la « Bibliothèque des Chemins de fer ». Le *moment* de *La Comédie humaine* (on serait tenté d'y reconnaître un *chronotope*) est donc bien celui d'une crise, à l'acmé des contradictions qui vont désormais marquer l'avenir de la littérature en France (« Il n'y a plus de classe spécialement lettrée », écrira Baudelaire) et dont porte témoignage le double hommage funèbre (voir nos « Coulisses »), celui du Poète Hugo et du professionnel Desnoyers. Cela incite à corriger singulièrement l'image souvent reçue d'un Balzac aboutissant par *La Comédie humaine* à une sorte d'absolu : figure enfin de sa recherche et chef-d'œuvre inconnu, calme bloc défiant les blasphèmes épars... Certes, il a pu le croire lui-même, et ne se résigne pas à la perte de ses illusions. Mais tout indique les ambiguïtés qu'il assume par ce dernier défi : un Avant-propos qui tient lieu de préface, où se retranche l'auteur-éditeur dans un savoir d'« homme spécial », mais précédé ou accompagné d'un prospectus publicitaire, un second titre « générique » pour des œuvres (in)complètes, une défense et illustration du roman tel que Balzac enfin le change en un autre lui-même, mais en déniant l'appellation de romancier... Ajoutons le recours insistant, fantasmatique, à la métaphore de l'« unité de composition » pour cautionner la théorie de sa démarche, et (se) convaincre de l'unité organique de son œuvre à jamais diverse, romantique encore pourtant, mais par le fragment plus que par la totalité.

On comprend mieux dès lors que ce *moment* s'accompagne pour Balzac d'une pulsion de renoncement ou d'évasion, récurrente dans la correspondance des dernières années. Plusieurs romans « d'avant » avaient déjà préparé des scénarios de fin de partie que l'on retrouve accomplis dans les romans ultimes, saturés, jusqu'au délitement du sens, de redondances mécaniques et/ou ludiques : Balzac n'y est plus dans Balzac. *La Comédie humaine* eut finalement besoin de la mort de son promoteur pour l'emporter sur les *Œuvres complètes*, leur compromettant double jeu commercial et leur paradoxal, mais constitutif, inachèvement.

Il faut en effet se garder d'oublier le mode d'écriture balzacien, si parfaitement contradictoire avec le projet même d'*Œuvres complètes*. Toute feuille – et qu'importe qu'elle soit blanche, déjà raturée, imprimée ou même reliée – lui est brouillon. De texte en texte, et d'édition en édition, s'ajoutent les ratures et s'empilent les ajouts. En juin 1847, le testament littéraire de Balzac désignait programmatiquement le texte du « Furne corrigé » comme « manuscrit final de *La Comédie humaine* », confiant, au-delà de la réalisation matérielle du livre, à un hybride – un volume annoté – le rôle de manuscrit et faisant ainsi un commencement de ce qui est ordinairement une fin. Le 18 août 1850, à onze heures et demie du soir, consacre donc *La Comédie humaine*, enfin autonomisée. Emportée jusque là par son créateur dans un mouvement de totalisation sans totalité (par exigence et impuissance : « Que devait-il choisir ? Où devait-il s'arrêter ? Il l'ignorait » écrit Philarète Chasles), *La Comédie humaine* pouvait commencer sa carrière et produire ses effets. Interrompue, elle était de fait achevée. Ou presque, puisque Mme Hanska s'avisa, en bonne héritière des principes et des dettes de son défunt époux, de faire « termine[r] » *Le Député d'Arcis*, *Les Petits Bourgeois* et *Les Paysans*, sabotant elle-même un temps la clôture enfin acquise du dispositif. L'hommage de Chasles dans le *Journal des Débats* – comme celui de Victor Hugo au Père-Lachaise – pouvait désormais légitimement ensevelir l'auteur sous son Œuvre : « Les fantômes chassent le réel et le remplacent. Les hommes vivants ne vivent plus ; ce sont les Nucingen, les Marneffe et les Vautrin qui existent seuls. »

La Comédie humaine, œuvre posthume, ne peut être que le testament du romancier, sa mise à mort. On songe aux *Mémoires d'outre-tombe* mais aussi à ce que dira Victor Hugo de ses *Contemplations* : « Ce livre doit être lu comme on lirait le livre d'un mort... » Balzac, poète de son exil, que la littérature, à tous les sens du terme, projette hors de ce siècle qu'il incarne pourtant.

N. B. Cet Avertissement n'est pas une introduction. Nous y développons notre propre interprétation du *moment*. Un observateur attentif ne manquera pas de noter ci-dessous des analyses qui nuancent, contestent ou même contredisent notre hypothèse d'un avènement sans événement (ou l'inverse) et d'un sacre sans consécration.

Acte I
Aventures génétiques
d'une idée heureuse

Balzac et la crise de l'édition de romans sous la monarchie de Juillet

Alain Vaillant

Pour l'essentiel, et malgré quelques travaux récents, notre connaissance du statut de l'écrivain et de l'édition littéraire se résume encore à quelques images antithétiques, aussi expressives qu'abstraites. En amont de la production littéraire, il y aurait l'écrivain *sacer*, dans la double acception religieuse de ce mot latin : on le dit tantôt sacro-saint, sacralisé dans sa fonction postrévolutionnaire de prophète laïque et de chantre de la spiritualité moderne, individuelle ou collective, tantôt intouchable, donc maudit, intégré dans sa marginalité sociale à la bohème artistique. En aval de la littérature, on observe une alternative comparable : les uns voient dans le XIXe siècle l'ère du « livre triomphant », sur fond d'alphabétisation scolaire et de révolution industrielle ; les autres, au contraire, attribuent aux transformations rapides et, parfois, spectaculaires de l'imprimerie et de la distribution une responsabilité majeure dans la crise qui semble toucher l'édition littéraire à partir de la monarchie de Juillet.

Il est inutile de souligner ce que ces images juxtaposées ont de contradictoire ; il est vrai que le XIXe siècle est celui des contrastes, et que la littérature, en apparaissant comme le lieu où s'expriment et se résolvent ces dialectiques complexes, n'en serait pas à son premier tour de force transmuant une nouvelle fois le soupçon en mystère, l'énigme historique en alchimie du Verbe. Restent, cependant, deux questions décisives pour l'interprétation de la littérature romantique et post-romantique, et, en outre, du roman français :

1. Les revendications bruyantes des écrivains, auxquelles Balzac a pris une large part, correspondent-elles à une détérioration réelle de leur condition, ou traduisent-elles à une inadéquation idéologique à une société économiquement et culturellement transfigurée. Dans la première hypothèse, il suffira de les traiter comme un *topos* romantique, dans le cadre d'une critique de contenu ; dans la seconde, il est impératif de déterminer les effets de cette remise en cause sociale sur la nature de la production littéraire.

2. L'apparition de nouvelles structures commerciales (le roman-feuilleton, les collections à bon marché, etc.) constitue-t-elle seulement une nécessaire rénovation des industries culturelles ou intervient-elle au sein du système littéraire – si l'on veut, dans le champ de la littérature légitime ?

Pour répondre à ces questions, il faut un peu d'histoire et de géographie.

De l'histoire, parce que le XIXe siècle est fait d'une succession de ruptures, de mouvements d'accélération ou, à l'inverse, de pauses, qui interdit de traiter le temps comme une masse homogène et neutre. Or, la méfiance à l'égard de la chronologie au bénéfice des phénomènes de longue durée, le traitement de l'histoire littéraire comme un agglomérat de destinées individuelles, seulement corrigé par quelques références contextuelles, évacuent souvent le problème de la datation, qui, me semble-t-il, est au centre de ce volume.

De la géographie éditoriale, autrement dit des études sectorielles, qui ne noient pas, par exemple, l'entité « roman » dans la masse des livres publiés, ou qui ne concluent pas trop vite, une fois constatés l'élargissement du public potentiel et la prospérité de l'imprimerie industrielle, au développement de l'édition littéraire. Celle-ci ne résulte pas du croisement monstrueux entre la littérature et l'édition, qui appellerait un simple concours de compétences, mais elle constitue un objet spécifique de l'histoire littéraire, soumis à une logique propre. Concrètement, son étude permet de poser le problème de la publication des textes littéraires, d'examiner les relations ambiguës qu'entretiennent l'élaboration des œuvres et leur mise à la disposition du public. Roland Barthes disait que l'écriture, au-delà du style individuel et de la langue collective, permettait d'inscrire la littérature dans le présent de l'histoire ; dans la même perspective génétique, la publication, entre l'écriture, privée et singulière, et les contraintes d'une culture nationale, est ce trait d'union qui fait du travail littéraire un acte de responsabilité historique.

Je me propose donc, ici, d'une part de mesurer les évolutions de l'édition de romans pendant la monarchie de Juillet, afin d'examiner la chronologie, la nature et la portée des changements, qui surviennent alors, d'autre part d'avancer quelques hypothèses sur la production balzacienne et son originalité présumée.

Comme le montre le graphique 1 (p. 24), l'évolution de l'édition littéraire, comparée à celle de la production globale de livres, révèle, à une exception près, des tendances qu'il est très facile d'isoler dans le temps. Dans les années 1820, la littérature connaît un premier essor, et entraîne avec elle le reste de l'édition. Le Second Empire, lui, est marqué par le développement de la librairie, et la constitution ou la consolidation des grandes entreprises éditoriales (Hachette, Michel Lévy, etc.) ; dans ce processus d'industrialisation, la littérature fait figure de principale victime, et accumule un retard qu'elle ne parviendra pas à combler avant la première guerre mondiale, malgré une progression sensible au début du XXᵉ siècle. Enfin, renversement de conjoncture dans l'entre-deux-guerres : l'édition française, aux structures vieillies, stagne, tandis que la production littéraire connaît une progression comparable à celle de la Restauration. Or, dans ce parcours très rapide, l'exception est précisément la monarchie de Juillet, où, dans un contexte assez morose, aucun rapport de forces significatif ne s'établit entre la littérature et le reste de l'édition.

Dans les domaines politique et social, le règne de Louis-Philippe fait figure d'intermède entre la Restauration et le rétablissement de l'Empire, et constitue une période d'hésitations et de tâtonnements où tout semble faisable, mais où rien ne s'accomplit. D'où le mélange d'amertume et de volonté d'entreprendre qui caractérise, en partie, le discours de

Graphique 1
L'édition littéraire de 1815 à 1936

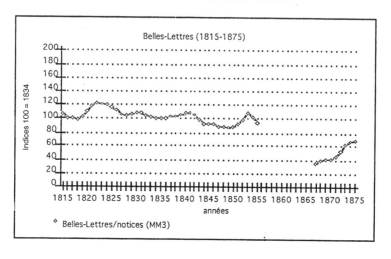

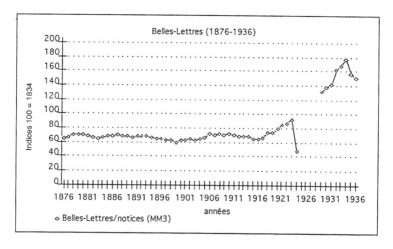

Balzac sur la culture de son temps. À cause de cette indécision, et du renoncement que symbolisent, pour des raisons différentes, les journées de juin 1848 et le coup d'État du 2 décembre, la monarchie de Juillet semble le moment, à la fois riche d'initiatives et figé par une sorte d'impuissance à décider, où se joue le sort d'un certain XIXᵉ siècle : c'est du moins ce que j'essaierai de montrer à propos de l'édition littéraire, dont la crise bloque très durablement une expansion que, pourtant, tout laissait prévoir.

Quant à Balzac, il apparaît, jusqu'à un certain point qu'il faudra déterminer, comme l'incarnation de cette littérature : sa période de production excède de peu les limites de la monarchie de Juillet ; il ne peut donc se contenter de préserver les acquis du premier romantisme, ni bénéficier du « second souffle impérial » grâce auquel, chacun à sa manière, un Baudelaire, un Sainte-Beuve ou même un Hugo s'imposeront à la postérité. En outre, Balzac est, pour l'essentiel, un romancier ; il n'a, pour se sauvegarder des vicissitudes de l'édition, ni la légitimité traditionnelle de la poésie, ni les revenus ou le prestige mondain du spectacle théâtral. Enfin, ses premiers succès romanesques sont antérieurs à l'apparition du roman-feuilleton, auquel il ne pourra ou ne voudra jamais s'adapter totalement. On mesure, pour toutes ces raisons, l'extraordinaire fragilité de Balzac qui, sur le plan de l'autorité littéraire et du succès commercial, ne dispose d'aucune position de repli.

Cette fragilité est accentuée par les difficultés de l'édition de romans au cours de la même période. Le graphique 2, qui présente l'évolution de ce secteur de la librairie de 1831 à 1847, illustre deux phénomènes que les analyses qualitatives et les témoignages des contemporains avaient permis depuis longtemps de pressentir.

Graphique 2
L'édition de romans (1831-1847)

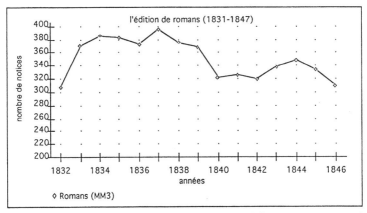

N.B. – Cette courbe est en moyennes mobiles centrées sur trois ans, à partir du nombre de notices annoncées à la *Bibliographie de la*

France ; la première colonne correspond donc à la moyenne des années 1831, 1832 et 1833, et ainsi de suite.

1. La courbe dessine trois « creux », correspondant à trois chutes brutales de la production dues à la conjoncture économique ou politique : autour des révolutions de 1830 et de 1848, et durant les années 1840-1841. On a affaire ici, *grosso modo*, à des cycles décennaux.

2. De manière plus significative, à une période de forte progression, puis de maintien à un haut niveau (1833-1838) succède un marasme, avec des hauts (1839, 1844-1845) et des bas absolus. La production, de 1833 à 1838, fluctue entre 318 (1837) et 408 titres annuels (1838) ; de 1839 à 1847, les limites numériques sont de 309 (1839) et 245 titres (1847). On retiendra surtout une suite de bonnes et de mauvaises années.

Dès à présent, il est possible d'avancer ces deux conclusions provisoires :
1. Le roman-feuilleton apparaît en 1836, alors qu'il existe une forte demande du public pour la fiction ; il s'associe à l'engouement dont profite le roman, plutôt qu'il ne concurrence directement ce dernier.
2. La véritable crise, pour le roman, ne commence que dans les années 1839-1840, et rien n'oblige de la relier au développement de la presse plus, par exemple, qu'à un mécanisme banal de saturation du marché. Le graphique 3 ferait pencher en faveur de cette dernière interprétation, par la comparaison du total de l'édition et de la production romanesque. Il fait ressortir, entre les deux courbes, une similitude et une différence. En effet, les tracés sont globalement analogues : on observe, dans les deux cas, une progression après la révolution de 1830, puis un déclin progressif ; mais ce déclin commence, pour l'édition en général, dès 1835-1836. L'euphorie des années 1836-1838 est donc un phénomène spécifiquement romanesque, qui rend la chute d'autant plus sévère. On remarquera, par différence, que la reprise de 1844-1845 ne fait qu'accentuer, pour le roman, le léger redressement de la production globale.
Cette phase de surproduction est plus lisible sur le graphique 3, où figurent la production de romans et la catégorie *Belles-Lettres* tout entière qui comprend, outre cette dernière, un ensemble hétéroclite de produits plus commer-

Graphique 3
La production littéraire et les Belles-Lettres (1831-1847),
en moyennes mobiles centrées sur trois ans

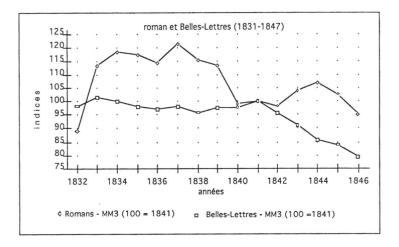

ciaux (édition scolaire, œuvres complètes, physiologies, ouvrages de circonstances, sous-produits du journalisme, etc.). On y distingue très précisément le moment (1833-1835) où la librairie littéraire reflue et, pour ainsi dire, ferme la parenthèse romantique, alors que la production de textes narratifs demeure forte, dangereusement insensible au rétrécissement du marché.

Dans ce contexte, on comprend l'espoir des contemporains, qui ont cru qu'advenait, pour longtemps, un âge d'or pour le roman, puis l'aigreur de leur déception. Edmond Werdet, qui avait des raisons personnelles d'exprimer avec vivacité ces sentiments écrit :

> Le jour de la mise en vente d'un livre de Victor Hugo, de Chateaubriand, de Lamartine, Benjamin Constant, Jay, Jouy, Casimir Delavigne, ou autres, l'heureux magasin de l'heureux éditeur était littéralement assiégé, soit par les flots d'un public affamé, soit par de longues files de libraires-commissionnaires ; Oh ! Que les temps sont changés depuis ! Plus d'éditeurs de romans, plus de commis-voyageurs ! À peine par-ci par-là quelqu'un disposé à en lire hors du rez-de-chaussée des journaux! Les dieux s'en vont...

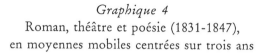

Graphique 4
Roman, théâtre et poésie (1831-1847),
en moyennes mobiles centrées sur trois ans

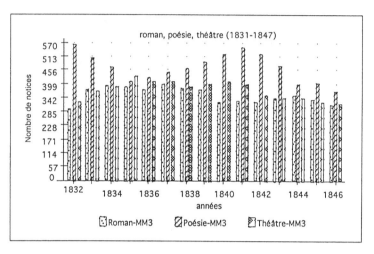

Dans cette citation, il est frappant que, malgré une énumération de noms très divers, le roman soit la seule référence générique et s'identifie ainsi, dans une vision à la fois mythologique et polémique, à la littérature. Or, sur ce point, le roman a échoué et ne parvient pas à distancer, du moins en nombre de titres publiés, les autres genres littéraires. Le graphique 4 montre que les trois genres retenus par commodité statistique (roman, théâtre, poésie) réalisent des scores comparables et qu'à aucun moment la fiction narrative n'est en situation de l'emporter ; le problème de cette dernière est donc autant d'identité culturelle que d'existence commerciale, et la chute des années 1840, en remettant en cause cela même qui semblait acquis, une position forte sur le marché, est particulièrement mal venue.

Voilà le décor général ; il est plus difficile de repérer, dans la masse, éditorialement et littérairement cosmopolite, que constitue la production romanesque, des mécanismes spécifiques à certains sous-ensembles : il est inévitable d'avancer avec lenteur, et de partir des observations les plus simples, mais parfois aussi les plus étrangères à ce qui nous occupe ici, avant de cerner la problématique balzacienne.

Le roman étranger

Compte tenu de la vogue de Walter Scott, il est tentant, *a priori*, de mesurer l'impact du roman sur le public français en extrapolant à partir de la diffusion des grands écrivains étrangers (pour l'essentiel, les auteurs de langue étrangère : Scott, Cooper, le capitaine Marryat). Dans cette perspective, James S. Allen et, surtout, Martyn Lyons ont donné quelques indications chiffrées sur la popularisation d'une esthétique romantique que révélerait la publication de ces maîtres du roman anglo-saxon. Si cette influence est indéniable, son histoire est plus incertaine, de même que les relations qu'elle suggère entre le roman étranger et la production française.

Le graphique 5 (p. 30) réunit deux courbes presque parfaitement symétriques, celles du roman français et du roman étranger non traduits (car la *Bibliographie de la France* annonce un certain nombre de romans français traduits pour l'exportation). Tout se passe comme si l'un compensait l'autre : la production française augmente lorsque l'étrangère augmente, et *vice versa*. Il n'existe évidemment pas de lien direct de causalité : ni les éditeurs ni les lecteurs ne sont les mêmes ; mais la symétrie constatée, très rare en statistique, méritait d'être relevée.

Le volume de textes étrangers traduits (graphique 6, p. 31) évolue de manière différente : comme pour le roman français, il est très important dans un premier temps, et culmine aussi en 1838 (84 titres publiés) ; mais sa chute, plus forte et plus durable, n'est interrompue par aucune reprise significative. En fait, l'édition de romans étrangers obéit à une logique principalement commerciale : de même qu'on imprimait massivement les classiques français sous la Restauration, pour répondre à une demande diffuse de littérature, les éditeurs profitent de la conjoncture favorable des années 1830 pour exploiter le domaine étranger, auquel ils renoncent dès les premiers signes

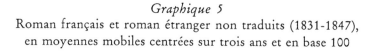

Graphique 5
Roman français et roman étranger non traduits (1831-1847),
en moyennes mobiles centrées sur trois ans et en base 100

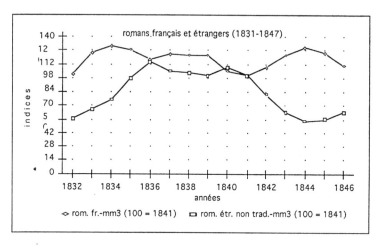

de mévente. On pourra en dire autant des collections d'Œuvres complètes.

Les Œuvres complètes

En termes éditoriaux, la notion d'Œuvres complètes recouvre des aspects contradictoires. D'une part, elle est un signe de consécration et une étape dans le processus de classicisation des auteurs ; d'autre part, elle permet à un éditeur d'appliquer à la littérature les principes de l'« édition programmée », de puiser commodément dans un vaste vivier de textes connus, enfin d'atteindre un vaste public, notamment provincial, peu sensible aux soubresauts de la littérature parisienne ; de plus, si l'opération réussit, elle assure à son promoteur la constitution de fonds propres qui, dans une deuxième étape, l'amènera s'il le désire à prendre des risques dans la publication de textes contemporains. Werdet a débuté ainsi, et Balzac s'y est essayé, avec les *Œuvres complètes* de Molière et de La Fontaine en 1825. Plus généralement, la librai-

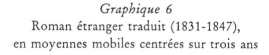

Graphique 6
Roman étranger traduit (1831-1847),
en moyennes mobiles centrées sur trois ans

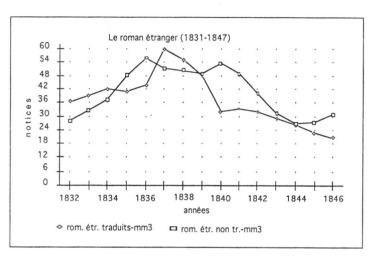

librairie de la Restauration sort du marasme où l'avaient plongée les guerres napoléoniennes grâce à des éditions volumineuses de textes classiques, à tous les formats et à tous les prix. Cette exploitation du fonds traditionnel se prolonge au-delà de 1830, mais s'y ajoutent de plus en plus, pour le roman, des auteurs à succès, récents ou contemporains, pour lesquels la publication en Œuvres ou en Œuvres complètes s'explique par le souci commercial de fidéliser un public : on y' retrouve déjà l'esprit de la collection moderne, à cette différence près que le principe fédérateur est le nom de l'auteur, non pas le thème traité. Voici ces auteurs d'*Œuvres (complètes)*, tels qu'ils ressortent, de 1831 à 1847, du dépouillement de la *Bibliographie de la France* :

1831   Scott
1832   Cooper, Nodier, Ludwig Tieck
1833   Cooper, Ducange, Hoffmann, Kock, X. de Maistre

1834   Kock
1835   Kock, Scott
1836   Cooper, Mme Cottin, Kock, Raban, Horace de Saint-Aubin, Sand
1837   Alphonse Brot, Kock, Marryat, Sand, Scott, Sue
1838   Alphonse Brot, Cooper, Ducange, Hoffmann, P.-L. Jacob, Kock, Pigault-Lebrun, Sand, Scott
1839   Cooper, Kock, Marryat
1840   Cooper, la comtesse Dash, Kock, Pigault-Lebrun, Horace de Saint-Aubin, Sand, Scott, Soulié, Sue
1841   Cooper, Kock, Scott
1842   Cooper, Fiévée, Sand, Scott et... Balzac
1843   Cooper, Hoffmann, Sand
1844   Ducray-Duminil, Jules Lecomte, Sand, Scott
1845   Cooper, Scott
1846   Cooper, Sue
1847   Mme Cottin, Sand, Scott

Cette énumération montre la place prépondérante occupée par les Anglais, qui semblent bien jouer le rôle de classiques populaires, et l'importance des « petits auteurs » (Kock, Ducange, Pigault-Lebrun, Soulié, Horace de Saint-Aubin, etc.). On pécherait donc par anachronisme en attribuant à cette production le prestige, philologique ou littéraire, des grandes collections du XXe siècle : à l'époque de la monarchie de Juillet, il était très probable que, pour un auteur soucieux de sa dignité, et, en conséquence, de son indépendance à l'égard du marché, le passage de la publication individuelle aux Œuvres complètes devait s'opérer avec une extrême prudence, et seulement si la conjoncture économique de la librairie laissait augurer un succès. D'où le graphique 7 : l'édition d'Œuvres complètes est très forte jusqu'en 1835 (entre 80 et 108 titres annuels), faiblit de 1836 à 1838 (44-77 titres) à cause, peut-être, de la concurrence de la littérature contemporaine, puis stagne jusqu'en 1847 en dessous de 40 titres.

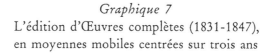

Graphique 7
L'édition d'Œuvres complètes (1831-1847),
en moyennes mobiles centrées sur trois ans

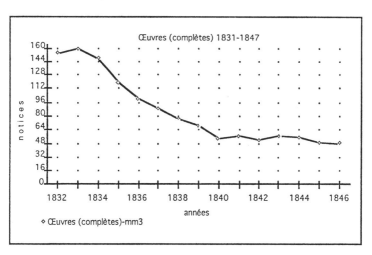

D'ailleurs, aucun auteur contemporain de la monarchie de Juillet ne se lance dans ce genre d'entreprise après 1839 : Lamartine le fait en 1834 et en 1836, Hugo en 1836, Vigny en 1837, Chateaubriand notamment en 1832 et en 1837. Pour George Sand seule, l'édition des *Œuvres complètes* commence, chez Perrotin, en 1842, mais après la parution de ses *Œuvres*, chez Bonnaire, de 1838 à 1842.

Le déclin de l'édition traditionnelle

Il était prévisible que l'édition d'œuvres complètes, apparue en période de prospérité, déclinât avec la crise ; elle renaîtra dès que les circonstances le permettront. En revanche, des années 1840 date un phénomène essentiel pour l'histoire culturelle de la librairie française : la chute d'une production artisanale de fiction, souvent à bon marché et de petit format, publiée en marge de la littérature parisienne.

34   *Le Moment de* La Comédie humaine

Graphique 8
L'édition de romans in-32 (1831-1847),
en moyennes mobiles centrées sur trois ans

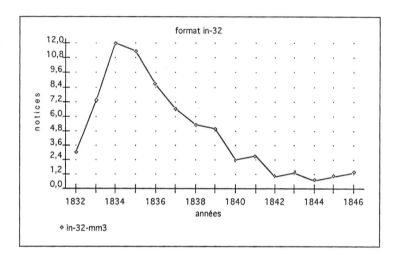

Graphique 9
L'édition de romans en province (1831-1847),
en moyennes mobiles centrées sur trois ans

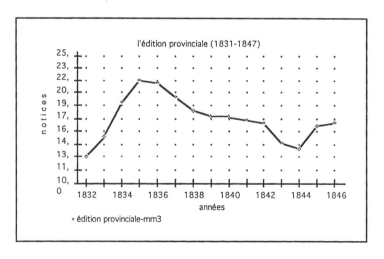

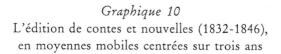

Graphique 10
L'édition de contes et nouvelles (1832-1846),
en moyennes mobiles centrées sur trois ans

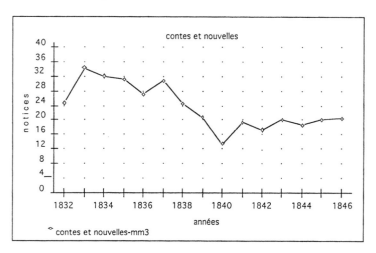

Les graphiques 8 à 10 fournissent trois indices, d'ailleurs étroitement corrélés, de cette évolution : la baisse du format in-32, souvent utilisé pour le colportage, de l'édition provinciale, et des contes et nouvelles (pour l'essentiel, récits médiévaux, contes de fées et contes orientaux). Il s'ensuit une standardisation des formats et une concentration des lieux d'édition dans quelques grandes villes de province (Avignon, Lille, Limoges, Lyon, Nancy, Tours). Le besoin en contes et récits brefs, lui, n'a pas disparu, mais passe désormais par d'autres canaux de diffusion : la publication par livraisons de recueils collectifs (cf. graphique 11, p. 36) et les périodiques quotidiens, hebdomadaires ou mensuels qui fournissent le public familial en nouvelles ou en romans débités en tranches.

En outre, la *Bibliographie de la France* annonce, à partir de 1844, la réimpression en volume des romans parus en feuilleton et offerts en prime aux nouveaux abonnés : 2 en 1844, 8 en 1845, 16 en 1846, 19 en 1847. Ainsi, la césure qui s'opère au milieu de la monarchie de Juillet est autant qualitative que quantitative, et se caractérise par la restructuration de la moyenne et de la grande diffusion, qui s'achèvera sous le Second Empire : il est inutile de s'attarder davantage sur ce processus, auquel est consacré l'essentiel des travaux actuels sur l'édition du XIXe siècle et sur la littérature populaire.

Graphique 11
La publication de romans par livraisons (1832-1846),
en moyennes mobiles centrées sur trois ans

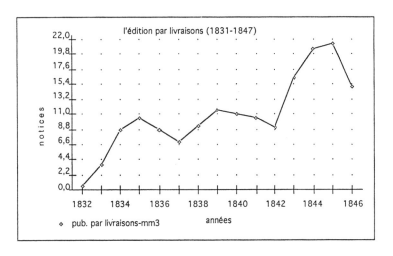

L'édition parisienne de nouveautés littéraires

Pour considérable qu'il soit, ce processus survient à la lisière de l'édition littéraire, qui reste inchangée : l'œuvre nouvelle est, en principe, d'abord publiée in-8° (7,50 F/volume), puis rééditée in-12 (2-3 F/volume) ou in-18 (1-2 F/volume). Un roman de taille moyenne fait couramment 2 volumes in-8° (15 F), 3 in-12 (6-9 F) ou 4 in-18 (4-8 F) : dans tous les cas, le prix reste élevé et les tirages limités ; les in-12 et les in-18 ne servent qu'à prolonger la durée de vie des œuvres et, pour les auteurs, à en accroître la rentabilité ; mais ces deux raisons suffisent à en faire les indispensables compléments de l'in-8°.

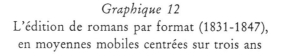

Graphique 12
L'édition de romans par format (1831-1847),
en moyennes mobiles centrées sur trois ans

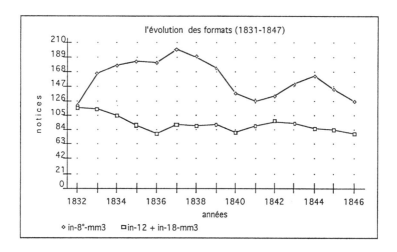

Or le graphique 12 offre les courbes les plus révélatrices et les plus surprenantes de cette enquête : on y constate que l'édition in-8°, malgré la crise et les fluctuations conjoncturelles, demeure, de 1832 à 1845, à une moyenne de 164 titres annuels ; au contraire, l'ensemble des in-12 et des in-18 décroît dès 1835, et se situe, durant la même période, à un niveau moyen de 93 titres. L'écart se creuse entre l'édition d'œuvres originales et le marché de la réédition. Une étude plus précise montrerait d'ailleurs que les rééditions en tous formats profitent davantage, à mesure que le déclin du roman se confirme, aux rares vedettes du genre, consacrées par le roman-feuilleton.

Tous les paramètres examinés jusqu'à présent aboutissent, pour la monarchie de Juillet, à une description cohérente de l'édition littéraire : on y retrouve, dans une première période, l'éventail des produits hérités de l'Ancien Régime : la publication in-8°, et toutes les formes artisanales de réédition (in-12, in-16, in-18, in-32). Les nouvelles exigences culturelles et économiques rendent cette palette obsolète, et tendent à y substituer des modes modernes d'exploitation, qui profitent provisoirement à la presse périodique. Pourtant, l'in-8°, symbole de l'édition littéraire, subsiste et apparaît comme l'un des derniers bastions de la librairie traditionnelle. Mais, victorieusement concurrencée, en termes de rentabilité et de prestige, par la presse parisienne, elle cesse d'être le sommet d'une pyramide pour devenir un commerce modeste, qui vit en marge des mutations de l'imprimerie et de la culture. Le capitalisme industriel fait le vide autour d'elle, et cet isolement préfigure son déclin relatif durant la suite du XIXe siècle : elle ne disparaît pas, elle se survit.

Bien sûr, dès la monarchie de Juillet, la librairie parisienne imagine des parades : la publication par livraisons qui, par sa périodicité et son apparente modicité, mime la presse, et la « révolution Charpentier ». On connaît les caractéristiques techniques de cette dernière : un nouveau format (le grand in-18), un texte abondant qui réduit le blanc des pages à une proportion décente, un prix modéré (3,50 F), compte tenu du nombre de signes imprimés. Mais la vraie révolution est culturelle ; en constituant son catalogue avec beaucoup de parcimonie et de rigueur, Gervais Charpentier, venu de l'in-8°, fait de sa collection une chambre d'enregistrement officieuse de la « bonne littérature » :

1838   Balzac, Mme de Staël

1839   Balzac, Constant, Goethe, Goldsmith, Prévost, Mme de Staël

1840   Balzac, Mme de Krüdner, X. de Maistre, Manzoni, A. de Musset, Nodier, Sainte-Beuve, Senancour, Mme de Souza, Mme de Staël

1841   Fielding, Goethe, Hugo, Lesage, A. de Musset, Prévost, Topffer

1842   Balzac, Goethe, miss Inchbald, Mérimée, Mme de Staël, Sterne, Vigny

1843   Constant, Miss Burney, Goethe, Delecluze, Hoffmann, Lesage, Marivaux, Mme de Staël

1844   Goethe, Goldsmith, X. de Maistre, Nodier, Prévost, Senancour, Mme de Staël, Topffer

1845   Gautier, Goethe, Hugo, A. de Musset, Sainte-Beuve, X.
        B. Saintinie, Sand, Mme de Souza, Mme de Staël
1846   Balzac, Mme de Krudner, A. de Musset, Rousseau,
        Topffer, A. de Vigny
1847   Balzac, Cervantes, Senancour

(Source : *Bibliographie de la France*)

En soumettant les techniques commerciales à une politique éditoriale, Charpentier montre ainsi la voie à un futur renouveau de l'édition littéraire ; mais il n'est pas Ladvocat, et exploite exclusivement le domaine de la réédition, engrangeant les valeurs sûres de la littérature.

Le cas Balzac

Dans ces conditions, on comprend que le combat de Balzac a un sens historique fort, cohérent avec l'ensemble de ses positions idéologiques, mais qu'il est une cause perdue ; il s'agissait, pour lui, de défendre l'acte éditorial traditionnel, d'ailleurs idéalisé, et en conséquence, de limiter le poids des intermédiaires au profit de l'auteur (signataire et producteur). On s'explique moins, en revanche, la publication de *La Comédie humaine* à partir de 1842, au plus fort de la crise, et c'est à ce problème que je consacrerai mes dernières hypothèses.

Le graphique 13 (p. 40) présente la publication balzacienne de 1831 à 1847 sous ses principales formes éditoriales (nouveautés in-8° hors *Comédie humaine*, nouveautés de la collection Charpentier, volumes de *La Comédie humaine*, nouveautés in-12 et in-18). Il est bien sûr impossible de dégager, à partir d'un si faible corpus, des observations statistiques ; ce graphique suggère cependant quelques tendances :

— La première est la constante productivité de l'auteur, à l'exception des années 1840-1841 (encore elles !) ; elle se mesure, en particulier, par le nombre de nouveautés in-8°, qui reflète l'actualité littéraire. Mais il est vraisemblable que Balzac, après une période d'intense activité, ait assez tôt cherché à se prémunir des aléas du marché, et à tirer parti d'un contexte très favorable pour se dégager des contraintes qu'imposent la

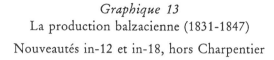

Graphique 13
La production balzacienne (1831-1847)
Nouveautés in-12 et in-18, hors Charpentier

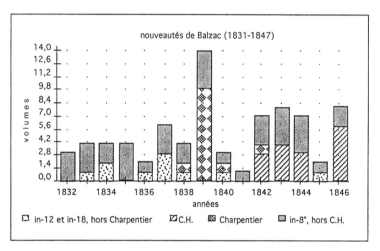

recherche non maîtrisée du profit. Bon pourvoyeur de la librairie, il lui faut élaborer une stratégie capable de conforter sa situation professionnelle et de lui assurer une relative autonomie. Cette manœuvre se fait, apparemment, en trois temps :

– Dans les années 1833-1838, puis en 1840 et en 1845, il utilise le créneau de l'in-12 et de l'in-18 traditionnels, mais se désintéresse assez vite de cette forme éditoriale déclassée, qui n'apporte aucun surcroît de légitimité : il s'éloigne ainsi de la trajectoire que suivent les autres romanciers (un P. de Kock, par exemple).

– De même qu'il avait publié, dans *La Presse*, le premier roman-feuilleton, il participe, en 1838, au lancement de la collection Charpentier, et 13 de ses œuvres y paraissent de 1838 à 1842. Il obtient ainsi une première reconnaissance éditoriale : pour Balzac, l'entrée dans le catalogue Charpentier est le contrepoint naturel du roman-feuilleton.

Immédiatement après, dans les années 1842-1846, la parution de *La Comédie humaine* confère au roman balzacien la dignité des Œuvres complètes. Si le choix de la publication en la dignité des Œuvres complètes. Si le choix de la publication en livraisons, commandé par le contexte de la librairie, n'appelle pas de commentaires particuliers, la réorganisation des œuvres en une totalité cohérente constitue une particularité remarquable dont l'analyse revient à la critique ; j'ajoute seulement un élément à ce dossier : on a vu que les œuvres complètes de romanciers étaient le plus souvent considérées, à juste titre d'ailleurs, comme des pratiques purement commerciales. Seuls, les « grands auteurs » romantiques (Hugo, Lamartine, Vigny...), ayant servi plusieurs genres littéraires, peuvent justifier une pareille entreprise par le désir d'échapper à la sectorialisation croissante de la librairie, dont la poésie est la première victime. En élaborant une synthèse originale de sa production, Balzac se purifie du péché de spéculation, et se distingue, sur ce point aussi, de ses concurrents : en somme, il substitue à la diversité générique des premiers romantiques l'unité génétique de son monument romanesque.

La Comédie humaine n'est donc pas, me semble-t-il, une réponse au marasme du roman : elle comporterait alors de trop grands risques financiers. En réalité, dès les années 1830, la plupart des écrivains reconnus ont le souci de ne pas se laisser piéger par l'emballement du marché, et de conquérir, dans cette « littérature-librairie » dont parle Hugo dans *Les Misérables*, la place enviable d'observateur privilégié – au sens propre, d'observateurs à privilège : Balzac dira des « maréchaux des lettres ». De là l'accumulation des Œuvres complètes, et, sur un autre plan, le piétinement à la porte de l'Académie, la tentation politique. Balzac fait de même, mais, simple romancier, il doit gagner sur son terrain, et il a besoin de temps. C'est la maturation nécessaire d'un authentique projet littéraire qui provoque le décalage constaté. Mais cet anachronisme accidentel, qui permet à *La Comédie humaine* de clore l'histoire romanesque de la France monarchique, contribue à lui donner sa valeur de testament personnel et de défi culturel.

On pourrait dire, d'une formule, que Balzac invente le roman moderne où moment où, déjà, celui-ci paraît défait. Cette étrangeté, plus peut-être que toutes les autres, explique pourquoi *La Comédie humaine* deviendra la référence nécessaire et le mythe tutélaire de la littérature à venir.

Un tournant longuement médité

Roger Pierrot

C'est un fort ancien *topos* de la critique balzacienne –
surtout de gauche, mais pas uniquement – d'opposer le
discours littéraire balzacien à son discours préfaciel. Il convient
ici de rappeler que le discours préfaciel visé a longtemps été
uniquement celui de l'Avant-propos de 1842. Jusqu'en 1953, les
éditions courantes de *La Comédie humaine*, y compris les 40
volumes des *Œuvres complètes* de l'édition Conard (1912-1940)
et l'ancienne Pléiade en 10 volumes (1935-1937), peu soucieuses
de critique génétique, n'avaient pas recueilli les préfaces,
introductions, postfaces et notes publiées par Balzac dans les
premières éditions de ce qui formera *La Comédie humaine*[1].
Jean-A. Ducourneau rassembla près de 400 pages de ces textes
balzaciens au tome XV (1953) de la collection « Formes et
Reflets », avec une éclairante « Préface aux préfaces », due à
Bernard Guyon, où il rappelait que « depuis une trentaine
d'années [...] nous nous sommes penchés [...] sur l'œuvre en
train de se faire pour la mieux comprendre une fois faite. De
quel prix les écrits théoriques et les confidences d'un écrivain ne
sont-ils pas pour de tels travaux ? » Vint ensuite le tome XI
(1959) de l'ancienne Pléiade rassemblant en 300 pages le corpus
de ces textes retranchés par l'édition Furne pour *La Comédie
humaine*. Depuis, rares sont les éditions collectives ou séparées
qui n'ont pas repris ces documents.

Une lecture attentive de l'ensemble de ces discours
préfaciels, rédigés de 1827 à 1840, et de la *Correspondance*
montre que très tôt Balzac a rêvé d'une œuvre unitaire.
L'opposition relevée entre l'Avant-propos de 1842 et les textes
romanesques s'explique ainsi mieux et s'estompe en partie.

Ce fut d'abord à l'imitation de Walter Scott, une *Histoire
de France pittoresque*, illustrée par une série de romans historiques, « œuvre immense », dont il nous reste *L'Excommunié* et
Les Chouans. Ce projet ne quitta pas l'esprit du créateur avant
1833. Parallèlement il songeait à une série de traités de
philosophie scientifique appliquée à la réalité sociale dont seule
la *Physiologie du mariage* figurera dans *La Comédie humaine*
en 1846. Mais l'ensemble des textes réunis dans la nouvelle
Pléiade sous le titre de *Pathologie de la vie sociale*, montre bien
la persistance de cette veine de philosophie scientifique. Il n'est
pas inutile de rappeler que le Philosophe a précédé le Romancier, même si les *Études analytiques* ont été écrasées par la masse
des *Études de mœurs*. L'Introduction aux *Romans et contes
philosophiques*, signée par Chasles (1831) présente un romancier
méditant sur une pathologie de la vie sociale mise en scène par
des actions romanesques.

Si en 1830 apparaissent les premières *Scènes de la vie
privée*, Balzac projette aussi des *Souvenirs soldatesques*, avant-
titres d'*El Verdugo* et d'*Adieu* dans *La Mode* (30 janvier, 15
mai et 5 juin) ; dans une note du 8 mai accompagnant *Les Deux
Rêves*, la même revue annonçait que Balzac travaillait « depuis
longtemps » à des *Scènes de la vie politique* dont *Les Deux
Rêves* font partie et à des *Scènes de la vie militaire* devant
inclure *El Verdugo*. Ces *Scènes de la vie militaire* sont même
vendues à Boulland et Canel, puis à Mame ; mais *El Verdugo*,
le *Réquisitionnaire* et *Les Deux Rêves* passèrent dès 1831 dans
les *Romans et contes philosophiques* et *Adieu* dans les *Scènes de
la vie privée* l'année suivante. Comme l'a souligné Roland
Chollet, cette apparition en 1830 de *Scènes de la vie militaire*
et de *Scènes de la vie politique* « atteste un changement décisif
des perspectives de l'*Histoire pittoresque* »[2].

C'est de l'été 1833 à l'été 1834 que vont effectivement
naître les trois premières séries de *Scènes* qui composeront
l'édition Béchet-Werdet des *Études de mœurs au XIXᵉ siècle*
(1834-1837), trois séries destinées à devenir six par l'adjonction
de la campagne, de la politique et des militaires.

Dès le 26 octobre 1834, il peut dans une lettre célèbre exposer à Mme Hanska[3], le plan de son œuvre dont les trois grandes séries doivent décrire les *effets*, les *causes* et les *principes*. 1838 est prévu pour le début de la publication, le titre général est assez peu alléchant pour la « librairie marchande » : *Études sociales...*

La date de 1838 est à retenir ; l'édition illustrée de *la Peau de chagrin* est publiée par Delloye et Lecou en 25 livraisons de décembre 1837 à juillet 1838. Si l'on examine attentivement ce volume, on constate que les titres courants pairs portent : ÉTUDES SOCIALES, DEUXIÈME PARTIE, et les titres courants impairs : ÉTUDES PHILOSOPHIQUES, LA PEAU DE CHAGRIN. La signature du premier cahier (faux-titre non chiffré) se lit : ET. SOC. – T. XXVI. Cette édition s'est mal vendue, beaucoup d'exemplaires portent des titres de relais avec différents noms d'éditeurs et des variantes dans le titre. L'édition originale porte : BALZAC ILLUSTRÉ, LA PEAU DE CHAGRIN, ÉTUDES SOCIALES. C'est donc bien le seul volume publié du projet exposé à Mme Hanska, dès le 26 octobre 1834[4].

Ces quelques références attestent que l'Unité de composition, proclamée dans l'Avant-propos de juillet 1842 était réellement une idée fort ancienne. Pourquoi le *moment* de la réalisation ne vint-il qu'en 1842 ? La situation de l'édition française est une explication dont les démêlés de Balzac avec ses éditeurs sont un reflet significatif. À l'instar de Chateaubriand, il avait cru assurer son œuvre en signant un contrat d'exploitation avec Delloye, Lecou et Bohain (15 novembre 1836), les faillites de Bohain et de Delloye en 1839 mirent fin aux vastes projets du *Balzac illustré/Études sociales*.

En janvier (?) 1840 (*Corr.* IV, lettre 1698) apparaît enfin le titre *Comédie humaine*, accompagné d'un plan détaillé prévoyant 12 volumes à paraître en dix-huit mois. Nous ne savons pas de façon certaine le nom du libraire envisagé, peut-être Curmer ou Dutacq ; ce projet est également mentionné à Mme Hanska le 10 mai 1840, toujours sans nom d'éditeur et même sans le titre devenu fameux. Le Carnet *Notes sur le classement et l'achèvement des œuvres* (Lov. A. 159) dans ses premiers feuillets donne des listes d'œuvres légèrement postérieures à celle de la lettre 1698. Le détail des tractations avec la librairie nous échappe complètement jusqu'aux traités des 14 avril et 2 octobre 1841 qui ne nous fournissent aucun plan détaillé de l'édition prévue[5].

Le *moment* de la publication du premier volume en 10 livraisons s'étendra d'avril à juin 1842 avec une lacune de taille, il manque encore les pages 7 à 32 destinées à contenir l'Avant-propos qui sera daté : « Paris, juillet 1842 ». Balzac en effet s'est longuement fait prier avant de se décider à rédiger lui-même un discours préfaciel. Des préfaces demandées à Charles Nodier, Hippolyte Rolle et George Sand furent envisagées ; Balzac songea même, en désespoir de cause, à reproduire les introductions de Félix Davin aux *Études de mœurs* et aux *Études philosophiques*, c'est sur l'amicale et insistante invite de P.-J. Hetzel qu'il rédigea enfin l'Avant-propos.

Bien des points restent à éclaircir, beaucoup le sont dans les contributions de ce volume, mais il nous manque toujours une histoire synthétique de *La Comédie humaine*, une étude approfondie des tâtonnements et des contacts avec le commerce du livre de 1838 à la fin de 1841 ; en dehors de la *Correspondance* publiée, nous savons peu de choses sur la fabrication des deux premiers volumes ; le fonds Lovenjoul possède très peu d'épreuves corrigées en vue de la fabrication des volumes de 1842[6] ; le Carnet A. 159 devrait faire l'objet d'une édition commentée montrant les différentes étapes de son élaboration.

Reste le problème sans doute le plus essentiel : dans quelle mesure la décision prise de publier une édition globale a-t-elle pu influencer la structure romanesque des œuvres nouvelles et les corrections apportées à celles déjà publiées ? Si un tel changement de perspective d'écriture peut être décelé, il conviendra d'essayer d'en préciser la date initiale. Il ne semble pas, mais c'est à vérifier, que la date de signature du contrat définitif et du début de la fabrication, après le 2 octobre 1841, ait une signification déterminante. En tout cas, comme pour les *Études de mœurs* Béchet-Werdet, le rythme de publication de *La Comédie humaine* sera constamment cassé par les « cadres »[7] à remplir dans les différentes séries. Ainsi, dès le volume I, les dernières livraisons devront attendre la rédaction et les corrections du texte d'*Albert Savarus* (daté : « mai 1842 » et « inventé » vers le 21 avril pour remplacer *La Séparation* qui devait primitivement clore le volume[8], changement effectué en liaison avec la nouvelle de la mort d'Hanski) ; le 4e volume des *Scènes de la vie privée* sera différé jusqu'en 1845 par l'inachèvement de *Béatrix*. Les « cadres » seront ensuite bien difficiles à remplir, dans l'ordre prévu, mais ceci est une autre histoire, celle des corrections du Furne, du *Catalogue* de 1845 et de l'achèvement de *La Comédie humaine*.

Notes

1. À l'exception du tome XXII de l'édition Lévy (1872) offrant un *corpus* très incomplet.

2. Roland Chollet, *Balzac journaliste : le tournant de 1830*, Klincksieck, 1983, p. 265.

3. *LH* B I, 204-205. Dès le 17 avril 1834, Charles Cabanellas avait reçu l'esquisse de ce plan, sans l'encadrement philosophique et théorique de l'édifice (*Corr.* II, n° 771, p. 490-491).

4. En date du 8 juillet 1837, il prévoyait 50 volumes en 4 ans. (*LH* B I, p. 391). Voir également *ibid.*, p. 400, 408, 409, 435, 439, 440. Nous ne connaissons malheureusement pas le plan envisagé pour cet ensemble de volumes où *la Peau de chagrin* devait être le XXVIᵉ.

5. *Corr.* IV, n° 1906 et n° 1945.

6. A. 16, 103 ff, essentiellement pour *Albert Savarus*. On peut signaler que Chicago University Library possède quelques épreuves corrigées concernant *Gobseck, Une double famille* et *La Femme de trente ans*. Sur ce travail de corrections, voir ce qu'il écrivait déjà en juin 1841, *LH* B I, p. 534.

7. *LH* B I, p. 538.

8. *LH* B I, p. 576-577.

« Construire, dit-il. »

Stéphane Vachon

> Balzac [...] me fait l'effet d'un architecte qui,
> comme Michel-Ange, serait à la fois peintre et
> sculpteur, et ferait équation avec l'idée même
> de l'architecture.
> Barbey d'Aurevilly.[1]

Véritable *moment*, à marquer d'une pierre blanche et précieuse,
ou bien non-événement absolu ? Du point de vue de la genèse de
l'œuvre balzacienne, il n'est pas sûr que la publication de L a
Comédie humaine (1842-1846, 16 vol.; 1 vol. complémentaire en
1848) soit une mutation décisive qui doive entraîner une réévaluation de cet univers textuel : « L'idée de *La Comédie humaine* est
par elle-même stérile ; faire revenir les personnages, montrer les
changements d'âge et de puissance, retrouver les mêmes visages ; cela
est trop facile à concevoir et à entreprendre. »[2] Que l'on ne s'y
trompe pas : ce jugement sévère – ne ramène-t-il pas l'inter-
connexion des romans et la tentative d'organisation de l'œuvre en
système à la mise en place du personnel romanesque, aux règles et
aux évolutions de la « société fictive », du « drame à trois ou quatre
mille personnages que présente une Société »[3] ? – est celui d'un bon
lecteur de Balzac, attentif et d'un goût sûr. Contrairement à Michel
Butor, qui lira *La Comédie humaine* comme « un mobile roma-

nesque, un ensemble formé d'un certain nombre de parties que nous pouvons aborder presque dans l'ordre que nous désirons ; [...] c'est comme une sphère ou une enceinte avec de multiples portes »[4], Alain ne se laissa pas séduire par les effets de cohérence après-coup, *ex post-facto*, par les « carrefours où les personnages de *La Comédie humaine* se rencontrent, se saluent, et passent. De là vient qu'au lieu d'être dans un roman, on est dans dix ; [...] tout est pris dans la masse et participe de la puissance architecturale. »[5]

Cherchant nous-même, un peu illusoirement peut-être, à fixer l'heure où la décision de *La Comédie humaine* fut prise, nous avons ailleurs tenté de montrer que la construction de cette « cathédrale de papier », simple événement de librairie étions-nous presque tenté d'écrire, se trouva longuement mûrie, diversement préparée, plusieurs fois esquissée, annulée, reportée, renvoyée à d'autres temps, meilleurs[6]. Nous appuyant sur cette idée simple – mais il ne faut pas la manquer – que Balzac raconte, décrit et pense simultanément, qu'en écrivant et en classant il médite et découvre, nous avons isolé un certain nombre de *moments* qui nous ont semblé constitutifs de cette œuvre. Dans la perspective d'une macrogenèse soucieuse de mesurer le rapport de vitesse entre les dates de rédaction et de publication, ces *moments* ne se succèdent pas comme les étapes ordonnées d'un processus rédactionnel conduisant à une œuvre pleine et achevée, ils offrent des prises sur le bougé d'une écriture et l'évolution d'un discours métacritique.

Dès 1824-1825, et la rupture d'avec les « opérations de *littérature marchande* »[7] de Lord R'Hoone et de Horace de Saint-Aubin, le jeune Balzac envisage, dans la rivalité avec Walter Scott qui a su élever « à la valeur philosophique de l'histoire le roman »[8], une ambitieuse *Histoire de France pittoresque*[9]. Cette vaste fresque, qui ne sera pas menée à bien, doit comprendre « autant de scènes historiques qu'il y a de siècles depuis l'invasion des Francs jusqu'en 1800 »[10]. Le romancier balzacien affirme déjà, dans ce premier projet d'envergure, sa volonté de lier ses romans, de les constituer en œuvre et de ne laisser vide aucun espace intersticiel. Il est encore historien du passé, mais déjà historien de sa nation, bientôt historien des mœurs : « Chaque règne authentique, à partir de Charlemagne, demandera tout au moins un ouvrage, et quelquefois quatre ou cinq, comme pour Louis XIV, Henri IV, François Ier.

Vous ferez ainsi une histoire de France pittoresque où vous peindrez les costumes, les meubles, les maisons, les intérieurs, la vie privée, tout en donnant l'esprit du temps, au lieu de narrer péniblement des faits connus. »[11]

En 1828, *Le Gars* appartient à cet ensemble narratif dont les buts sont la description du passé et l'évocation des grandes figures de l'histoire. Sous le masque de Victor Morillon – le dernier de ses pseudonymes –, Balzac annonce que « cet ouvrage n'est, en quelque sorte, qu'une des pierres de l'édifice que l'auteur essaiera d'élever »[12]. Le travail cyclopéen du romancier-bâtisseur entassera les « pierres » et les matières, révélera sa geste : « Il faut entreprendre aujourd'hui quelque chose de monumental pour vivre dans la mémoire des hommes. »[13]

De 1824-1828 à 1842, de l'*Histoire de France pittoresque* à l'Avant-propos de *La Comédie humaine*, de Walter Scott à Georges Cuvier (on le verra), qu'il s'agisse des tentatives désordonnées du journaliste de 1830, qui conjure la dispersion de ses publications en revue par des surtitres significatifs[14], ou des déclarations du correspondant de Mme Hanska (« Voulant construire un monument, durable plus par la masse et par l'amas des matériaux que par la beauté de l'édifice »[15]), qu'il s'agisse des préfaces signées par Félix Davin aux *Études de mœurs au XIXe siècle* (1833-1837, 12 vol. in-8°) et aux *Études philosophiques* (1834-1840, 20 vol. in-12)[16], lesquelles jettent des ponts entre ces deux séries en construction, mais davantage encore pour la perspective plus que pour la circulation, qu'il s'agisse enfin du projet non réalisé de « la grande édition générale de l'œuvre qui sous le titre d'*Études sociales* comprendra tous ces fragments, ces fûts, ces chapiteaux, ces colonnes, bas-reliefs, murs, coupoles, enfin le monument qui sera laid ou beau »[17], le *topos* – ancien, en littérature – du monument et la métaphore de la cathédrale effectuent la totalité de l'œuvre, le modèle architectural mobilise la masse des textes, indique entre eux les liaisons, révèle la prétention de l'œuvre à l'unité, prétention immédiatement nouée à une réflexion sur les pouvoirs du roman. Et Balzac, on le sait, est rompu à tous les secrets du plein cintre et de l'ogive.

Curieusement toutefois, par un coup de force (prémédité ?) contre le désordre et le chaos qui menacent l'œuvre, l'Avant-propos de *La Comédie humaine* semble abandonner le modèle de la construction pour ceux du théâtre, et de la classification : « L'idée première de *La Comédie humaine* [...] cette idée vint d'une comparaison entre l'Humanité et l'Animalité » (Pl. I, p. 7). Trop court pour être véritablement scientifique, trop long cependant pour être de fantaisie, l'Avant-propos adopte la nomenclature des « Espèces sociales » (*ibid.*, p. 8), se place sous le régime des sciences naturelles et le principe de « l'unité de composition » de Geoffroy Saint-Hilaire, à l'ombre de Cuvier aussi, dont il faut relire les toutes premières phrases du « Discours préliminaire » à ses *Recherches sur les ossements fossiles de quadrupèdes* :

> J'essaie de parcourir une route où l'on n'a encore hasardé que quelques pas, et de faire connaître un genre de monuments presque toujours négligé, quoique indispensable pour l'histoire du globe.
> Antiquaire d'une espèce nouvelle, il m'a fallu apprendre à déchiffrer et à restaurer ces monuments, à reconnaître et à rapprocher dans leur ordre primitif les fragments épars et mutilés dont ils se composent ; à reconstruire les êtres antiques auxquels ces fragments appartiennent [...].[18]

Ce qui frappe ici, c'est la densité des foyers d'expansion métaphorique, et leurs échos multiples dans l'œuvre balzacienne. Le « monument » d'abord – inévitablement –, puis l'« antiquaire d'une espèce nouvelle », antécédant la figure fantastique de *La Peau de chagrin*. Dans ce roman, la description de la boutique de l'antiquaire, « une espèce de fumier philosophique » (Pl. X, p. 69) réunissant les débris des civilisations morcelées, les vestiges et les témoins du monde passé, précède immédiatement la célèbre « ode » à Cuvier[19]. Par un « regard rétrospectif », qui permet de « configurer le passé dans une sorte d'Apocalypse rétrograde » (Pl. X, p. 75), le naturaliste, le poète – Cuvier n'est-il pas « le plus grand poète de notre siècle » et « poète avec des chiffres » (*ibid.*) –, le romancier peuvent restituer un ordre, prendre la partie pour le tout (manquant), rapporter les traces du visible à l'invisible. Le romancier sait, de même, accomplir le parcours inverse, synthétiser des matériaux hétéroclites et des pièces disparates, condenser sa création, créer le type : « Un type, dans le sens qu'on doit attacher à ce mot est un personnage qui résume en lui-même les traits caractéristiques de tous ceux qui lui ressemblent plus ou moins, il est le modèle du genre »,[20] construire un univers : « Les peintres ne formulent que des parties de la nature sociale, moi j'aurai fait toute la société. »[21]

Faire l'histoire du présent en saisissant les divers moments du passé rétabli dans son historicité et sa hiérarchie, d'un passé dont les restes visibles et partiels dans le présent se livrent comme la totalité de ce présent, comme la « mosaïque du monde »[22] : par là Balzac soude Walter Scott à Cuvier, la mission que s'impose le premier semble répondre et correspondre à l'activité du second. Balzac entrevoit la possibilité pour le roman de narrer le spectacle du monde, de dire le monde se déroulant dans le temps, d'ordonner le déroulement du temps collectif des hommes, remontant vers son origine et se projetant dans l'avenir.

*

« M. de Balzac cède à Messieurs Furne, Hetzel et Paulin, et J.-J. Dubochet pour le temps qui sera déterminé ci-après le droit exclusif d'imprimer et de vendre ses œuvres complètes, sous le titre général de *La Comédie humaine.* »[23] L'aboutissement en librairie tient les promesses architecturales de l'œuvre, qui suspendaient le terme de sa réalisation en insistant sur son dévoilement, différaient le temps du jugement, ajournaient l'heure de sa contemplation : « *La Comédie humaine* va enfin se dresser, belle, bien corrigée, et à peu près complète » (*LH*B I, p. 537).

Treize mois après le début des parutions, en mai 1843, Balzac écrit à Mme Hanska : « Les grands événements de ma vie sont mes œuvres » (*ibid.*, p. 686) ; en décembre 1846, lorsque cette publication s'achève : « Moi, je les hais, les romans, surtout les romans à finir » (*ibid.*, II, p. 487). La réalisation matérielle de l'ouvrage (1842-1846) est suivie d'un brusque relâchement des nerfs et de l'énergie créatrice, lié au sentiment intime de l'usure des forces vitales : « Je n'ai plus cette abondance de pensées littéraires qui ne me permettait pas de chercher longtemps un sujet, et tout s'use ; je le vois : le corps et l'esprit. »[24] Chez un écrivain de tout temps dévoré par la pensée d'un temps qui le dévore – ce qui est aussi, mais comme en surplus, s'abattant en excès d'un autre horizon, la conséquence de sa soumission au marché et à la loi économique –, désormais secrètement hanté par le rêve de sa gloire succédant à un travail productif, sans trêve et conquérant[25], le renoncement à faire œuvre : « *La Com[édie] hum[aine]*, je ne m'y intéresse plus » (*LH*B I, p. 129) jaillit de son épuisement à tendre la littérature vers sa limite, d'une tension toujours maximale entre l'effort vers l'unité et la complétude et l'idée de leur inaccessibilité.

Peintre et sculpteur, écrivait Barbey, l'auteur de *La Comédie humaine* va de chevalet en chevalet et de plâtre en marbre. Tant qu'il marche, tant qu'il travaille, tant qu'il sculpte, qu'il peint, qu'il cisèle et qu'il construit, il ne voit pas qu'il court à l'échec. *La Comédie humaine* ne pouvait pas ne pas être – toutes les pensées, toutes les énergies du romancier étaient sur son effectuation concentrées – mais étant, elle rate, la facture de l'ensemble fait l'épreuve de son inachèvement, de ses failles et de ses lézardes, de ses lacunes et de son inaccomplissement. La parole balzacienne du *désœuvrement* marque une entrée dramatique dans la modernité, le désir d'un texte continu, lisse et plein, et la découverte – ou la claire conscience – du discontinu, de l'hétérogène et de l'antagonique, de la discordance et de l'éclatement, du monde, du moi, de l'œuvre, dont les vérités de dérobent. Balzac ne poursuit pas un mythe, son entreprise n'est pas consciemment nostalgique d'une totalité impossible, d'un *liber-mundi* qui embrasse « le grand monstre moderne sous toutes ses faces » (*ibid.*, p. 804), qui étend son emprise sur toute la complexité de l'existence de l'homme dans le monde.

Monument textuel, gloire et tombeau de l'auteur, ou document pour l'historien ? D'une certaine manière, *La Comédie humaine* pourrait bien avoir réussi sa révolution, exhibant les signes de sa modernité pour les assumer et s'élaborer à partir d'eux : l'inachevé, puisque le présent, « l'histoire des mœurs en action »[26] et la vie toujours échappent à l'œuvre (« J'ai à remplir les cadres, il manque bien des choses… », *ibid.*, p. 538); le fragmentaire, puisque le *continuum* de l'œuvre est toujours menacé par la suprématie du texte particulier, et l'effort d'organisation globale par l'immersion dans le détail (« Les détails seuls constitueront désormais le mérite des ouvrages improprement appelés *Romans* »[27]); l'indétermination, ou, ce qui est pis, la crainte de la perte du sens (« … ce que j'[ai] encore à écrire pour donner à *La Com[édie] hum[aine]* un sens raisonnable et ne pas laisser ce monument dans un état inexplicable », *LH* B II, p. 262).

Œuvre autoréférentielle enfin, *La Comédie humaine* ne se reconnaît aucune extériorité, elle se débarrasse des conventions et des contraintes qui ne lui sont pas immanentes, se donne son référent et ses références, ses règles et ses modèles, refuse le déjà-là du monde, ne renvoie qu'à elle-même et à la littérature : « Ayant entrepris, témérairement sans doute de représenter l'ensemble de la littérature par l'ensemble de mes œuvres » (*LH* B I, p. 11), et par le roman suffit-il d'ajouter, instrument de nouveauté et genre des genres, le premier d'entre eux, capable de tous, qui enchâsse « à la fois le drame, le dialogue, le portrait, le paysage, la description ; [...] le merveilleux et le vrai, ces éléments de l'épopée, [...] la poésie » (Pl. I, p. 10). « Avec Balzac » proposait naguère Alain, *depuis* Balzac dirons-nous, faire de la littérature, c'est écrire la littérature.

Notes

1. « Shakespeare et... Balzac », *Le Pays*, 10 mai 1864 (nous citons d'après *Le XIXᵉ siècle. Des œuvres et des hommes*, choix de textes établi par Jacques Petit, Mercure de France, t. I, 1964, p. 101).
2. Alain, *Avec Balzac*, Gallimard, 1937, p. 61.
3. Avant-propos de *La Comédie humaine*, « Bibliothèque de la Pléiade », Gallimard, 12 vol. 1976-1981 ; t. I, p. 10 (désormais abrégé en Pl.).
4. Michel Butor : « Balzac et la réalité », *Répertoire I*, Les Éditions de Minuit, 1976 [1ʳᵉ éd. 1960], p. 83-84.
5. Alain, *op. cit.*, p. 191.
6. Voir notre « Construction d'une cathédrale de papier », dans *Les Travaux et les jours d'Honoré de Balzac*, PUV / Presses du CNRS / PUM, 1992, p. 15-41. Nous disposons aujourd'hui du soutien financier du Conseil de recherches en sciences humaines du Canada et du Fonds pour la formation des chercheurs et l'aide à la recherche (Québec).
7. « Préface qu'on lira si l'on peut » au *Vicaire des Ardennes*, Pollet, t. I, 1822.
8. Avant-propos de *La Comédie humaine* (juillet 1842), Pl. I, p. 10.
9. En attendant la republication des fragments connus de ce projet au tome II des *Œuvres diverses* du romancier dans la « Bibliothèque de la Pléiade », on se reportera au tome XXIV des *Œuvres complètes illustrées* publiées par Jean-A. Ducourneau, les Bibliophiles de l'Originale, 1972. L'influence de Walter Scott sur le jeune Balzac a été étudiée par Pierre-

Georges Castex dans son édition de *Falthurne*, José Corti, 1950. Voir aussi Jean Pommier , « Les préfaces de Balzac. Balzac et W. Scott », *Dialogues avec le passé*, Nizet, 1967, p. 79-100. Sur la réception de Walter Scott en France, on peut encore consulter l'ouvrage de Louis Maigron, *Le Roman historique à l'époque romantique. Essai sur l'influence de Walter Scott*, Champion, 1912 [nouv. éd.] ; et Martyn Lyons, « Walter Scott et les lecteurs du romantisme français », *Le Triomphe du livre*, Promodis, 1987, p. 129-144.

10. Note de l'album *Pensées, sujets, fragmens*, Bibliothèque de l'Institut, *Lov.* A 182, fol. 169.

11. Cette reformulation du projet d'*Histoire de France pittoresque* est tirée d'un discours de d'Arthez à Lucien (*Illusions perdues*, Pl. V, p. 313) ; on trouve d'autres réminiscences dans la bouche de Lousteau (*ibid.*, p. 495). Voir aussi l'Introduction de *Sur Catherine de Médicis* (Pl. XI, p. 176).

12. Note marginale à l'Avertissement du *Gars*, Pl. VIII, p. 1683.

13. Cette épigraphe de l'Avertissement semble faussement mais peut-être volontairement attribuée par Balzac à Rivarol (voir Pl. VIII, p. 1168, n. 2).

14. Ainsi, dans *La Mode*, les 6 et 20 mars, *Mœurs parisiennes* coiffe *L'Usurier* [*Gobseck*] puis *Étude de femme* ; *Galerie physiologique*, *L'Épicier* puis *Le Charlatan* dans *La Silhouette* les 22 avril et 6 mai ; *Souvenirs soldatesques*, *El Verdugo* puis *Adieu* dans *La Mode* une nouvelle fois, le 30 janvier, et les 15 mai et 5 juin 1830.

15. *Lettres à Madame Hanska*, publiées par Roger Pierrot, « Bouquins », Laffont, 2 vol., 1990 ; t. I, p. 11 (désormais abrégé en *L.H.B.*). On relira aussi la célèbre lettre-programme d'octobre 1834 (*ibid.*, p. 200-205), et celles adressées la même année au docteur Nacquart (« Sept lettres de Balzac », *L'Année balzacienne 1984*, p. 11-12), et à Charles Cabanellas (*Correspondance* de Balzac, publiée par Roger Pierrot, Garnier, 5 vol., 1960-1969 ; t. II, p. 490-491 ; désormais abrégé en *Corr.*).

16. L'une et l'autre rédigées sous les yeux et la dictée de Balzac, corrigées et augmentées par lui. La première parut en décembre 1834 (*Études philosophiques*, Pl. X, p. 1200-1218), la seconde en mai 1835 (*Études de mœurs au XIXe siècle*, Pl. I, p. 1145-1172).

17. *L.H.B.* I, 196 ; 18 octobre 1834. Sur le *moment* capital que constituent les *Études sociales*, que l'on nous permette une nouvelle fois de renvoyer à nous-même : « La gestion balzacienne du classement : du "Catalogue Delloye" aux *Notes sur le classement et l'achèvement des œuvres* », *Le Courrier balzacien* n° 51, 1993-2, p. 117 ; voir aussi *Les Travaux et les jours d'Honoré de Balzac*, *op. cit.*, p. 30-35.

18. Première publication en 1812. Nous citons d'après la réédition « G.-F. » (Flammarion, 1992, p. 45), avec une présentation, des notes et une chronologie par Pierre Pellegrin.

19. Abondamment commentée par la critique balzacienne. Voir par exemple Jacques Neefs, « La localisation des sciences », *Balzac et* La Peau de chagrin, SEDES, 1979, p. 127-142, et Lucien Dällenbach, « Du fragment au cosmos [I] », *Poétique* n° 40, avril 1979, p. 420-431.

20. Préface d'*Une ténébreuse affaire*, Pl. VIII, p. 492-493.

21. Lettre au docteur Nacquart (*loc. cit.*, note 15).

22. Le mot est de Balzac, dans la préface d'*Une fille d'Ève* : « Il n'y a rien qui soit d'un seul bloc dans ce monde, tout y est mosaïque » (Pl. II, 265).

23. Premier article du second contrat pour la publication de *La Comédie humaine* (2 octobre 1841 ; *Corr.* IV, p. 313-319). Un premier contrat, annulé, avait été signé le 14 avril précédent (*ibid.*, p. 271-275).

24. *LH* B I, p. 632 (10 janvier 1843) ; ou : « J'ai peur que la fatigue, la lassitude, l'impuissance ne me prennent avant que j'aie édifié mon œuvre » (*ibid.*, p. 213 ; 15 déc. 1834) ; ou encore : « J'ai pensé qu'avec le temps, je me détériorais dans les travaux » (*ibid.*, p. 623 ; déc. 1842), etc. Voir, sur ce point, notre analyse des *Lettres à Madame Hanska* d'après la réédition procurée par Roger Pierrot (*op. cit.*), *Romantisme* n° 77, 1992-1993, p. 113-119.

25. Ce cri de triomphe : « Il n'y a encore que moi dont on puisse dire avec assurance, dans cette époque, que je serai dans *les classiques* » (*L H* B II, p. 67 ; 6 sept. 1845).

26. Introduction de *Sur Catherine de Médicis* (Pl. XI, p. 176).

27. Note placée en postface à l'édition originale des *Scènes de la vie privée* (avril 1830), Pl. I, p. 1175.

La recherche d'une poétique :
Balzac et la *Revue parisienne*

Françoise Van Rossum-Guyon

En 1840 Balzac se livre durant quelques mois à une intense activité journalistique et critique. Avec l'aide d'Armand Dutacq, il fonde la *Revue parisienne* qu'il dirige et pour laquelle il rédige la quasi-totalité des articles. La revue ne connaîtra que trois livraisons : 25 juillet, 25 août et 25 septembre. L'entreprise est un échec commercial.

Le projet cependant était ambitieux et le résultat, bien que limité par la force des choses, témoigne sans aucun doute qu'au-delà, ou à côté, d'ambitions purement financières, Balzac était animé d'un désir profond d'exprimer librement et en son propre nom ses idées politiques et esthétiques – en toute indépendance – ainsi que d'exercer un pouvoir intellectuel – ce pouvoir qu'on ne cesse de lui contester – par d'autre voies et sur une autre scène que celle de la fiction, que celle-ci soit romanesque ou théâtrale. On sait que l'entreprise succède à l'échec de *Vautrin* et des attaques de plus en plus virulentes de la Presse à son égard depuis la publication d'*Un grand homme de province à Paris :* « La création de la Revue [...] a été causée par l'hostilité flagrante et continue de la Presse envers moi, et qui, certes a été ignoble à propos de *Vautrin* » déclare-t-il lui-même le 25 septembre 1840 dans son adresse « Aux abonnés » de la *Revue parisienne* [1]. À quoi il faut ajouter la querelle avec Sainte-Beuve qui dans *La Revue des deux mondes* a accusé Balzac d'être le promoteur de « la littérature industrielle » et à qui Balzac répond dans la *Revue* en critiquant violemment le *Port-Royal* [2].

La création d'une revue périodique devait lui permettre, si l'on se fie à ses propres déclarations, de s'imposer, sinon comme véritable maître à penser, du moins comme témoin privilégié de son époque, de faire entendre sa voix et d'agir directement sur ses contemporains en défendant les véritables intérêts de la littérature. Il s'agissait en particulier maintenant que « la critique – comme il le déclare à plusieurs reprises – n'existe plus », de faire la preuve de la possibilité d'une critique littéraire « sincère, patiente, complète et éclairée » [3] digne des productions de l'Art moderne.

Ne reste, certes, de cette noble entreprise que quelques articles relatifs à l'actualité politique, sociale et littéraire qui, réunis en volume suivant l'usage de l'époque, tiennent dans les limites d'un petit in-32 de 306 pages [4]. Ces écrits, qu'il s'agisse des « Lettres sur la Russie », « Sur les Ouvriers », sur le *Port-Royal* de Sainte-Beuve ou encore des « Lettres sur la littérature, le théâtre et les arts » et des « Études sur M. Beyle » n'ont guère fait l'objet d'analyses spécifiques tenant compte de leur lieu et de leur date de publication. Je me limiterai ici aux pages de critique littéraire et même aux introductions de la première des « Lettres sur la littérature », publiée le 15 juillet 1840, et des *Études de mœurs au XIXe* siècle, bientôt réunies sous le titre prestigieux de *Comédie humaine,* qui passent au crible les défauts et les qualités d'une série de romans contemporains : *Le Lac Ontario* de Fenimore Cooper, *Léo* de Latouche, *Jean Cavalier* d'Eugène Sue et *La Chartreuse de Parme de Stendhal.*

Il faut remarquer tout d'abord que ces textes occupent une place exceptionnelle dans les écrits de Balzac, représentant, et de loin, l'ensemble le plus important qu'il ait jamais produit comme critique, c'est-à-dire comme analyste et juge, en son propre nom, des œuvres d'autrui. L'activité proprement critique de Balzac est en effet beaucoup moins importante qu'on ne pourrait le penser. Bien sûr, il faut mettre au compte de Balzac critique littéraire les articles qu'il a donnés en 1830 au *Feuilleton des journaux politiques.* Roland Chollet, dans son étude sur Balzac journaliste, en a montré l'intérêt.

Balzac s'y révèle déjà critique consciencieux et averti dans l'analyse qu'il y fait de plusieurs romans historiques et cette réflexion critique, à l'époque, a joué un rôle important dans « la prise de conscience par l'auteur futur des *Études de mœurs* des problèmes où se forge l'avenir de l'œuvre »[5]. Lus dans la perspective de la genèse de l'œuvre balzacienne et de la continuité de ses efforts, ces articles témoignent des préoccupations qui seront plus que jamais les siennes en 1840 quant à la vérité historique et à la vérité de l'art :

> Balzac s'attache déjà à l'essentiel, vérité historique et anachronismes couleur locale, rapports créateur-création, histoire-fiction, enchaînement des scènes et disposition des personnages, dynamisme dramatique, bref aux moyens et aux fins de l'art du roman comme art réaliste. [6]

Il faut toutefois se garder d'une illusion rétrospective qui rabattrait la critique de 1840 sur celle de 1830, illusion confortée par le fait qu'en 1840 comme en 1830, les romans examinés sont toujours des romans historiques, tandis que le modèle de référence explicite reste Walter Scott. Les articles produits par Balzac en 1830 ne sont au total qu'une demi-douzaine et n'excèdent pas, chacun, plus de deux ou trois pages[7]. C'est peu, et en tout cas, sans commune mesure avec les articles que Balzac a publiés dans sa *Revue parisienne* : les « Lettres sur la littérature » et les « Études sur M. Beyle » se déploient sur, respectivement, 28 et 40 pages (dans l'édition CHH). Il faut rappeler que Balzac ne produit rien de ce genre entre 1830 et 1840 pour souligner la place prise soudain par la critique littéraire dans la *Revue parisienne* en 1840 alors qu'il est désormais en pleine connaissance de ses fins – qu'il a d'ailleurs tendance, à cette époque, à confondre avec les « fins mêmes de l'art ». En 1840 Balzac peut prétendre assumer le rôle de juge et de législateur qu'il assigne à d'Arthez dans *Un grand homme de province à Paris*.

C'est finalement surtout dans son œuvre fictionnelle que Balzac déploie une intense activité critique, tant par l'intermédiaire de ses narrateurs qu'à travers les discours de ses personnages, d'Arthez, Lousteau, Bianchon, Blondet, etc. Les lecteurs de *La Comédie humaine* familiarisés avec ce méta-discours balzacien ne peuvent qu'être tentés d'attribuer à l'auteur les jugements critiques d'un narrateur qui se présente comme le témoin de la société de son temps et du même coup partie prenante dans l'institution littéraire, comme c'est le cas par exemple dans *Illusions perdues*[8] ou *La Muse du département* où les propos de personnages dont l'autorité et la compétence en la matière sont attestées dans la fiction. Ce sont là des effets de l'illusion réaliste. Cette confusion est évidemment facilitée par l'analogie de contenu entre certains énoncés fictionnels et certains discours critiques. Ainsi ne peut-on qu'être frappé par la ressemblance entre les idées exposées par Lousteau et Blondet dans *Illusions perdues* à propos du roman de Nathan sur la littérature des images et la littérature des idées et celles que développe Balzac lui-même au début de son « Étude sur M. Beyle » à propos du roman de Stendhal, et l'on n'a. pas manqué de rapporcher ces deux textes et même de faire comme si le second (celui de la *Revue* en 1840) ne faisait que reprendre le premier en le complétant. Et pourtant les différences sont aussi importantes que les analogies.

La lecture comparative de l'« Étude sur M. Beyle » et des pages sur la littérature contemporaine dans *Un grand homme de province* permet en effet de comprendre la différence essentielle qui sépare ces deux sortes de critique ne réside pas dans les idées exprimées ni dans les arguments utilisés pour les justifier, ni dans le bonheur de l'expression ou le talent du critique, mais dans l'usage, juste ou injuste, c'est-à-dire pertinent ou non, qui est fait de ces idées et de ces arguments. L'on en admirera d'autant plus le « risque »[9] qu'a pris Balzac en n'hésitant pas à mettre dans la bouche de personnages que par ailleurs il méprise (comme c'est le cas, sinon de Blondet, du moins de Lousteau) des idées auxquelles on peut légitimement penser qu'il tenait puisqu'il les avait déjà exposées dans une lettre à Custine du 10 février 1839 et les reprend, *mutatis mutandis,* et de façon circonstanciée dans la *Revue parisienne.*

Critique de la critique :
Un grand homme de province à Paris

Dans *Illusions perdues*, Lousteau et Blondet se relaient pour exposer à Lucien néophyte, des arguments contre et pour le roman de Nathan et ils s'appuient pour ce faire sur des considérations de portée plus générale, relatives aux grandes tendances de la littérature contemporaine. De la même façon, Balzac commence son article sur Stendhal par un exposé sur les tendances de la littérature actuelle et oppose entre elles les

grandes «écoles» littéraires. Ici comme là, s'opposent la
«littérature idée» ou «littérature des idées» caractérisée par la
netteté, la concision, les faits, l'action et la «littérature imagée»
ou «littérature des images» qui s'appuie sur le sentiment,
développe la poésie, la couleur et le drame. Dans les deux cas
cette distinction recouvre l'opposition entre les deux écoles,
l'école classique qui trouve son apogée au XVIIIᵉ siècle et la
«nouvelle», celle de la «jeune littérature» du XIXᵉ siècle[10].
Dans les deux cas, ce qui est plus troublant encore, une proposition de synthèse succède à ce qui se présente comme une thèse
et une antithèse : tu diras, dit Blondet à Lucien que «le dernier
degré de l'art littéraire est d'empreindre l'idée dans l'image»
(Pl. V, p. 459), tandis que Balzac critique parle, lui, «d'éclectisme». On remarquera également que l'éloge que Blondet fait
de la jeune littérature et de sa plus grande réussite, le roman :
«cette création moderne la plus immense» *(ibid.)* correspond
aux conceptions de Balzac, romancier et critique, puisque c'est à
partir des critères énumérés par ce même Blondet qu'il va juger
des beautés et des défauts de ceux de Cooper, Eugène Sue ou
Latouche et analyser en détail pour le placer au rang des plus
grands chefs-d'œuvre de l'art moderne : *La Chartreuse de
Parme* de Stendhal.

Mais ce que montre en même temps Balzac ou «démontre», pour reprendre un terme cher à ses personnages de litté-
rateurs, c'est aussi le mauvais usage que les critiques – tels
justement qu'il les peint dans le roman et tels qu'il les juge
dans la pratique – sont amenés à faire des théories littéraires et
la manière dont ils parviennent à faire passer le vrai pour du
faux ou l'inverse suivant les besoins d'une cause qui n'a rien à
voir avec la «vérité de l'art» ni la réalité de l'œuvre. Comme le
dit on ne peut plus clairement Lousteau à Lucien : il s'agit
«d'apprendre (ton) métier» : «le livre fût-il un chef-d'œuvre
doit devenir sous ta plume une stupide niaiserie, une œuvre
dangereuse» *(ibid.,* p. 442). Il suffit d'en changer les beautés en
défauts, en s'appuyant sur des théories qui paraissent justes et
en développant une argumentation qui paraisse convaincante
aux «bourgeois», aux «niais» c'est-à-dire aux «abonnés du
journal». Rien de plus efficace alors que de forcer les oppositions. Les brillants développements sur la littérature idée et
l'évocation massive des chefs-d'œuvres classiques ne sont plus,
dans cette perspective, que des artifices de rhétorique[11], des
arguments stratégiques, mis en œuvre pour «démolir», en le

déconsidérant, le livre de Nathan et avec lui toute la « nouvelle littérature » :

> Une fois sur ce terrain, tu lances un mot qui résume et explique aux niais le système de nos hommes de génie du dernier siècle, en appelant leur littérature une *littérature idéée*. Armé de ce mot, tu jettes tous les morts illustres à la tête des auteurs vivants. Tu expliques alors que de nos jours il se produit une nouvelle littérature où l'on abuse du dialogue (la plus facile des formes littéraires), et des descriptions qui dispensent de penser.
>
> (Pl. V, p. 443.)

La critique littéraire est ainsi réduite à un exercice de style, elle ne relève que de cette « cuisine littéraire » pour laquelle il suffit de savoir appliquer quelques recettes éprouvées : « Saupoudre-moi d'esprit ces raisonnements, relève-les par un petit filet de vinaigre, et Dauriat est frit dans la poêle aux articles » (*ibid.*, p. 444).

De la même façon Blondet aura beau jeu d'expliquer à Lucien (il s'agit maintenant de le convaincre de faire l'éloge du livre de Nathan qu'il vient d'éreinter dans le journal de Dauriat) que « les théories soutenues auparavant » n'ont été inventées par la critique que pour trouver des défauts dans l'œuvre. Il n'a donc qu'à « se réfuter lui-même » et « accabler sa précédente argumentation » (*ibid.*, p. 458). Ainsi devra-t-il cette fois porter aux nues la littérature des images et faire l'éloge du drame « qui seul répond aux besoins de notre époque ». Théories inventées *ad hoc*, arguments destinés aux bourgeois, tout ce que dit Blondet et qui pourtant en soi paraît si juste et si pertinent, n'est ici présenté que comme une mystification digne d'un sophiste : « Accable ta précédente argumentation en faisant voir que nous sommes en progrès sur le dix-huitième siècle. Invente le *Progrès* (une adorable mystification à faire aux bourgeois) ! » (*ibid.*, p. 459).

Cela cependant n'empêche pas Lucien, le destinataire de ces discours (et, avec lui, le lecteur) de découvrir dans les théories développées par Lousteau, des « vérités littéraires » (*ibid.*, p. 444) qu'il n'avait pas soupçonnées ainsi que des « beautés originales » dans les thèses de Blondet (*ibid.*, p. 461). Elles y sont et elles permettront à Lucien de nourrrir ses articles de « considérations neuves sur le sentiment, sur l'idée, sur l'image en littérature » qui le consacreront comme un maître par ses pairs. Il a appris son métier, même s'il n'est pas encore tout à fait capable de ne pas adhérer, ne serait-ce qu'au moment de son écriture, à ce qu'il dit et conserve ainsi un reste de cette « sincérité » qui, selon le Balzac de la *Revue*, fait le vrai critique[12]. (On se souvient que Lucien retrouve, en écrivant son deuxième article, les « premières impressions » qu'il avait éprouvées à la lecture du livre et que Balzac, critique de romans dans sa *Revue*, insiste sur ses lectures répétées des œuvres qu'il examine.) Lucien critique est enfin cet « acrobate » accompli que Lousteau puis Blondet ont éduqué en lui expliquant les « tours » ou la « manière de procéder » en telle ou telle circonstance, bref « comment s'en tirer » (Pl. V, p. 441). Mais la maîtrise de Lucien ne fait de lui, selon la formule de Vernou, qu'« un marchand de phrases » capable enfin de vivre de son « commerce » (*ibid.*, p. 458). Car cette aliénation du critique, qui non seulement manque de sincérité mais ne fait que vendre des phrases adaptées au support médiatique, est liée, on le sait, à l'aliéna-tion de la presse aux intérêts politiques, eux-mêmes comman-dés par les intérêts financiers. C'est à la fois ce que, par le biais de la fiction, démontre le roman et ce que dénonce, avec véhé-mence, le rédacteur en chef de la *Revue*[13].

Cette aliénation en chaîne et cette hiérarchisation des soumissions successives à des finalités extérieures est exprimée dans le roman par la position même d'un Lucien dont la posture est toujours celle de l'élève soumis à ses maîtres. On remarquera aussi que dans le roman ce ne sont pas les écrits critiques de Lucien que l'auteur donne à lire mais les discours de ses mentors Lousteau et Blondet et qu'il s'agit, chaque fois, de discours d'autorité. Lousteau et Blondet donnent à Lucien des instructions, sinon des ordres, au moins autant que des conseils : « tu diras », « tu opposeras », « saupoudre », « accable », « invente », etc. Les « idées » de Lucien lui sont littéralement dictées par autrui et, si justes soient-elles, cela suffit pour en vicier le sens et la portée. Émancipé, relativement.instruit, ayant revêtu sa robe prétexte de journaliste, Lucien, en outre, reste le simple rouage d'une machine dont il ne comprendra jamais vraiment le mécanisme et qui finit par le broyer. Le roman exhibe, en en montrant les mécanismes, ce que le rédacteur de la *Revue* explicite en conclusion de sa « Chronique de la Presse » le 25 Août 1840 :

> [...] cette immense machine appelée le journalisme. C'est simple comme une rôtissoire que fait tourner un caniche.

Nous expliquerons plus tard quels sont les cuisiniers chargés d'épicer les plats, et vous verrez que le peuple qui se dit le plus spirituel du monde est celui qu'on dupe avec le plus de grossièreté. (CHH XXVIII, p. 197.)

Les « Lettres sur la littérature »
Sur les fondements d'« une critique complète et éclairée »

À ces discours aliénés d'un Lousteau, Blondet, Lucien – personnages fictifs représentatifs de ce qu'il ne faut pas faire – s'opposent en tout point le discours balzacien des « Lettres sur la littérature » et des « Études sur M. Beyle ». Prenant la parole en son nom propre et à la première personne et s'adressant à un destinataire choisi pour ses qualités exceptionnelles d'attention et de jugement critique, l'énonciateur des Lettres, d'entrée de jeu, affirme son engagement personnel, garant de sa sincérité – en récusant la séparation du public et du privé :

À Madame la Comtesse E...

Paris, 15 juillet 1840

Pour vous écrire publiquement mes sentiments sur les livres qui paraissent je ne changerai rien à la manière dont je les exprimais en ne me confiant qu'à vous. Ce sera, la même liberté de jugement, le même laisser aller, le même style.
(CHH XXVIII, p. 78.)

S'adressant au destinataire le plus privilégié qui soit, celui même de la correspondance privée, Eveline Hanska[14], l'auteur des Lettres ouvre sa série consacrée à la critique littéraire sur la perspective d'un dialogue, d'un échange familier quant au style, mais d'autant plus sérieux quant au fond :

[...] je vais continuer la charge que j'avais acceptée de vous dire ce qui me plaît ou ce que je rebute dans les ouvrages nouveaux ; seulement je motiverai consciencieusement mes avis. Si je me trompais, vous me redresseriez (*ibid.* p. 79).

À travers ce destinataire privilégié, c'est aux lecteurs, tels qu'il les souhaite, que s'adresse l'auteur de cette lettre ouverte, tels ces « cœurs nobles et purs, qui [...] existent en tout pays comme des pléiades inconnues, parmi les familles d'esprit vouées au culte de l'Art » dont il parle à propos des êtres privilégiés capables comme lui d'« admiration » pour *La Chartreuse de Parme* (CH XXVIII, p. 202). Lecteurs choisis, lecteurs avertis, intéressés et dignes d'être instruits, le contraire exactement de ce public facile à berner et plein de préjugés, « bourgeois niais » et « abonnés aux journaux » dont il est question dans le roman.

Avec cette chronique consacrée à la critique littéraire, la *Revue parisienne* devait même assumer le rôle d'un véritable *Moniteur de la littérature* et prendre le relais des grands périodiques du passé, le *Mercure de France* et le *Journal des Savans* (*ibid.*, p. 79). C'est justement parce que, comme il l'a montré dans *Illusions perdues* et comme il s'en plaint dans ses préfaces, « la critique n'existe plus », réduite qu'elle est à « des attaques haineuses d'homme à homme, des assertions de l'envie, [...] d'infâmes calomnies » (*ibid.*, p. 78), bref ce qu'il appelle des « personnalités » qu'il doit expliciter ce qu'il attend du critique comme personne, soit :

> [...] un écrivain positivement instruit, ayant médité les moyens, qui connaisse les ressources de l'art et qui critique dans l'intention louable d'expliquer, de consacrer les procédés de la science littéraire, ayant lu les ouvrages dont il s'occupe [...] (*ibid.*).

et ce qu'il entend par critique littéraire en tant qu'activité spécifique dans le champ de l'institution littéraire. C'est pourquoi, avant de passer à l'analyse des ouvrages il expose les conditions de possibilité et les finalités d'une « critique patiente, complète, éclairée » ainsi (*ibid.*, p. 80) que ce qui en constitue les véritables fondements.

Sous l'apparente modestie de la *captatio benevolentiae* : « un pareil homme [c'est-à-dire cet écrivain instruit, etc.] est à trouver. Il ne se trouvera pas de sitôt [...] je n'ai pas, Madame, la prétention d'un Critique », Balzac bien évidemment fait son propre portrait de l'écrivain en critique. Car, ce dont il s'agit pour lui, ce n'est pas tant de donner des avis pour ou contre un ouvrage, mais de les motiver en connaissance de cause.

La critique de l'écrivain instruit est donc une critique de spécialiste et même de véritable théoricien de la littérature[15]. Car, selon Balzac, toute critique doit déboucher sur une « science littéraire » parce que toute « Production » valable prend

appui sur une « Poétique ». Or cette « science », ces « principes de
l'art moderne » que « la critique actuelle » doit indiquer, ce sont
ces « lois de la poétique du roman » qu'il admire Stendhal
d'avoir suivies en écrivant La Chartreuse (CHH XXVIII,
p. 231). Et ces lois, « ces règles » ce sont celles qu'il a lui-même,
au cours des années, inventées et mises en œuvre dans cet
ouvrage immense bien qu'inachevé, ce work in progress qu'il va
bientôt rassembler sous le titre La Comédie humaine (même
si, pas plus, bien qu'autrement que M. Beyle, il n'a réussi à les
faire vraiment reconnaître par ses contemporains). Au lieu,
d'autre part, de réduire les nouveautés littéraires à un phénomène superficiel de mode (le progrès, cher au bourgeois, dont
parle Blondet) ou de parti (les classiques ou les romantiques
dont parle Lousteau à Lucien), Balzac affirme dans la Revue
parisienne la grandeur et même la supériorité de la littérature
du XIXᵉ siècle sur celle des siècles précédents :

> La littérature a subi depuis vingt-cinq ans, une transfor-
> mation qui a changé les lois de la Poétique. La forme dramatique,
> la couleur et la science ont pénétré tous les genres (ibid., p. 79).

C'est bien une véritable « métamorphose » dont la portée
est loin encore d'être comprise par tous, comme en témoignent, en ce qui concerne les productions de Balzac lui-même,
l'incompréhension des critiques et la nécessité où il se trouve de
se faire « le cicerone de son œuvre » et de multiplier « les préfaces explicatives »[16] . Mais, et ceci doit être souligné, la portée de
cette transformation échappe aussi dans une grande mesure à ses
auteurs eux-mêmes comme l'a dit en 1839 la Préface d'Une fille
d'Ève et de Massimilla Doni :

> [...] en aucun siècle le mouvement littéraire n'a été plus vif,
> ni plus grand dans ses causes et dans ses effets. La portée de cette
> époque est inconnue à la majeure partie de ceux qui en sont les
> auteurs, et qui, se trouvant les pivots ou les rouages de cette
> grande machine, ne sauraient en avoir le prodigieux spectacle. [17]

Le critique-écrivain instruit est ainsi appelé à jouer un rôle
aussi indispensable que capital. C'est lui qui, comptant parmi
ces « esprits qui savent se mettre à distance et distinguer le bien
mêlé à tant de mal » (le mal étant lié aux « changeants intérêts
d'une politique fondée sur des sables mouvants »)[18] saura, en
assumant son rôle de juge impartial, parce que distancié, éviter

les risques de désordre et d'anarchie liés à cette production foisonnante et incontrôlée :

> [...] je crois que, si jamais une critique patiente, complète, éclairée a été nécessaire, c'est dans un moment où la multiplicité des travaux, où l'ardeur des ambitions produisent une mêlée générale et causent en Littérature le même désordre que dans la Peinture, qui n'a plus ni Maîtres, ni Écoles, où le défaut de discipline compromet la sainte cause de l'art, et gêne tout, même la conscience du beau, sur laquelle repose la Production.
> (CHH XXVIII, p. 80.)

Les « Études sur M. Beyle »
ou l'apologie du roman moderne

Les pages consacrées au panorama de la littérature contemporaine au début des « Études sur M. Beyle » confirment les différences que nous avons soulignées entre les énoncés en situation de fiction et ceux de la *Revue*, en même temps que s'affirme, de manière magistrale, la capacité de l'écrivain à exercer son rôle de juge, de législateur et, fonction non moins importante, de justicier ou plutôt d'avocat, qu'il assigne justement dans la préface d'*Une fille d'Ève* à ces « esprits qui savent se mettre à distance et distinguer le bien ». « Le temps de la justice arrivera » – prophétise Balzac dans cette préface, en 1839, « pour cette génération de grands poètes [...] pour les philosophes et les historiens consciencieux, pour de hardies doctrines morales, pour le journalisme lui-même... » (*ibid.*, p. 201). Or dans l'étude consacrée au chef-d'œuvre méconnu de Stendhal, c'est à « rendre justice » au « mérite » que s'attache le critique et il présente son entreprise comme une « bonne action » (*ibid.*, p. 236).

Du haut de cette « tribune libre et indépendante » qu'est la *Revue parisienne*, Balzac va, en quelque sorte, donner l'exemple – au sens rhétorique d'*exemplum* – de ce que peut être, et de ce que doit être, la vraie critique. Les pages d'histoire littéraire qui servent d'introduction à l'examen approfondi de *La Chartreuse* relèvent elles aussi de l'exercice de rhétorique. Mais au lieu de mettre en œuvre, comme dans les modèles de discours proposés par les journalistes à Lucien, des arguments choisis uniquement en fonction de stratégies persuasives, le critique propose ici un exposé qui se recommande pour sa clarté et sa précision, où les résumés de synthèse se spécifient en exemples, où les assertions sont chaque fois nuancées et corrigées dans une perspective de dialogue. Au lieu surtout de s'articuler en opposition binaires et forcées, destinées à défendre le pour et le contre ce discours propose une organisation ternaire, dialectique, au sens hégélien du terme (même si le philosophe évoqué est Victor Cousin) puisque le troisième terme, c'est-à-dire « l'éclectisme », intègre sans les supprimer les deux premiers, soit la « littérature des images » et son opposé « la littérature des idées ». De la même manière que les productions du XIXe siècle dépassent, tout en les intégrants, celles des siècles prédédents.

En 1840 nous sommes, certes, au-delà de la bataille romantique et des querelles mises en scène dans *Illusions perdues*, dont l'action se passe dans les années vingt. Une ère nouvelle s'est définitivement ouverte et la légitimité du roman comme genre est désormais établie, même si certains crient déjà à sa dégénérescence et accusent un Balzac d'y contribuer ![19] C'est en tout cas avec le regard distancié de l'historien que Balzac dans les *Études* – le titre est significatif –, aborde la littérature de son temps.

> Dans notre époque, la littérature a bien évidemment trois faces ; et, loin d'être un symptôme de décadence, cette triplicité, expression forgée par M. Cousin en haine du mot *trinité*, me semble un effet assez naturel de l'abondance des talents littéraires : elle est l'éloge du 19e siècle. [...]
> Ces trois formes, faces ou systèmes, comme il vous plaira de les appeler, sont dans la nature et correspondent à des sympathies générales qui devaient se déclarer dans un temps où les Lettres ont vu, par la diffusion des lumières, s'agrandir le nombre des appréciateurs et la lecture faire des progrès inouïs.
> (CHH XXVIII, p. 197-198.)

Contrairement aux préfaces, dans lesquelles l'écrivain est contraint à une attitude défensive et où s'exaspère le désir de faire comprendre et accepter son œuvre, le ton de Balzac critique est à la fois magistral et modeste. L'enthousiasme va de pair avec le goût de la conciliation. L'écrivain prend du recul, se pose en spectateur de la littérature de son siècle et paraît assuré tant de sa propre légitimité que de celle de son discours critique. Mais c'est sans doute parce que, ici, contrairement à ce qui se passe dans les préfaces de ses propres romans, il ne s'agit pas directement de lui-même comme auteur, ni de son œuvre. Il se donne pour tâche de dégager les grandes tendances de la littérature moderne et propose un classement des auteurs en familles d'esprit, avec le souci de rendre à César ce qui appartient à César – « M. Victor Hugo est certes le talent le plus éminent de la littérature des images » et de situer parmi les siens l'auteur dont il se propose de parler en tant que critique :

> M. Beyle, plus connu sous le pseudonyme de Stendhal *(sic)* est, selon moi, l'un des maîtres les plus distingués de *L a Littérature des idées* à laquelle appartiennent MM. Alfred de Musset, Mérimée, Léon Gozian, Béranger, Delavigne, Gustave Planche, madame de Girardin, Alphonse Karr et Charles Nodier (*ibid.*, p. 199).

Cependant Balzac ne manque pas non plus de s'inscrire dans ce tableau général de la littérature du XIXᵉ siècle. L'attitude objective et nuancée qu'il adopte donne en effet d'autant plus de poids à sa remarque selon laquelle « certaines gens complets, certaines intelligences *bifrons,* embrassent tout, veulent et le lyrisme et l'action, le drame et l'ode, en croyant que la perfection exige une vue totale des choses » (*ibid.*, p. 198). La modération du ton met d'autant mieux en relief sa définition d'une « troisième école », désignée sous le nom d'« Éclectisme littéraire », et qui « demande une représentation du monde comme il est : les images et les idées, l'idée dans l'image ou l'image dans l'idée, le mouvement et la rêverie » *(ibid.).*

En transposant à la littérature la notion philosophique d'éclectisme[20] et en invoquant pour l'illustrer l'inventeur du roman historique – « Walter Scott a entièrement satisfait ces natures éclectiques » *(ibid.)* – Balzac rappelle opportunément l'existence d'une littérature dont l'exigence est de synthèse et dont le genre par excellence est le roman. Il emprunte à Victor Cousin l'idée de totalisation d'un ensemble « composite », c'est-à-dire la nécessité de mettre en œuvre tous les moyens de l'art pour rendre compte de tous les aspects de la réalité sociale. La notion d'éclectisme littéraire subsume ainsi les énoncés formulés ailleurs concernant la spécificité de l'entreprise balzacienne. De ce point de vue on peut considérer que le terme d'éclectisme joue un rôle métaphorique analogue à celui que Balzac assigne à la mosaïque[21], au kaléidoscope, aux galeries de tableaux ou à la cathédrale.

Toutefois, alors que les préfaces s'efforcent avant tout de montrer la cohérence d'une œuvre en gestation et de maintenir dans un rapport dialectique d'implication réciproque les deux termes de l'opposition entre diversité et unité, dans cette introduction à l'étude du roman de Stendhal, Balzac insiste sur le caractère foncièrement « composite » des œuvres produites « sous la bannière » de l'éclectisme littéraire, par opposition à celles des tenants de l'École des idées ou de l'École des images. En outre, si *La Chartreuse de Parme* est un « chef-d'œuvre », c'est aussi parce que son auteur a su « faire des concessions aux deux autres écoles », en combinant l'idée avec l'image et l'image avec l'idée. Or cette œuvre d'art essentiellement composite, c'est bien évidemment le roman. Les explications fournies par Balzac pour justifier son adhésion à l'éclectisme ne laissent aucun doute à cet égard :

> Quant à moi, je me range sous la bannière de l'Éclectisme littéraire par la raison que voici : je ne crois pas la peinture de la société moderne possible par le procédé sévère de la littérature du XVIIᵉ siècle. L'introduction de l'élément dramatique, de l'image, du tableau, de la description, du dialogue me paraît indispensable dans la littérature moderne.

Ce sont là, on vient de le voir les propos de Blondet dans *Illusions perdues* et de Félix Davin dans l'Introduction aux *Études de mœurs*. En insistant en outre sur la notion de Personnage – « L'idée devenue Personnage est d'une plus belle intelligence » (CHH XXVIII, p. 200) – et sur l'importance fondamentale du dialogue – « Platon dialoguait sa morale psychologique » *(ibid.)* Balzac se situe par rapport à Victor Hugo. C'est lui le Poète, le maître incontesté de la Littérature des images, école que Balzac qualifie de « divine, en ce sens qu'elle tend à s'élever par le sentiment vers l'âme même de la Création. » mais il dit aussi que cette école « préfère la Nature à l'Homme » *(ibid.,* p. 199), de sorte que les éloges accordés au poète et à l'auteur de *Notre-Dame de Paris* ne sont pas sans ambiguïté. Ils s'accompagnent d'ailleurs de restrictions très significatives du point de vue qui nous occupe ici, à savoir la théorie balzacienne du roman. Il reproche en effet à Hugo, ainsi qu'à tous les poètes, « d'ignorer le dialogue » : « Le dialogue de M. Hugo est trop sa propre parole, il ne se transforme pas assez, il se met dans son personnage au lieu de devenir le personnage » *(ibid.).* Ainsi la capacité de faire parler l'autre en créant des personnages différents de soi et différents entre eux – c'est-à-dire ce que Bakhtine appellera dialogisme dans sa propre distinction entre le travail du poète et celui du romancier, tel est déjà pour Balzac critique, comme pour Balzac praticien, le fondement de « l'esthétique du roman ».

Il est remarquable aussi qu'au lieu de convoquer toute une pléïade de noms illustres, comme il a coutume de le faire lorsqu'il défend le statut de l'écrivain comme artiste et penseur dans une société qui méconnaît sa valeur et ses droits, le Balzac de la *Revue parisienne* se contente de quatre noms de romanciers pour représenter l'éclectisme littéraire : Walter Scott, Mᵐᵉ de Staël, Cooper et George Sand.

L'hommage rendu ici par l'auteur de *La Comédie humaine* à ces « beaux génies » permet de les considérer comme des modèles de référence ou en tout cas comme des membres d'une même famille d'esprit, la sienne. C'est évidemment le cas pour Walter Scott, reconnu pour avoir introduit une véritable révolution dans le roman comme genre. Dans les « Lettres sur la littérature » Balzac précise les raisons de son admiration en soulignant la capacité de Walter Scott à créer des types, en particularisant des généralités au lieu de généraliser des particularités (*ibid.* p. 201), et à intégrer ce qu'il appelle des « considérations » dans le roman, en les mettant dans la bouche de ses personnages (*ibid.*). Dans les « Lettres sur la littérature » encore, il lui reconnaît cet « art du tisserand » (*ibid.*, p. 202), essentiel au romancier, dans son habileté à entrelacer le fil et la trame. Quant à Fenimore Cooper, l'« historien américain », Balzac lui accorde le pouvoir de fasciner son lecteur par des descriptions de paysage en mouvement dont les effets dépassent ceux de la peinture. Au même titre que Walter Scott quoique pour d'autres raisons, Mᵐᵉ de Staël est la référence obligée lorsqu'il s'agit de « littérature nouvelle », dont elle est l'inventeur, au sens de découvreur. C'est à elle que Balzac emprunte l'opposition entre la littérature des idées et la littérature des images. Elle incarne en outre l'esprit de synthèse. George Sand enfin, pour reprendre l'expression de Sartre à propos de Gide, était pour Balzac le « contemporain capital », dans l'ordre du roman du moins. On sait qu'il lui demandera en 1842 de préfacer *La Comédie humaine*. Enfin, ce n'est sans doute pas un hasard si, sur ces quatre écrivains, il y a deux noms de femmes ayant écrit sur les femmes. En effet, pour l'auteur des *Études de mœurs*, la prise en compte du rôle spécifique des femmes dans le monde social constitue un des apports essentiels de son œuvre à lui et un des manques, à ses yeux, de celle de Walter Scott[23].

Certes pour Balzac, tout modèle est aussi un contre-modèle, puisqu'il se propose toujours d'aller plus loin, de faire mieux et surtout d'être plus complet. Aussi reproche-t-il à Walter Scott dans l'Introduction aux *Études de mœurs,* de n'avoir pas su relier ses compositions, « coordonner ses créa-tions » tel un architecte. Scott et Cooper ont en commun d'avoir le « cœur froid » (« Lettres sur la littérature »). Walter Scott reste néanmoins « l'historien de l'humanité », Cooper n'est que « l'historien de la nature ». Balzac n'apprécie guère non plus le *pathos* de Mme de Staël et les « tartines » qui « déparent » certains de ses romans[24]. Quant à George Sand, il a tendance à la cantonner dans l'idéalisation, où, en tant que femme, elle excelle[24], et il est loin d'admirer toutes ses œuvres sans réserves. L'hommage rendu ici à ces quatre écrivains rangés avec luèi sous la bannière de l'« éclectisme » m'en paraît d'autant plus significatif.

Paradoxalement, quoiqu'il ait désigné Stendhal comme un maître de la littérature des idées, l'enthousiasme que Balzac manifeste pour *La Chartreuse de Parme* est exempt de toute réticence. *La Chartreuse de Parme* est un chef-d'œuvre de l'éclectisme littéraire, par ce que Stendhal a su non seulement créer des personnages auxquels on croit, multiplier les intrigues en conservant la cohérence de l'ensemble, respecter la vérité littéraire, mais également associer la science, la couleur et le drame en mettant en jeu toutes les techniques romanesques : descriptions, dialogues, maximes, scènes, etc. Stendhal est à la fois poète, peintre et moraliste. Balzac évoque à son sujet, en un véritable feu d'artifice, tous les genres, tous les arts et une multitude de grands artistes, comme Rubens, Titien et Raphaël dont les noms réunissent la couleur et le dessin, Byron, Molière et Corneille par qui s'allient la poésie et le drame.

Si Balzac, en 1840, a été le seul critique à savoir reconnaître dans *La Chartreuse de Parme* un chef-d'œuvre, et « ce que le génie du roman moderne a inventé de plus puissant », c'est qu'il avait conscience en 1840 d'être devenu lui-même, pleinement.

Notes

1. Sur la réception critique d'*Illusions perdues*, voir la bibliographie établie par Roland Chollet, Pl. V, p. 1409, et notre complément dans *Balzac : Illusions perdues*. *« L'œuvre capitale dans l'œuvre »*, Études réunies par Françoise Van Rossum-Guyon, CRIN 18, Groningue, 1988. Voir aussi l'article important de Nicole Billot, « Balzac vu par la critique » (1839-1840) dans *L'Année balzacienne*, 1983, p. 229-267. Pour la *Revue parisienne*, notre édition de référence sera dans les *Œuvres complètes*, Club de l'honnête homme, 1963, t. XXVIII (CHH), p. 250. Pour *Illusions perdues*, R. Chollet (éd.), « Bibliothèque de la Pléiade », Gallimard, 1976, t. 5 (désormais Pl. V).

2. *Revue des deux mondes* du 1er septembre 1839. Balzac : « Sur M. Sainte-Beuve à propos de Port-Royal », CHH XXVIII, p. 107-125.

3. Leitmotiv plusieurs fois reparaissant.

4. Dans l'édition originale de 1840 soit 77 pages dans l'édition CHH.

5. Roland Chollet, *Balzac journaliste. Le tournant de 1830.* Klincksieck, 1983, p. 140 (souligné par l'auteur).

6. *Ibid.*, p. 134.

7. À l'exception de l'article sur *Hernani* qui fait 11 pages. CHH, p. 583-592).

8. Voir à ce sujet « La marque de l'auteur. L'exemple balzacien d'*Illusions perdues* », *Degrés* (Bruxelles), 1987, p. c1-c19.

9. Comme le souligne à plusieurs reprises Roland Chollet, Pl. V, p. 1171 note 2, et p. 317 note 2.

10. Notons que Balzac emprunte cette distinction à Mme de Staël, *De la littérature*, 1800.

11. Voir sur ce point Arlette Michel, « Balzac et la rhétorique. Modernité et tradition », dans *L'Année balzacienne 1988*, p. 245-269.

12. « La critique littéraire manquait également de sincérité, nous avons pensé qu'il était nécessaire de la faire marcher parallèlement avec la critique politique ». Introduction à la *Revue parisienne*, CHH XXVIII, p. 77.

13. Pl. V, p. 458. C'est cet « acrobate » que Balzac fustigera dans *La Muse du département*, par l'intermédiaire de son narrateur.

14. Sur la correspondance de Balzac voir Roland le Huenen et Paul Perron, « Les *Lettres à Madame Hanska*. Métalangage du roman et représentation romanesque ». *Revue des sciences humaines*, 1984-3.

15. Voir Pierre Laubriet, *L'Intelligence de l'art chez Balzac*, Didier, 1958.

16. Voir par exemple la Préface d'*Une fille d'Ève* (1839), Pl. II, p. 271.

17. *Ibid*, p. 272.

18. *Ibid.*, p. 272 et 271.

19. Voir Marguerite Iknayan, *The Idea of the Novel in France : the critical reaction*, Droz-Minard, 1961.

20. Sur les rapports de Balzac avec Victor Cousin, voir Max Andréoli, « Balzac, Cousin et l'Éclectisme », *L'Année balzacienne 1971*, p. 37-81.

21. Voir Lucien Dällenbach, « D'une métaphore totalisante. La mosaïque balzacienne », *Lettere Italiane* 4 / 1981, p. 493-508.

22. Voir en particulier « Du discours romanesque », dans *Esthétique et théorie du roman*, Gallimard, 1978.

23. Voir par exemple Félix Davin, Introduction aux *Études de mœurs*, Pl. I, p. 1152.

24. Voir George Sand, *Histoire de ma vie*, « Bibliothèque de La Pléiade », Gallimard, t. II.

Les mille et un contes du feuilleton : portrait de Balzac en Shéhérazade

Isabelle Tournier

En 1964, dans un article-somme sur « Balzac et le roman-feuilleton »[1], René Guise offrait à la fois un recensement parfait des feuilletons balzaciens, une étude de leurs techniques et une analyse de la réception critique faite à Balzac feuilletoniste en posant la question de son échec. C'est à son avis parce qu'il était incapable de jouer le jeu du feuilleton, qui triomphe précisément entre 1842 et 1846, que Balzac fut sanctionné par un abandon du public nettement marqué à partir de 1842[2]. La faveur de la « masse lisante »[3] ne lui revint que fin 1846, avec le succès de *La Cousine Bette*. Ainsi, paradoxalement, les années de publication de *La Comédie humaine* (1842-1846) correspondent à un passage dangereux de sa carrière, une sorte de traversée du désert. Il est bien vrai en tout cas que les *Œuvres complètes*, qui auraient dû assurer la consécration définitive de l'« historien des mœurs »[4], paraissent à un très mauvais moment, juste quand le triomphe des *Mystères de Paris* dans le *Journal des débats* autorise les critiques à constater que, décidément, le roman n'est et ne saurait être qu'une production au jour le jour, sans vraisemblance, sans moralité et sans style : les tentatives rénovatrices d'un Balzac s'avèrent, dans ce contexte, isolées et impuissantes, et lui-même est le plus

souvent, rangé purement et simplement au rang des « faiseurs »
de « cuisine littéraire », des fauteurs de « littérature industrielle ». Si l'une des ambitions majeures du projet *Comédie
humaine* est de fonder une dignité et une poétique du roman
capables d'imposer une nouvelle image du romancier, plus
ambitieuse et comme (re)valorisée, le moins qu'on puisse
constater est que la réussite de cette opération de promotion ne
fut pas immédiate. À qui la faute ? réponse provisoire – et donc
à mettre à l'épreuve – au feuilleton.

Une double famille ou les lois du marché

Ironie du sort, c'est quand l'entreprise balzacienne entre
dans son achèvement que le succès s'en détourne. Il ne peut
s'agir ici d'étudier dans le détail l'accueil critique fait à *La
Comédie humaine* lors de son lancement. L'enquête de Nicole
Billot sur « Balzac vu par la critique » s'arrête actuellement en
1840. Elle met en lumière l'existence d'un tournant critique qui
se situe dans les dernières années de la décennie :

> Dès 1837 et plus encore à partir de 1839, les critiques ne
> cessent de mettre en évidence les défauts du « plus fécond de nos
> romanciers » et enveloppent d'un regard nostalgique ses qualités.[6]

Les exemples qu'elle analyse viennent appuyer ce jugement.
Très souvent on ne pardonne pas à Balzac d'avoir, avec *La
Vieille Fille*, inventé le roman-feuilleton et on le rappelle
lourdement, au besoin, comme *Le Corsaire* du 16 mars 1840
qui écrit :

> M. de Balzac est un détestable exemple de la disposition
> naturelle de l'esprit humain de passer d'un excès à un autre : ce
> n'était point assez d'avoir ravalé ses premiers titres littéraires en
> descendant du roman consciencieux au roman de pacotille ; un
> échelon plus bas se trouvait le feuilleton à quarante francs, et
> M. de Balzac s'est jeté à corps perdu dans la littérature au rabais.[7]

Notons que dès 1839 Balzac était fâcheusement placé en
première ligne dans l'offensive qui se déclenche alors contre la
« littérature industrielle ». L'article célèbre de Sainte-Beuve, du
1er septembre 1839[8], répond à sa *Lettre au rédacteur de* La
Presse du 18 août et l'égratigne fort, au passage, en balayant ses

prétentions réformatrices. Deux ans et demi plus tard, la position de Balzac ne s'est pas améliorée, au contraire. La réception critique assez catastrophique de *La Comédie humaine,* qu'elle soit le fait d'adversaires déclarés, comme *la Revue des deux mondes,* ou d'anciens indifférents[9] montre un Balzac en situation délicate : vilipendé par ceux qui ne voient en lui qu'un vulgaire auteur de feuilletons (l'adjectif fait alors pléonasme), il ne réussit pas vraiment pour autant auprès des lecteurs que devraient séduire en principe son écriture lâchée et son immoralité présumée. La publication de ses Œuvres complètes, privilège réservé aux classiques et, pour des œuvres achevées, à quelques contemporains choisis, poètes d'abord, semble à beaucoup la provocation insupportable d'un histrion traître à la littérature. Ce fut un mini-scandale et, s'il fallait en convaincre un incrédule lecteur, tel article de la *Revue des deux mondes* pourrait en donner l'enjeu et la mesure. Dans la livraison du 1er novembre 1842, Gaschon de Molènes stigmatise en ces termes l'homme et l'œuvre :

> Le nom de M. de Balzac [...] vient d'être rappelé récemment au public par une entreprise, car je ne sais de quel nom appeler cette publication bizarre où se confondent de la façon la plus malheureuse les deux esprits dont nous venons de parler, l'esprit de spéculation et l'esprit de vanité. [...] Telles sont les réflexions que nous a inspirées le livre où M. de Balzac a rassemblé, rajeunies par tous les gracieux artifices de l'illustration contemporaine, des œuvres évoquées des in-octavo et des catacombes du feuilleton. Cependant, si la dernière publication de M. de Balzac n'était qu'une spéculation maladroite, nous la passerions sous silence ; mais à côté de la question commerciale, elle soulève de nouvelles questions littéraires. Le titre seul, *La Comédie humaine,* révèle une des plus audacieuses prétentions qui se soient encore produites de nos jours, et je ne sais rien qui puisse surpasser en bizarrerie la préface par laquelle cette prétention est soutenue.[10]

Il y aurait certes beaucoup à dire sur ce verdict polémique, au demeurant suffisamment sensible à la nouveauté, assez provocatrice, de l'« entreprise » balzacienne. Remarquons seulement que la situation de Balzac est à peu près unique, s'agissant de romanciers accrédités, puisque même George Sand échappe en grande partie au mépris attaché aux feuilletonistes, au point d'être épargnée par Alfred Nettement[11]. Il est vrai qu'elle

publia en feuilletons surtout des romans champêtres que le
critique le plus mal intentionné ne pouvait tout de même pas
déclarer immoraux... Souvent associé à George Sand dans les
années trente et comparé à elle (ne sont-ils pas les deux grands
analystes du cœur féminin ?), Balzac est désormais traité en
même temps que Frédéric Soulié[12], et également maltraité. De là
à conclure que son écriture s'est en effet modifiée, que ses
thèmes se sont transformés, que des personnages importés
d'autres univers romanesques se sont glissés chez lui etc., il n'y
a qu'un pas que nous ne nous hâterons certes pas de franchir ;
mais sauf à soupçonner les contemporains d'acharnement
délibéré et d'illusion collective, leurs jugements sont assez fré-
quents et concordants pour inviter à l'examen.

À partir de 1836, et de la publication de *La Vieille Fille*
dans *La Presse*, la presque totalité des romans de Balzac
naissent dans les journaux ; une première parution au rez-de-
chaussé d'un quotidien fournissait en effet, outre une source
de revenus appréciable, une affiche publicitaire indispensable
pour les éditions séparées des œuvres, puis également pour *La
Comédie humaine* quand elle fut publiée concurremment avec
elles. L'audience des feuilletons, qui augmente après 1842, rend
obligatoire ce type de publication et accentue d'autant son
rendement symbolique et financier. Ici surgit inévitablement
une question qui prend la forme périlleuse d'un paradoxe : que
Balzac ait dû livrer du roman en feuilletons signifie-t-il pour
autant qu'il ait fait du roman-feuilleton ? René Guise répond
négativement, on l'a vu, et sa démonstration débouche même, à
mon avis, sur cette conclusion implicite : c'est en échouant
comme feuilletoniste que Balzac serait devenu, ou plutôt
demeuré écrivain. S'il paraît difficile de soupçonner de préjugés
négatifs (même inconscients !) contre le feuilleton celui qui fut
le précurseur et le principal initiateur en France des études sur le
genre, est-il si surprenant qu'aient persisté, dans la conjoncture
de 1964[13], quelques traces d'une vulgate critique encore
inentamée ?

La critique « moderne » s'est attachée à démontrer le statut
de Balzac « inventeur du roman », selon le titre délibérément
provocant du colloque qui lui fut consacré à Cerisy en 1980[14].
À l'inverse, travailler sur Balzac feuilletoniste, c'est-à-dire sur
un Balzac soumis aux déterminismes du marché, aux habitudes
et aux attentes du « gros public », c'est, apparemment, faire un
mauvais procès à l'œuvre en n'y voyant qu'un produit, cher-

cher le fabricant dans l'écrivain, sous-estimer l'apprentissage
littéraire de celui qui aurait, avec *La Peau de chagrin*, abandonné, une magique fois pour toutes, les déplorables facilités
de sa jeunesse, les ficelles de l'apprenti, ou le simple savoir-faire
de l'artisan. Sans doute, tous les feuilletons furent-ils repris, en
totalité ou en partie, et plus ou moins réécrits à l'occasion des
publications en volumes ou lors de leur insertion dans *La
Comédie humaine* ; ils ne représentent donc qu'un état du
chantier, une couche de texte parmi bien d'autres, fragile, incertaine : une épreuve. Si nous l'isolons ici, si nous la privilégions,
c'est – un peu – parce que nous espérons y saisir au plus près
les rapports de Balzac avec son public, – beaucoup, on l'aura
compris – parce que la critique du temps nous y invite
vigoureusement.

Qu'en dit Balzac lui-même ?
Sur la scène des préfaces, il dément et attaque à la fois :
non, il n'a pas cédé aux sirènes du feuilleton, il l'assure sur un
ton péremptoire :

> Si l'écrivain écrivait aujourd'hui pour demain, il ferait le
> plus mauvais des calculs, et pour lui le drap serait pire que la
> lisière ; car, s'il voulait le succès immédiat, productif, il n'aurait
> qu'à obéir aux idées du moment et à les flatter comme ont fait
> quelques autres écrivains. Il connait mieux que ses critiques les
> conditions auxquelles on obtient la durée d'une œuvre en France ;
> il y faut le vrai, le bon sens et une philosophie en harmonie avec
> les principes éternels des sociétés. [15]

Espoir ou pari ? Entre l'autodéfense et le rêve éveillé,
Balzac façonne la statue de l'écrivain reconnu par la postérité.
Malheureusement, ces prises de positions solennelles servent de
préambule à *Splendeurs et misères des courtisanes*, sans doute le
plus « feuilletonant » des romans balzaciens. En outre, ses
déclarations sont parfois moins fracassantes et quelques traces
de concession pointent ici et là. Ainsi, *Le Cousin Pons*
bénéficie, le 18 mars 1847 dans *Le Constitutionnel* quand y
paraît sa première livraison, d'un dispositif préfaciel à deux
étages : un « Avertissement quasi littéraire » suivi d'une « Note
éminemment commerciale ». Balzac s'adresse directement aux
lecteurs du journal pour justifier, avec quelque désinvolture, le
changement de titre intervenu entre les annonces et la publication : *Les Deux Musiciens* sont devenus dans l'intervalle *Le*

Cousin Pons. L'Avertissement met en parallèle l'abonné et l'auteur pour découvrir leurs plaisantes similitudes :

> L'abonné n'est pas un lecteur ordinaire, il n'a pas cette liberté pour laquelle la Presse a combattu ! C'est là ce qui le rend abonné. L'abonné qui subit nos livres a douze raisons à vingt sous pièce dans la banlieue, quinze dans les départements et vingt à l'étranger, pour vouloir, pendant tout un trimestre, cinquante francs d'esprit, cent francs d'intérêt dramatique et sept francs de style dans le feuilleton. Les écrivains ont imité l'abonné. Tous ceux qui publient leurs ouvrages en feuilletons n'ont plus la liberté de la forme ; ils doivent se livrer à des tours de force qui, depuis quelque temps, les assimilent, hélas ! aux célèbres ténors ; ils en ont les appointements et la gloire viagère. Or, dans l'intérêt de cet avenir trimestriel, il nous a paru nécessaire de rendre très-visible l'antagonisme des deux parties de l'*Histoire des Parents pauvres* en appelant la seconde *Le Cousin Pons*. Ceci est une raison bien plus décisive que toutes les autres ; mais peut-être les gens graves ne l'accepteront-ils pas.[16]

Traduisons : *Le Cousin Pons* s'appelle *Le Cousin Pons* pour récupérer plus sûrement le public de *La Cousine Bette*. Feuilletoniste malgré lui, Balzac joue son rôle avec une résignation cynique : à l'autodérision se mêle un rien de mépris pour ceux qui le lisent, à l'exception peut-être des « gens graves » qui ne seront pas dupes, eux, de sa sollicitude pédagogique. Mais l'ironie est ici un peu trop amère ; elle excède les pirouettes obligées du montreur de textes qui prend en charge sa propre publicité rédactionnelle. Celui qui a perdu ses illusions et la « liberté de la forme », sait-il qu'il a finalement cédé à la tentation de la « gloire viagère » ? Que conclure de cette quasi-parodie du discours critique majoritaire sur le feuilleton, toujours en même temps et furieux et moqueur ? *La Cousine Bette* et *Le Cousin Pons*, qui furent les deux seuls succès patents[17] de Balzac feuilletoniste, marquent-ils en effet une évolution, un abandon progressif à l'emprise d'un genre désormais institué sinon véritablement constitué, évolution qu'enregistrerait cette préface biaisante ? Notons toutefois que Balzac retrouve les faveurs du public au moment où le gros de la vogue du feuilleton est déjà passé[18] : mieux assuré de la fidélité de ses lecteurs voire d'un regain d'audience en librairie, il ne pouvait plus être sérieusement compromis comme romancier par une fortune feuilletonesque aussi tardive. L'hypothèse n'est pas à exclure, mais l'Avertissement du

Cousin Pons n'en est pas moins troublant car il détonne dans la scène des préfaces qui se sont sensiblement transformées depuis 1838. Elles abandonnent les parades comiques, listes de personnages vertueux et autres fantaisies qui participaient d'un certain tapage romantique pour élaborer une véritable poétique du roman, tout en répondant méthodiquement aux attaques dirigées contre lui. Peu à peu, l'idée du grand livre à venir envahit les préfaces, pour y excuser telle faiblesse passagère et promettre le sens final, assis, stable au jour de sa publication. Autrement dit, les tirades sur le Livre se développent en proportion de la pratique du feuilleton, de la première préface d'*Illusions perdues* en 1837 à celle de *Pierrette* en 1840. En 1838, la préface du volume réunissant *La Femme supérieure*, *La Maison Nucingen* et *La Torpille* dévoile les coulisses de la littérature et les contraintes superposées qu'imposent aux auteurs, journaux et éditeurs :

> Ceci n'est pas une digression mais une explication positivement littéraire. Les fragments de l'œuvre entreprise par l'auteur subissent [...] les lois capricieuses du goût et de la convenance des marchands. Tel journal a demandé un morceau qui ne soit ni trop long, ni trop court, qui puisse entrer dans tant de colonnes et à tel prix. L'auteur va dans son magasin, dit : « J'ai La Maison Nucingen ! ». Il se trouve que La Maison Nucingen, qui convient pour la longueur, pour la largeur, pour le prix, parle de choses trop épineuses qui ne cadrent pas avec la politique du journal.
>
> [...] Donnez-nous [dit le directeur du journal] quelque chose entre le sermon et la littérature, quelque chose qui fasse des colonnes et pas de scandale, qui soit dramatique sans péril, comique sans drôlerie ; guillotinez un homme, ne peignez ni fournisseur impuissant, ni banquier trop hardi. [...] Ainsi, quant à la manière bizarre et peu ordonnée dont l'auteur publie son œuvre, c'est la faute des circonstances actuelles et non la sienne.[19]

Ce passage est à la fois une justification et un aveu implicite de dépendance : en 1838 déjà, les pressions des journaux influent sur le choix des romans à faire en sélectionnant leurs sujets. Balzac est assez discret sur les conséquences de ces phénomènes « positivement littéraires » qui deviendront de plus en plus pesantes au fil des années. Nous y reviendrons. Même si ces confidences sont incomplètes, on imagine assez combien pouvait être harassant, et surtout frustrant, au regard du grand œuvre et de sa mosaïque toujours recomposée, le

fractionnement en miettes et la gestion aléatoire d'un commerce
au détail : « Il n'y a point de si heureux génie qui puisse résister
à ce courtage de bourse. » Mais la phrase est de Chateaubriand
(fin 1844) quand il s'émeut à l'idée de la « distribution en
détail » qui menace ses *Mémoires*[20]. Pour Balzac, rien de tel et
l'on ne doit guère espérer non plus des *Lettres à
Madame Hanska*[21] : on a un peu cessé aujourd'hui d'y chercher
la confession confiante d'un écrivain au travail tenant son
journal pour la femme aimée ; dans les stratégies de la
séduction, les vérités s'émoussent, des mythes se construisent.
Certes, les affres du feuilletoniste surmené étaient un beau sujet
tout propre à faire pleurer Margot Hanska, mais ces
gémissements, légitimes, se différencient médiocrement du
lamento continu sur la dureté des travaux littéraires qui s'y fait
entendre lettre après lettre et on attend en vain quelques mots
sur l'affrontement avec les obligations techniques du feuilleton.
Aussi, à part quelques mentions aigres-douces, et plus aigres·
que douces, sur cet Eugène Sue si riche, quelques soupirs,
quelques accès de bonne résolution lorsque Balzac rêve de
fortune (à côté du théâtre et des actions du Nord, le
feuilleton), quelques déclarations marquantes mais espacées (« je
fais du Sue tout pur »)[22], bien peu de choses en somme quand
le genre triomphe et que les autres s'enrichissent. Pourtant,
Jean-Louis Bory a pu parler d'un « complexe Sue » dont Balzac
serait atteint[23]. Mais s'il est vrai qu'Eugène Sue est, et de loin,
parmi les grands feuilletonistes, le plus souvent évoqué dans la
correspondance avec Mme Hanska, est-ce uniquement en tant
que maître du feuilleton ? N'oublions pas que cette rivalité est
pour Balzac antérieure aux années quarante, et motivée autant
peut-être par une jalousie bien compréhensible (Sue avait
toujours été riche, lui) que par des différents ou des
divergences littéraires. Une lettre à Mme Hanska témoigne en
1844 de façon exemplaire des ambiguïtés de la position de
Balzac :

> [...] je ne peux pas, je ne dois pas, je ne veux pas subir la
> dépréciation qui pèse sur moi par les marchés de Sue et par le
> tapage que font ses deux ouvrages. Je dois faire voir, par des
> succès littéraires, par des chefs d'œuvre, en un mot, que ses
> œuvres en détrempe sont des devants de cheminée, et exposer des
> Raphaël à côté de ses Dubufe. Vous me connaissez assez pour
> savoir que je n'ai ni jalousie ni aigreur contre lui, ni contre le
> public. [...] En frappant deux grands coups, en étant littéraire, de

grand style et plus intéressant, en étant vrai, si j'éteins à mon profit cette *furia francese,* qui se porte aux *Mystères* comme à la *polka,* comme à la *Grâce de Dieu,* je puis trouver 200 000 francs pour dix volumes de *Scènes de la vie militaire* et j'ai du pain. [24]

Les hésitations de Balzac entre trois positions qui s'excluent mutuellement – « je ne peux pas, je ne dois pas, je ne veux pas » – trahissent l'inconfort de sa situation. De quoi s'agit-il au juste ici ? d'argent (« dépréciation », « marchés ») ou de littérature (« chefs d'œuvre »), ou bien d'argent (« je puis trouver 200 000 francs ») et de littérature (« en étant littéraire »), du regard public (« furia », « tapage ») ou de l'estime de soi (« je ne veux pas subir ») ; ou bien encore de l'estime du public et du regard sur soi, de renommée littéraire ou de gloire immédiate ?

Gloire et malheur du feuilleton

Dans ce mélange plutôt embrouillé de sentiments et de ressentiment, de projets et, là encore, de dénégation et de rêve, l'on peut saisir à travers les incertitudes et atermoiements du pauvre Honoré, les oscillations contemporaines du statut du romancier et tout le flou, à l'époque, des « définitions » du roman et même, plus globalement, de la littérature. Une expression comme « succès littéraire » n'est certes pas encore le presque oxymore qu'elle deviendra dans la génération de Flaubert ou des Goncourt, mais elle est en train d'évoluer dans ce sens : dès qu'il l'a prononcée, Balzac la neutralise en lui apposant « chefs-d'œuvre » qui en est, selon lui, un équivalent, parfait de concision (« en un mot »). Même si le recours à un vocabulaire fort en usage (le ?) rassure, le tour de passe-passe n'est pas beaucoup moins évident : une pièce remarquable par le fini de son exécution [25] ne sera pas nécessairement (hélas !) un « succès public ». Balzac fait preuve ici d'un idéalisme qui porte sa date ; ses conceptions de la littérature paraissent renvoyer sinon à un âge des classiques, du moins à une haute littérature conforme aux règles de l'art, admirée des seuls lecteurs aptes à l'apprécier en connaissance de cause. Or on n'est plus à l'ère des Belles-Lettres, emportée tant par le déferlement des romantismes que par l'avènement du grand public, consacré par le feuilleton, nouveau juge de fait à défaut de l'être de droit. C'est dans ce contexte que Balzac, accumulant, dans un certain désordre il est vrai, les éléments valorisants qui doivent entrer dans la

« composition » de son œuvre, se fixe un programme : être
« littéraire », « de grand style », « plus intéressant », « vrai ». Puissance de synthèse et tentative fébrile de préciser l'essence du littéraire se mêlent.

Cette confusion un peu bavarde en dit beaucoup sur les numéros d'équilibrisme de Balzac. S'il se trouble et se trompe, s'il écoute le public pour s'en détourner aussitôt, s'il détermine aussi mal sa situation et celle du champ littéraire, ce n'est pas par mauvaise foi, et il a bien des circonstances atténuantes car, en 1843, il n'y a pas de poétique du roman ou plutôt il n'y en a plus. Ce qui était sous la Restauration un genre strictement divisé en catégories étiquettées (romans historiques, romans gais, romans sentimentaux), celles qu'on trouve sur les registres des cabinets de lecture ou dans les sous-titres ou qu'on repère par leurs règles particulières, a éclaté en un genre/non-genre, élastique et protéiforme, absorbant, phagocytant toutes formes de littérature et libre jusqu'à la licence. À un tel renouvellement formel et à la mutation qui s'opère avec le roman-feuilleton ne correspond pas un discours critique en prise sur ce renouveau. Bien au contraire, les critiques contemporains refusent même de tenter des descriptions analytiques du roman « devenu une chose indéfinissable, qui résiste à toute classification, qui défie toutes les poétiques et n'a rien à démêler avec les lois de l'imagination » comme le dit, avant et après beaucoup d'autres Gustave Planche en décembre 1846[26]. Ils s'en désintéressent donc sauf pour l'attaquer. Le processus de consécration du roman comme genre à part entière, engagé au lendemain de 1830, est freiné, voire bloqué, par le couronnement du roman-feuilleton. Ce rejet global et sans analyse nous prive de tout critère formel d'évaluation à une exception près : la coupure, seul détail technique propre au feuilleton à être sans cesse signalé. Quand Nettement prétend pousser la conscience professionnelle jusqu'à « lire sans en omettre une ligne » les neuf volumes des *Mystères de Paris,* comme s'il s'était agi de Racine et de Corneille, il est bien le seul. Ses collègues ne s'abaisseraient pas à lire entièrement cette littérature de « bas-étage ». Mais ni Nettement ni les autres spécialistes de la question comme Théodore Muret – qui pourfend, lui, le feuilleton dans les colonnes de *La Quotidienne* [27] – ne dégagent des différences caractéristiques du genre non plus que les particularités des grands feuilletonistes. Et même lorsqu'il déclare [28] s'attacher à propos des *Mystères de Paris* et du *Juif errant,* à l'étude de la « conception », du « plan », du « cadre » du livre ainsi qu'aux « types » et aux « procédés littéraires » et enfin à son « style » à sa « moralité » et aux « motifs de son succès », Nettement traite ce programme alléchant de telle façon qu'il ne nous fournit aucun élément d'appréciation sur la valeur esthétique de ces textes. C'est que, malgré les apparences, la critique est avant tout morale : les passages sur la « conception » et le « plan du livre » mentionnent son sujet (un prince allemand joue au policier tout en cherchant sa fille qui fait un métier encore moins brillant que le sien) mais ils ne sont là que pour dénoncer son insupportable immoralité.

Voilà pour le fond. Quant à la forme, Nettement ne consacre que deux petites pages au style de Sue pour démontrer qu'il n'en a aucun et trois au plan pour découvrir son absence. Toutes les descriptions, tous les arguments se perdent dans une bouillie moralisante sur les effets pervers de ces aventures commerciales. Cette inexistence d'un discours authentiquement analytique du feuilleton dans les années quarante soulève plusieurs difficiles questions : il eut été logique d'appuyer notre examen de l'effet-feuilleton chez Balzac sur les points dégagés comme spécifiques par ses contemporains ; or nos témoins se refusent à parler et Balzac, on l'a vu, dit sur le sujet des choses rares et passablement contradictoires.

Cette petite enquête met donc surtout en valeur la discrétion active de notre « feuilletoniste » et des critiques qui l'entourent. On parle du feuilleton souvent avec dédain, parfois avec violence, exceptionnellement avec humour : c'est plutôt un tabou qu'un sujet de polémique. Les articles qui le défendent se comptent longtemps sur les doigts de la main[29]. On touche ici à une des limites des études de discours : elles sont impuissantes à rendre compte des thèmes interdits ou des aspects interdits d'un thème. On doit se contenter de localiser les traces de la disparition d'un mot ou d'un sujet : ainsi, dans le cas qui nous occupe, il faudrait repérer toutes les désignations obliques qui permettent aux critiques, et à l'occasion à Balzac, de ne pas prononcer les termes roman-feuilleton ou feuilleton-roman pourtant très tôt attestés[30]. Contourner le mot, c'est éviter, éluder la chose : ne pas la définir, c'est la nier efficacement. Quand la critique feint de ne pas savoir comment se fait le feuilleton, Balzac ne peut donc pas prouver qu'il n'en fait pas et ne peut pas se situer par rapport à ce flot d'invectives.

Autre problème connexe : ce discours critique se met en place dès 1839 au moins, donc en tout état de cause avant l'arrivée bruyante des Sue, Dumas, Soulié qu'on est tenté, en l'absence d'autres critères, de désigner comme créateurs du genre, suffisamment semblables et suffisamment importants pour être pensés ensemble. Il ne marque pas de date, ne précise pas des tournants, tout au plus observe-t-il des accélérations. Cependant il est anachronique, car prématuré, de parler de roman-feuilleton, dans le sens où notre vulgate l'entend, avant – disons – 1841-1842 et les 87 livraisons de *Mathilde* [31]. Jusque là, on n'a que du « nouvelle-feuilleton », des récits courts, souvent de voyage (un jour/un lieu/une livraison) ou plus ou moins historiques[32], et des souvenirs. Ainsi en février 1840, Dujarier, alors rédacteur en chef de *La Presse*, écrit à Balzac pour lui réclamer cinquante feuilletons dont le romancier a déjà touché le prix mais qu'il n'a pas livrés : « les cinquante feuilletons que vous devez publier dans *La Presse* formeront au moins huit nouvelles, soit environ six feuilletons pour chacune d'elles » (*Corr.* IV, p. 42). À cette date donc, l'unité de compte et de publication demeure la nouvelle et l'on est encore loin des séries interminables à venir. Et c'est précisément l'allongement des textes qui jouera un rôle déterminant dans la création du genre, en nécessitant l'invention de péripéties nombreuses (idéalement au moins une par livraison) pour prolonger l'histoire, relancer sans cesse l'intérêt et tenir le lecteur captif. Par conséquent, notre étude n'a de sens, *littérairement,* qu'à partir de cette date et le débat ouvert par le titre de ce livre est alors légèrement déplacé : le *moment* – la coupure – de 1842 n'est plus intimement, exclusivement balzacienne mais au contraire liée à un événement littéraire, au surgissement de cette forme nouvelle, jamais vue. Cela ne signifie pas que l'introduction de ses textes dans des quotidiens n'ait pas eu, pour Balzac, de conséquences avant 1841-1842 mais que la question de ses rapports à un modèle ou à des modèles du roman en feuilletons ne se pose véritablement qu'après cette date.

Autre étude de feuilles

Avant d'aller plus loin, il nous faut faire le point sur cet unique élément d'une poétique du feuilleton qui nous soit apparu : la coupure. Comme l'a montré René Guise, les fins de livraison des feuilletons balzaciens sont peu conformes aux exigences supposées du genre : le mystère et le pathétique nécessaires font souvent défaut [33]. Il en conclut que « cet art de la coupe, Balzac ne sut jamais la pratiquer ». Pour toujours souscrire entièrement à cette affirmation, il faudrait être certain que Balzac établissait lui-même les divisions de sa copie et choisissait en personne l'endroit des interruptions. Rien n'est moins sûr. En effet, les contrats avec les journaux (et nous en possédons peu) [34] fixent rarement les conditions du découpage. Quand par hasard ils les évoquent, la chose reste floue :

> M. de Balzac vend à M. Dutacq, avec promesse de l'en faire jouir paisiblement, librement et sans conteste, le droit de publier dans le feuilleton du Siècle deux ouvrages inédits de sa composition intitulés l'un, *Béatrix ou les Amours forcés* et l'autre, *Mémoires d'une jeune mariée* devant former chacun de cent trente cinq à cent quatre vingt colonnes de quarante lignes que M. Desnoyers pourra diviser en autant de feuilletons qu'il le jugera convenable, à moins que M. de Balzac ne les ait lui-même divisés en chapitres de 5 à 6 colonnes (Traité du 29 janvier 1839, *Corr.* III, p. 546).

En outre, l'examen des épreuves (mais, une fois encore, notre documentation est lacunaire) accentuerait plutôt nos incertitudes. Dans les premiers temps d'une rédaction, Balzac écrit en continu sans même isoler des chapitres et *a fortiori* sans insérer de titres. La livraison n'est pas une unité d'écriture. Quand Balzac décrit à Mme Hanska l'avancée de son travail, il compte toujours en feuillets, puis en pages d'impression lorsqu'il en est au stade de la correction des épreuves montées, précisément là où ses coupures auraient dû intervenir. Enfin, si le feuilleton est compté à plusieurs reprises pour 6 colonnes de 40 lignes, les feuilletons publiés ne respectent pas tous, loin de là, cette norme de départ. Pour le même roman, la matière publiée varie parfois du simple au double d'une livraison à l'autre, et en général d'un bon tiers. Ces changements du volume des livraisons s'expliquent de diverses manières : la copie manque, on raccourcit ; le compte rendu des débats à la Chambre s'étend, on raccourcit ; les députés sont en congé, on allonge ; les échéances de réabonnement approchent, on allonge, etc. De multiples paramètres non littéraires peuvent ainsi influencer la coupe, laquelle ne coïncide pas nécessairement du reste avec une fin de chapitre. On se perd dans ces complications, et on trouverait sans peine des exemples contradictoires attestant tantôt la responsabilité ou l'intervention de Balzac, tantôt sa mise à l'écart ou son désintérêt[35]. De surcroît, la question des fins de livraison, présentée comme la pierre d'achoppement du bon feuilletoniste me paraît bien davantage un lieu commun de la critique que l'élément décisif d'une poétique du feuilleton.

Le texte le plus souvent cité comme preuve à l'appui est celui que Louis Reybaud imagina pour l'édification de Jérôme Paturot. C'est accorder un surprenant crédit à un passage parodique qui se situe au moment où Jérôme, feuilletoniste débutant, reçoit les conseils d'un directeur de journal, évidemment expert en la matière :

> C'est surtout dans la coupe, Môsieur que le vrai feuilletoniste se retrouve. Il faut que chaque numéro tombe bien, qu'il tienne au suivant par une espèce de cordon ombilical, qu'il inspire, qu'il donne le désir, l'impatience de lire la suite. Vous parliez tout à l'heure. L'art, le voilà. C'est l'art de se faire désirer; de se faire attendre.[36]

Tout ce que démontrent cet extrait malicieux et le pastiche de feuilleton qui le suit, c'est qu'en 1842, les humoristes s'étaient déjà emparés, pour en rire et en faire rire, des aspects par trop mécaniques de la coupure à suspens. Mais rien ne prouve que cette pratique ait été aussi systématique que Reybaud veut bien le dire.

En l'absence d'une étude statistique sur la fréquence du procédé, effectuée à partir d'un dépouillement exhaustif de la presse du temps, on doit se contenter de sondages empiriques et faire confiance au hasard. Il apparaît rapidement que, du moins aux dates de notre enquête, il n'a pas la régularité métronomique qu'on aurait cru pouvoir lui accorder. Certaines livraisons des maîtres supposés du genre, Dumas et Sue, finissent simplement sur des paragraphes tout bêtement conclusifs sans le moindre soupçon d'énigme ou le moindre effet de *pathos*. À dire vrai, la découverte ne saurait nous bouleverser : il aurait fallu qu'auteurs, rédacteurs en chef et autres coupeurs autorisés soient bien naïfs pour penser retenir les lecteurs par la seule séduction d'un à-suivre judicieusement placé. C'est aussi bien dans le corps même de chaque livraison que se rencontrent les manœuvres dilatoires (leurre, retard, fausse amorce)[37] et les astuces techniques nécessaires à la mise en intrigue. De même, les péripéties, les renversements de l'action, se répartissent au fil des textes et, pour privilégiée que soit la fin, la « chute » du feuilleton est loin d'être l'unique lieu de leur manifestation ou leur unique domaine d'élection. Toutes les normes qui seront celles du roman populaire (exposition plus factuelle que descriptive, coups de théâtre, commentaires, « règles des trois multiplicités »[38], lieu, temps et personnages) sont en cours d'élaboration mais nullement fixées. Concluons sur ce point : on comprend bien l'intérêt qu'avaient des critiques hostiles à retenir exclusivement la coupure comme marque générique et signe de la »mécanisation » de la littérature, de la fabrique remplaçant l'œuvre. Il serait au moins aussi intéressant de travailler sur les débuts : on y verrait beaucoup plus d'invention et de richesse, qu'il s'agisse de la surprise initiale, des sauts de l'intrigue (nouveaux personnages, nouveaux lieux, nouvelles situations), de toute la variété comme de la rigueur des enchaînements.

Souvenons-nous enfin que Balzac a écrit peu de romans dans les conditions qui seront celles des feuilletonistes professionnels, livrant la veille leur copie pour le lendemain. Sa réputation d'éternel retardataire était, avec quelques raisons, solidement ancrée chez Girardin, Desnoyers et les autres qui prenaient leurs précautions lors de la signature des contrats en exigeant que Balzac remette l'intégralité de la copie avant le début de la publication. Ces conditions ne furent pas toujours respectées mais une partie au moins des futurs romans étaient toujours composée à ce moment et ce sont donc seulement des fins de textes qui, parfois, furent écrites au jour le jour, notamment *Le Danger des mystifications* (du chapitre XIV à la fin du chapitre XIX) et *La Cousine Bette* (du chapitre XV au chapitre XLI). Les morceaux *currente calamo* ne sont donc pas nombreux et Balzac eut peu à se livrer aux joies hasardeuses de l'improvistion. Sur épreuves, au contraire d'un Flaubert qui épure son texte, Balzac le charge : la cellule originelle se développe en « rosace », par « explosion » ou par « allongement »[39] tandis que le discours de met à proliférer et que le style s'empâte. Il commence par écrire une nouvelle, un schéma d'histoire qui grossit petit à petit jusqu'au roman. Ainsi, on observe, dans la progression de chaque rédaction, une sorte de modèle réduit de l'évolution qui fit, du jeune contier des années trente le romancier de la maturité. Nous vivons toujours dans l'idée que le texte final est fatalement le meilleur (d'où le choix du « Furne corrigé » pour les éditions posthumes) mais cette croyance mériterait dans le cas de Balzac, d'être un peu nuancée. Débarrassée des grâces pachydermiques de l'artiste et des tirades-tartines de l'historien des mœurs, les derniers chapitres de *La Cousine Bette* dans *Le Constitutionnel* sont du meilleur Balzac. Tout se passe comme si c'était l'idée qu'il se fait de son art, de sa position littéraire, de sa gloire, voire de ses responsabilités d'écrivain, qui le pousse à des ajouts et sur-ajouts incompatibles avec les attentes des lecteurs du temps. Dans une lettre du 6 décembre 1844 où il lui donne du « cher maître » comme pour se faire pardonner les vérités désagréables qu'il a à transmettre, Dujarier rappelle que : « *Les Paysans* vont très bien. Ils iraient encore mieux si vous vouliez faire le sacrifice de quelques descriptions. On les trouve généralement trop longues pour le feuilleton ; ne pourriez-vous pas les rogner un peu s'il en reste encore, sauf à les rétablir dans l'édition de librairie ? » (*Corr.* IV, p. 752). Malgré l'exquise politesse du ton, le fait demeure : les lecteurs de feuilleton que désigne ce « on » anonyme n'admettent pas de longueurs ennuyeusement superfétatoires dans leur lecture quotidienne. Non seulement Balzac n'en tient pas compte mais il persiste. *Les Paysans* seront interrompus à la fin de la première partie...

L'analyse des manuscrits et épreuves conduit elle aussi à remettre en cause une idée reçue : Balzac n'échoue pas dans le feuilleton pas incapacité, parce qu'il ne sait pas s'adapter au genre au contraire, il fait spontanément du feuilleton en créant dès les premiers jets quelques situations fortes et de l'intrigue, puis il les maquille : l'épaisseur psychologique, les descriptions, tout cela vient après. Sous le créateur du roman balzacien repose, dissimulé par de lourdes couches d'épreuves et de placards aux marges surchargées, un inventeur d'histoire qui, s'il s'était contenté de le rester, aurait eu toutes les qualités d'un feuilletoniste. Et on se prend à rêver à ce que Balzac aurait été s'il avait dû, comme d'autres, travailler au jour le jour.

Romancier sans le savoir

Arrêtons-nous un instant pour récapituler. Il est vrai que, dans les journaux, la « littérature » côtoyait des faits très divers : accidents de train et cours de la Bourse, suicides et débats parlementaires dont les héros sont tour à tour Louis-Philippe, Abd el-Kader ou Lola Montès, les assassins des barrières et les princes qui se marient ; elle précédait les réclames qui, en page 4, presque chaque jour, vantaient côte à côte les corsets, les produits d'hygiène et les livres récents, quand elles n'annonçaient pas un nouveau traitement, miraculeux et définitif, des « maladies secrètes ». Face à ce monstre hybride et compromettant, voire contagieux, *La Comédie humaine* première édition apparaît alors comme un territoire à part, un livre aussi différent et distinct que possible du feuilleton. Compact, concentré et comme décanté, sans blanc excessif, sans titre de chapitres, sans note, sans épigraphe, sans préface bien sûr (l'Avant-propos joue plutôt comme postface), bref, purgé de l'essentiel du prolixe paratexte antérieur, et, comble de la distinction, illustré de gravures à l'ancienne. Ainsi, et peu importe que Balzac en ait eu ou non conscience, l'édition Furne se présente matériellement comme une sorte d'envers des romans en feuilletons. L'effet de lissage et d'uniformisation que produit toute édition d'Oeuvres complètes, est ici d'autant plus marqué que l'aspect du Furne contraste davantage avec la disparité des représentations initiales des romans, répandus et éparpillés chez tant d'éditeurs et dans tant de journaux.

C'est sur ces différences concrètes, qu'elles soient textuelles ou matérielles, que je voudrais m'attarder, sur ce qui s'écrit pour le feuilleton et ne s'écrit plus après lui, notamment sur son paratexte, sur ce qu'il fait disparaître ou censure, sur ce qu'il produit un métalangage particulier. L'essentiel est de renoncer à la tentative ou tentation de recensement des thèmes et des personnages feuilletonesques dans l'œuvre de Balzac, ce qui n'aurait, je le crains (ou plus exactement, je le crois) pas grand sens[40], s'agissant d'un genre en cours de formation comme le feuilleton dont ni les composantes narratives, ni le personnel ne sont clairement établis : l'exercice serait malaisé et même problématique, d'autant que le feuilleton vers 1842 joue lui-même les pies littéraires en s'appropriant tout ce qui brillait déjà dans le roman noir ou le mélodrame empire. On se perdrait à suivre jusqu'à leur origine tous ses emprunts. Prenons simplement l'exemple des rapports entre Balzac et Sue. Plusieurs études[41] ont déjà mis en lumière ce que Balzac doit à Sue : des noms (la Rabouilleuse s'inspire de la Goualeuse), quelques types, concierge, bagnards et grisette aperçus dans *Les Mystères de Paris* (mais ne traînaient-ils pas déjà dans nombre de physiologies ou de traités de statistiques pénitentiaires ?), et autres empoisonneuses, courtisanes, ogresses et chouettes, enfin un lexique de l'épouvante, à gros effets, celui qui accompagne par exemple le drame du cousin Pons, etc. Dans la marmite de l'écriture (filons la métaphore de la cuisine littéraire, tellement d'époque), tout cela se mélange avec bien d'autres épices ou ingrédients, souvenirs, références, réminiscences et citations. Mais, comme le remarquait, en 1846 déjà, Amédée Achard, il est des romans balzaciens écrits avant l'invention du feuilleton que l'on pourrait prendre, en dépit de leur date, pour du « Sue tout pur »[42] : *Ferragus,* par exemple où dans des rues mal famées un bagnard déguisé prépare sa vengeance, où le héros est empoisonné et où une grisette désespérée se jette dans la Seine, au cœur d'un Paris gouverné occultement par une association d'hommes du monde sans scrupules. Qui doute que *la Fille aux yeux d'or* et *Ferragus* n'eussent obtenu un succès de vogue au rez-de-chaussée des journaux ? Mais si Eugène Sue fait parfois, ou réinvente du Balzac « tout pur », qui des deux a copié l'autre ?

Laissons là les à-peu-près de l'étude d'influence et contentons-nous de dégager certaines spécificités et particularités des feuilletons dans l'écrit balzacien. Il s'agit de repérer des phénomènes suffisamment récurrents pour être interpréter avec de raisonnables chances de certitudes.[43] Le premier effet direct de l'insertion des romans dans des quotidiens fut la censure qu'ils y subirent souvent. Désormais, les lecteurs peuvent manifester leurs opinions, réserves, fureurs, enthousiasmes tout au long de la publication ; ils ne s'en privent pas et en outre les rédacteurs en chef anticipent ces manifestations. Les ennuis de Balzac débutent avec *La Vieille Fille* : surpris par l'afflux de lettres qui protestent contre « les détails trop libres pour un journal qui doit être lu par tout le monde », Girardin, tout affolé, informe son auteur : « M. de Balzac appréciera cette observation » (*Corr.* III, p. 167). Le scandale autour de *La Vieille Fille* établit durablement la réputation d'immoralité de Balzac, dès lors en proie à la pusillanimité des directeurs de journaux qui craignent les réactions de leurs précieux abonnés face aux sujets balzaciens. D'où une série de mésaventures tragi-comiques qui ne sont pas sans conséquences. Tout d'abord, il arrive à plusieurs reprises qu'un journal décline une proposition de Balzac : en 1838, Girardin, sans doute échaudé, repousse successivement *La Torpille* et *La Maison Nucingen* dont, il faut bien le reconnaître, les sujets étaient assez inquiétants. Le 21 décembre 1839, dans une lettre fort révélatrice, franche et naïve, Louis Desnoyers, gérant du *Siècle,* explique à Balzac qu'il ne peut accepter en l'état, son article « Le Notaire » qui est en effet une charge réjouissante mais rosse contre cet état honorable : « L'opinion de Dutacq et la mienne sont qu'il n'y aurait du *danger* [c'est moi qui souligne] à publier dans *Le Siècle* l'article sur le *Notaire,* en raison de la très grande quantité de notaires que nous avons parmi nos abonnés » (*Corr.*III, p. 789).

Les années ont passé depuis *Eugénie Grandet* et avec elles, la mode de Balzac ; les directeurs de journaux se montrent de plus en plus rudes et prudents. En 1840, Balzac attend plusieurs mois la sortie des *Deux Frères* dans *La Presse* ; de 1839 à 1842, le futur *David Séchard* erre un moment entre *Le Siècle, Le Musée des familles* et *Le Messager* pour finir modestement dans *L'Etat* puis trouver asile, après la faillite de ce dernier, dans son successeur, *Le Parisien-L'État,* association sans gloire et qui ne le paya jamais. En 1842, c'est au tour du *Danger des mystifications* d'effaroucher le timide *Musée des familles* avant d'être accueilli dans *La Législature.* On pourrait prolonger encore cette décourageante liste. L'entreprise conçue et réalisée par Balzac dans ce contexte n'en est que plus impressionnante. De retards en blocages et de blocages en retards, l'ordre de parution des textes ne lui appartient plus et c'est toute l'architecture de *La Comédie humaine* qui est transformée, car pour des raisons financières évidentes, Balzac préfère travailler à la commande. Les exigences des directeurs de journaux et le jeu de volant auquel ils se livrent avec les romans déséquilibrent l'édifice.

La transaction

Cet état de choses est responsable en grande partie de la quasi-disparition des *Études philosophiques* et des *Études analytiques*[44] dont les titres semblaient promettre d'austères contenus et ne pouvaient donc que produire un effet dissuasif sur le lecteur moyen, responsable à l'inverse, de la prolifération des *Scènes de la vie parisienne* à l'intérieur des *Études de mœurs,* elles dont le titre rappelait les feuilletons de la grande ville, les *Mystères* de Londres et de Paris, et enfin responsable de l'affaissement des dangereuses *Scènes de la vie politique* dix fois promises et remises car l'œuvre d'un royaliste déclaré rebutait les journaux libéraux qui dominaient le marché. En revanche, l'absence des *Scènes de la vie militaire* trouble ces déductions. Balzac avait bien senti (voir la lettre à Mme Hanska citée plus haut) que la guerre, ses hasards et ses héros pouvaient fournir de bons sujets au feuilleton mais il ne les utilisa pas, comme si le militaire était, lui aussi, trop politique. Dans cette conjoncture, les romans à sujet politique, les plus vulnérables, connurent des itinéraires particulièrement buissonniers avant d'être publiés, et des incidents divers en cours de parution. Ainsi, ce n'est qu'en 1847, que *L'Union monarchique* qui venait de se créer, permit, en acceptant l'idée d'un roman sur les élections, la naissance d'un projet plusieurs fois avorté, qui fut publié sous le titre *Le Député d'Arcis* . L'hostilité des abonnés et leurs plaintes contraignirent le journal à interrompre le feuilleton à la fin de la première partie[45]. Balzac, épuisé, ne l'acheva jamais.

Le genèse des *Paysans* et leur réception est pire encore car l'enjeu était bien plus fort. Tour à tour repoussé en 1838 par *L'Artiste*, en 1839, par *La Presse*, le *Journal des Débats* et *Le Constitutionnel*, en 1840 par *La Gazette de France*, le roman ne trouva preneur qu'en 1844, dans *La Presse*. Pour lancer sa nouvelle formule (format agrandi, prix réduit), Girardin choisit Balzac. Le résultat n'est pas brillant : *La Gazette de France* donne le signal d'une campagne de presse extrêmement violente contre ces *Paysans* qui, selon elle, risquent d'exciter à la guerre civile en « envenimant les haines sociales » et *La Presse* reçoit sept cents menaces de désabonnement. On se hâte de remplacer *Les Paysans* par *La Reine Margot* et le roman reste inachevé[46].

Tristes histoires et exemplaires. C'est peut-être moins dans les textes publiés que dans les cavités de l'édifice qu'il faut chercher la place du feuilleton. De ce point de vue, il faudrait un inventaire systématique de tous les projets abandonnés au stade du titre ou du fragment pour formuler des hypothèses plus précises et quasi quantifier le phénomène. Le malheur voulait que les grands journaux soient libéraux et Balzac légitimiste et il n'ait aucune chance de voir ses romans publiés dans la presse monarchiste, en principe plus proche de ses idées mais qui ne condescendait pas à imprimer si vulgaire littérature. Il ne lui restait donc plus qu'à passer sous les fourches caudines des censeurs. Sans doute ne s'agit-il que de modifications de détail et le plus souvent temporaires (Balzac mit son point d'honneur à rétablir ses textes d'origine dans les versions postérieures en librairie), mais étaient en jeu une nouvelle fois la liberté et les droits du créateur. À maintes reprises, Balzac vit ses textes caviardés sans en avoir toujours été prévenu et il endura, avec plus ou moins de patience selon les cas, les coups de ciseaux pudiques et ombrageux des Anastasies de la presse.

Prenons l'exemple de *Pierrette*. Le 13 janvier 1840, il expédie à Desnoyers, une lettre furibonde : la veille, le rédacteur en chef du *Siècle* a raccourci lui-même un chapitre trop long, après avoir d'ailleurs tenté, en vain, de joindre son irascible auteur. Balzac le prend fort mal et sans tenir compte des conventions antérieures qui autorisaient expressément le journal à demander des aménagements, qualifie l'intervention de Desnoyers de « chose inouïe de littérature » (*Corr.* V, p. 13). Desnoyers se confond en explications désolées et, rendu circonspect par l'aventure, sollicite par la suite l'accord de Balzac pour toutes les retouches qu'il souhaite, en lui précisant jour après jour, ce qui « jure avec les doctrines du *Siècle* » (lettre du 19 janvier, *Corr.* IV, p. 21) ou ce qui est « trop clair et trop charnel » (lettre du 20 janvier, *Corr.* IV, p. 23). Cet échange de lettre qui se poursuit pendant toute la durée de la publication constitue un catalogue drolatique des tabous du journal, de ses lecteurs et de l'époque. Balzac accepte la majorité des corrections demandées mais se donne les gants d'en refuser certaines : en 1840, son rapport de force avec les journaux est encore relativement favorable.

Les mille et un contes du feuilleton

Dans les années qui suivent, les corrections de mise en conformité avec les opinions politiques d'un journal semblent être devenues d'une pratique courante. Quand, le 3 février 1844, Pierre-Jules Hetzel annonce à Balzac les conditions extrêmement favorables qu'il a obtenues pour son ami en négociant de sa part la publication des *Petits Bourgeois* avec Armand Bertin, directeur des *Débats,* il ajoute comme une clause toute naturelle : « Il serait entendu – toujours suivant vos habitudes – que vous feriez les corrections nécessitées par le journal au point de vue de sa politique et de ses abonnés » (*Corr.* IV, p. 672). Fin des coupures arbitraires, et soumission librement consentie aux désirs de l'employeur. Balzac d'ailleurs ne donna pas aux *Débats* ces *Petits Bourgeois* qu'il ne put jamais terminer, mais *Modeste Mignon.* La rédaction ne demanda que peu de retouches : une remarque désagréable sur l'Empire (Pl. I, p. 458), quelques lignes un peu ridicules et longuettes dans le portrait de La Brière (Pl. I, p. 575-576), dix-huit lignes enflammées de Modeste (Pl. I, p. 582) furent supprimées ainsi que les déclarations de Canalis en faveur de l'amour libre (Pl. I, p. 683). Peu de choses au bout du compte et les passages disparus furent rétablis dans l'édition qui suivit chez Chlendowski en novembre et décembre 1844.

De profondes modifications en menues variantes de l'édifice, la censure active ou passive des journaux agit, en gros et en détail, sur les œuvres en cours et jusque sur les projets. Ce qui est en jeu, c'est autant le rythme de production que la quantité de matière romanesque produite car le reliquat des projets avortés n'est proportionnellement pas si lourd : par rapport au plan/projet que constitue le *Catalogue* de *La Comédie humaine* publié par *L'Époque* le 22 mai 1846, l'essentiel est fait. Mais si l'on rêve un instant sur les titres qui restèrent sans suite, il apparaît que plusieurs correspondent à des sujets impubliables en feuilletons. Toute une série de romans nécessaires pour compléter chronologiquement et thématiquement les différentes scènes semblent avoir été bloqués pour incompatibilité avec les attentes et les besoins de la grande presse. La logique de *La Comédie humaine* comme ensemble systématique butte sur les contingences du marché. Ainsi, dans les *Scènes de la vie privée,* les numéros 2 et 3, *Un pensionnat de jeunes filles* et *Intérieur de collège* ne virent jamais le jour : or, les sujets potentiellement annoncés par ces deux titres convenaient on ne peut plus mal aux colonnes d'un journal : lieux d'une vie calme et régulière, le pensionnat ou un collège ne peuvent guère *a priori* receler beaucoup de romanesque car dans l'ordre rituel, rien ne doit ni ne peut se passer. Et si quelque chose arrivait, ce serait *a priori* non racontable : des fragments de sexorama n'avaient pas lieu de s'afficher au grand jour d'un quotidien.

Ainsi, le feuilleton fut, avec les voyages, le bric-à-brac, la maladie et l'amour une de ces circonstances qui, dans ses années ultimes, ralentirent la fabrique balzacienne de romans. Mais ces arrêts brusques ou progressifs, ces réaiguillages, ces accélérations de la création devenue d'abord production, toutes ces secousses, glissements et sursauts de son rythme sauvèrent peut-être paradoxalement le système balzacien en lui donnant du jeu, en l'empêchant d'être seulement la collection un peu juvénile et maniaque d'un écrivain remplissant méthodiquement un cadre préalable. Ils ouvrent l'œuvre en sabotant le dispositif *Comédie humaine,* trop fini, pragmatique et démonstratif, ses systématiques sans hasard et donc sans romanesque, son côté œuvre à thèse close sur des vérités énoncées jusqu'au bout, en en (re)faisant, somme toute, un Roman. À l'inverse de ce que nous venons de voir, il existe des cas, moins nombreux en vérité et assez tardifs, où la publication en feuilletons entraîna au contraire une sorte d'expansion heureuse des textes : l'exemple le plus frappant est celui de *La Cousine Bette* à propos duquel Balzac explique à Mme Hanska qu'il peut enfin traiter chaque détail de son sujet puisque le succès le pousse à poursuivre au delà des limites qu'il lui avait fixées à l'origine. (*LH*B II, p. 415, 10 novembre 1846). On observe en effet avec la rédaction de *La Cousine Bette* ce phénomène d'allongement qui signe les succès du genre mais toutefois n'en exagérons l'ampleur : les 41 livraisons de *La Cousine Bette* dans *le Constitutionnel* sont bien modestes par rapport aux 125 des *Mystères de Londres,* aux 140 des *Mystères de Paris,* aux 150 du *Comte de Monte-Cristo* et aux 175 du *Juif errant* ! Il n'empêche que les plus gros Balzac sont majoritairement des feuilletons, qui ont de ce point de vue une influence décisive sur l'invention balzacienne du romanesque, mise en cause par cet allongement. Le schéma d'intrigue rodé dans les années 1834-1835 et qui est demeuré depuis la formule canonique du roman balzacien, le modèle d'*Eugénie Grandet,* du *Curé de Tours,* de *Grandeur et décadence de César Birotteau,* de *La Vieille Fille,* d'*Ursule Mirouët,* etc., se distend. L'ordre – scène d'entrée en matière – retour en arrière explicatif sur le passé des personnages et l'histoire des lieux – crise déterminée par ce qui précède – période de dénouement, toute cette organisation est mise à l'épreuve. Après l'époque du « contier », après le Balzac des années fastes, survient une troisième incarnation : à quelques exceptions près, conformes au patron précédent, voici venu, dans les années quarante, le temps des romans épais où la crise unique devient péripéties multiples, où le dénouement a plusieurs étapes. Contraint de sortir du calibrage familier de la nouvelle de revue ou du in-8° standart, Balzac dut modifier sa manière, se dégager d'habitudes déjà routinières pour découvrir une autre distance, de nouvelles nécessités, de nouvelles possibilités aussi. Le feuilleton sauva peut-être Balzac du roman balzacien.

Comme l'a montré Lise Quéffelec[47], la figure du romancier-feuilletoniste qu'on répute anonyme, impersonnelle et donc absente de ses œuvres y est au contraire bien présente sous des formes diverses, et en particulier pour Balzac par le biais de son métalangage. Sa démarche assez pesamment péda-gogique n'a cessé d'être portée à son débit, fût-ce pour l'en absoudre avec condescendance : Balzac ne serait qu'un demi-habile, un roturier de la plume, encore rustre et maladroit dans ses liaisons peu discrètes. Seul Flaubert... Or tous ces discours de suture, d'annonce, d'explication, de gestion bavarde de l'intrigue et des savoirs du texte, tous les « voici pourquoi», les « il nous faut maintenant expliquer», toutes ces intrusions métatextuelles viennent du feuilleton, ou plus exactement sont la réponse que Balzac offre aux défis et aux contraintes du feuilleton. En effet, son régime de report continuel de l'infor-mation narrative oblige le narrateur à immobiliser le sens fuyant par un discours d'escorte vigilant qui accompagne la lecture, soutient la mémoire du lecteur, relance son intérêt, l'éduque au fil des livraisons. Gérard-Denis Farcy a récemment étudié ce phénomène de dilatation du commentaire balzacien mais dans une perspective de lecture toute flaubertisante :

> Balzac est encore un grand primitif qui n'a renoncé ni à des procédés de roman populaire, ni à un savoir-faire artisanal ou rudimentaire, ni même à des résidus stylistiques. À preuve ces coutures qui résultent des concessions à son lectorat et de l'opinion qu'il s'en fait, de l'échéance feuilletonesque mais aussi d'une frénésie créatrice trop fraîche pour éliminer entièrement les vieilles habitudes.[48]

Je ne peux que récuser une partie de ces jugements fondés sur une interprétation anachronique. La mention trop allusive au roman populaire ne saurait suffire et l'absence de dévelop-pements renvoie avec évidence aux lieux communs sur le genre. L'expression d'« échéance feuilletonesque» n'a, nous l'avons vu, pas grande signification dans le cas de Balzac, outre que celui-ci pressé par ses éditeurs, a parfois écrit certains de ses livres dans des conditions de précipitation au moins égales à celles de la rédaction des feuilletons (on pourrait étudier d'un point de vue génétique les effets d'une écriture rapide et des corrections hâtives chez Balzac : les feuilletons n'épuiseraient pas le sujet). Enfin, il ne s'agit pas de « concessions» et ce n'est pas le niveau supposé du lectorat qui est en cause mais le feuilleton lui-même et ses contraintes. Ajoutons encore que, même si Balzac n'utilise pas pour la première fois, dans les feuilletons des années quarante, ces modes de suturation (voir notamment *César Birotteau*), il les multiplie, les renforce, les alourdit à cette occasion et les y maintient dans les versions postérieures isolées ainsi que dans *La Comédie humaine*. La nature labile et fragmentaire des feuilletons accentue l'usage d'un procédé qui lui permettait, dans un autre régime de publication, de resserrer et de contrôler l'ensemble du massif romanesque. Or ces coutures interviennent avec une fréquence appréciable en fin ou en début de livraison, là où se situent également les inserts politiques et les « idées » de Balzac. Quelques citations empruntées aux *Paysans* [49] :

> D'ailleurs, l'historien ne doit jamais oublier que sa mission est de faire à chacun sa part, le malheureux et le riche sont égaux devant sa plume ; pour lui, le paysan a la grandeur de ses misères comme le riche a la petitesse de ses ridicules ; enfin, le riche a des passions, le paysan n'a que des besoins, le paysan est donc doublement pauvre ; et si, politiquement, ses agressions doivent être impitoyablement réprimées, humainement et religieusement, il est sacré. (3 décembre 1844)

> Ce précis rapide aura le mérite d'introduire quelques-uns des acteurs du drame, de dessiner leurs intérêts et de faire comprendre les dangers de la situation où se trouvait alors le général comte de Montcornet. (10 décembre 1844)

> Maintenant, ces préliminaires étant connus, on comprendra parfaitement l'intérêt des ennemis du général et celui de la conversation qu'il eut avec ses deux ministres. (14 décembre 1844)

> Cette dernière explication, politique pour ainsi dire, et qui rend aux personnages du drame leur vraie physionomie, au plus petit détail sa gravité, jettera de vives lumières sur cette Scène, où sont en jeu tous les intérêts sociaux des campagnes. (15 décembre 1844)

> Cette ex-belle Arsène étant désintéressée, le legs du feu curé, Niseron serait inexplicable sans le curieux événement qui l'inspira et qu'il faut rapporter pour l'instruction de l'immense tribu des Héritiers. (20 décembre 1844)

On voit comment Balzac se sert d'un emplacement stratégique pour valoriser son discours, spectaculariser ses interventions et inverser l'ordre hiérarchique entre récit et discours : le suspens porte non sur l'histoire mais sur sa présentation, non sur les événements mais sur leur mise en scène. Le lieu que nous pensions au départ de cette enquête celui de la plus forte contrainte générique se révèle comme celui de la plus forte inscription de l'auteur, de ses particularismes et de ses choix, celui où il se déclare et découvre le plus, en conciliant habilement le contrôle de l'information et l'intérêt de l'intrigue. De façon très semblable, les titres de chapitres exhibent eux aussi une figure du narrateur fort lisible à défaut d'être très homogène. J'ai déjà eu l'occasion de signaler ailleurs[50] les transformations profondes qu'enregistrent les titres de chapitres dans les feuilletons d'après 1842, à partir de l'exemple d'*Illusions perdues* ; aux titres substantivés, opérateurs de discours, typant, que l'on trouve en 1837 et 1838 dans les deux premières parties du futur *Illusions perdues* s'opposent ceux, prolixes, souvent génériques et embrayeurs de récit qui apparaissent dans la troisième partie, *David Séchard ou les Souffrances d'un inventeur,* publiée elle en feuilleton (voir note 5). Si les titres nominaux de la première réalisent l'idéal de discrétion du narrateur omniscient, les titres de feuilletons font surgir bruyamment le narrateur pour un dialogue aussi bavard qu'imaginaire avec le narrataire. Les titres de *David Séchard* ne constituent pas un cas isolé : après 1842, ils se déclinent toujours sur le mode de l'emphase, d'une pédagogie ludique bien différente des typologies antérieures, toutes analytiques qui classaient et rangeaient le réel en fragments numérotés. Pour l'exemple et pour le plaisir relevons en quelques-uns empruntés à *Une instruction criminelle* et au *Député d'Arcis.* Déroutant : « Asie en paysan du Danube » (§ XXVI, *L'Époque,* 12 juillet 1846) ; prenant la forme d'un jeu de mot cynique : « Comme quoi le forçat prouve qu'il est un homme de marque » (§ XXVIII, *ibid.,* 14 juillet 1847) ; celle d'une assertion souriante, agrémentée d'une plaisanterie : « Toute élection commence par des remue-ménages » (§ I, *L'Union monarchique,* 7 avril 1847) ; d'une autoparodie : « Description d'une partie de l'inconnu » (§ XIII, *idem,* 17 avril 1847). L'humour des titres est d'autant plus inattendu qu'il n'a pas de sens en contexte ; souvent ils annoncent des scènes qui n'ont rien d'humoristique. Ainsi, le chapitre intitulé « Histoire de rire » correspond dans *Une instruction criminelle* à la mort d'Esther (§ L, 26 juillet 1846). Le chapitre XXIX du *Cousin Pons* baptisé avec un humour plutôt noir : « Où l'on voit que ce qu'on appelle ouvrir une succession consiste à fermer toutes les portes » (*Le Constitu-tionnel* du 8 mai 1847) se rapporte, ainsi que « Les fruits du Fraisier » (§ XXX, 4 mai 1847), à l'atroce complot contre Schmucke. Force nous est donc de voir dans les titres l'expres-sion d'une intention indépendante des circonstances de l'his-toire, des émotions que cette histoire suscite, et même, du style de discours où elle s'exprime. L'humour, qui devient un élément constant face aux variations des récits, implique une double distance par rapport au texte, celle du narrateur entraî-nant celle du lecteur : s'il crée une complicité entre eux, c'est au delà du texte et presque contre lui. Il tend à saboter son sérieux et ses effets dramatiques mais pour quel profit ? Ce sous-titrage saugrenu révèle, on peut l'imaginer, que si Balzac se prête au feuilleton, il ne s'y donne pas tout à fait ; y voir là comme la trace fugitive d'une résistance ou du moins le souci de se montrer différent, détaché. Étranges titres vraiment où l'esprit reste au premier degré pour mieux séduire sans se livrer, un public d'épiciers ou les « masses départementales».

Les titres et leur ambiguïté emblématisent les contradic-tions de Balzac dont, au cours des années quarante, l'entreprise et l'image sont simultanément déstabilisées par le feuilleton. Dans l'œuvre, nous avons constaté ses effets, mais souvent là où nous ne les attendions pas et absents quand nous les croyions présents. Mise en pièces à la fois par le fractionnement journalistique et l'acharnement des critiques, *La Comédie humaine* ne sort pas intacte de sa traversée feuilletonesque. Le narrateur est tenu d'intervenir pour soutenir la construction, suppléer aux carences de structures affaiblies par les déséqui-libres induits dans les masses de l'édifice. Le narrateur omniscient, transparent, attendra encore un peu[51]. Pour expli-quer à son public et s'expliquer devant lui, Balzac doit se montrer dans son texte. Le feuilleton, finalement, a rendu à *La Comédie humaine* cet auteur que l'Avant-Propos tenait à distance en en sublimant la figure.

Notes

1. René Guise, « Balzac et le roman-feuilleton », *L'Année balzacienne 1964*. Trois nouvelles études se sont récemment ajoutées à la bibliographie de la question. Dans la revue canadienne *Littératures* n° 6, Montréal, Publications de l'Université Mac Gill, 1991, l'article

d'Isabelle Daunais, « Le roman-feuilleton (1836-1842) : l'enjeu d'un pouvoir », p. 5-20. Dans *Mesure(s) du livre*, colloque des 25-26 mai 1989, textes réunis et présentés par Alain Vaillant, Publications de la Bibliothèque nationale, 1992, deux articles : de Stéphane Vachon, « Balzac en feuilletons et en livres : quantification d'une production romanesque », voir notamment p. 262-266 ainsi que la liste des feuilletons, p. 285-287 ; et de nous-même, « Les livres de compte du feuilleton (1836-1846) », p. 125-137.

2. Théodore Muret écrit le 28 juillet 1844 dans *Le Temps* qu'« à la Bourse où se cote la littérature marchande [...], le Frédéric Soulié [est] calme, l'Alexandre Dumas (et compagnie) [est] lourd, le Balzac sans demandes. » Au-delà de cette boutade, les preuves ne manquent pas sur le ralentissement des publications balzaciennes en feuilletons cette année-là. Voir à ce sujet l'article de René Guise cité.

3. Célèbre formule de Balzac dans la Préface de la 1re édition du *Lys dans la vallée* en 1836.

4. Parlant de lui à la première personne, Balzac déclare en 1839 dans la préface à *Une fille d'Ève :* « Peut-être, de romancier, passera-t-il historien à quelqu'unes de ces promotions que l'opinion publique fait de temps en temps. Mais cet insigne honneur se retardera nécessairement jusqu'à ce qu'on ait eu l'intelligence de cette longue œuvre. »

5. *Les Mystères de Paris* parut dans le *Journal des débats* du 15 juin au 13 juillet du 6 au 30 septembre, du 1er novembre au 29 décembre 1842, puis du 1er au 17 février, du 16 au 31 mars, du 10 mai au 24 juin, du 27 juillet au 2 septembre et du 5 au 15 octobre 1843. Durant la même période, Balzac publia en feuilletons *Le Danger des mystifications [Un début dans la vie]* (*La Législature*, 26 juillet-4 septembre 1842), *Un ménage de garçon en province* [2e partie de la *Rabouilleuse*] (*La Presse*, 27 octobre-19 novembre 1842), *Honorine* (*La Presse*, 17-29 mars 1843), *Dinah Piédefer [La Muse du département]* (*Le Messager*, 20 mars-29 avril 1843), *Esther ou les amours d'un vieux banquier* [réimpression corrigée de *La Torpille*] (*Le Parisien*, 21-30 mai 1843) suivie de la fin de la 1re partie et du début de la 2e partie de l'actuel *Splendeurs et misères des courtisanes* (*L'État*, 31 mai-1er juillet 1843), *David Séchard ou les souffrances de l'inventeur* [troisième et dernière partie d'*Illusions perdues*] (*L'État*, 9-19 juin 1843 puis *Le Parisien-L'État*, 27 en deux temps, juillet-14 août 1843). J'exclus de cette liste les fragments de *Madame de la Chanterie* publiés en revue pour ne conserver que les textes correspondant strictement à la définition du roman-feuilleton : roman publié en livraisons dans un quotidien.

6. Nicole Billot, « Balzac vu par la critique, 1839-1840 », *AB 1983*.

7. Cité par Nicole Billot, *AB 1983*, p. 265.

8. Sainte-Beuve , « De la littérature industrielle », *Revue des deux mondes,* 1er septembre 1839, t. 19, 4e série, p. 674-691. Balzac : « Au rédacteur en chef de *La Presse* », 18 août 1839. Une polémique s'engage à partir de l'article de Sainte-Beuve qui connait un large écho : voir par exemple l'article de Philarète Chasles, « De la critique actuelle et de la stagnation littéraire dans ces derniers temps », *Journal des débats*, 12 septembre 1839. Sur ce moment et plus généralement sur la réception critique du roman et du roman-feuilleton, on se reportera à Marguerite

Iknayan, *The Idea of the Novel in France : the critical reaction, 1815-1848,* Genève/Paris, Droz/Minard, 1961.

9. Par exemple, « M. de Balzac », article anonyme de *La Quotidienne,* 20 juillet 1843, ou Jules Janin, *Journal des débats,* 20 février 1843.

10. Gaschon de Molènes, « Simples essais d'histoire littéraire, II. La seconde famille des romanciers, I. M. de Balzac », *Revue des deux mondes,* 1er novembre 1842.

11. Alfred Nettement, *Études critiques sur le feuilleton-roman,* Lagny frères, 2 t., 1847. Ces ouvrages reprennent des articles publiés précédemment dans *La Gazette de France.*

12. Frédéric de Langevenais, « Les derniers romans de M. de Balzac et de M. Frédéric Soulié », *Revue des deux mondes,* 1er décembre 1843.

13. Curieux schizophrénisme de la critique qui, au moment même où elle délaissait avec les structuralismes, la question de la valeur du texte, n'en était pas moins soumise aux représentations dominantes de la littérature clivée entre le succès et le bien écrire. Essayer de surprendre, bien cachés dans cet immense assemblage de romans, des bribes de romanesque parasite et suspect, de style bas chez un grand écrivain, du para-, de l'infra-, voire du sous-littéraire chez un auteur reconnu, voilà qui pouvait paraître inconvenant.

14. Claude Duchet, Jacques Neefs [éd.], *Balzac, l'invention du roman,* Belfond, 1981.

15. Préface de *Splendeurs et misères des courtisanes. Esther,* de Potter, 3 vol. in-8°, août 1844 (daté de 1845).

16. Balzac fait ici allusion aux différents types d'abonnement en vigueur. Il existait trois zones à tarifs progressifs, Paris-Seine, départements, étranger et on pouvait s'abonner pour trois, six mois ou un an. Avant chaque renouvellement, on tentait les abonnés par la promesse d'un nouveau feuilleton ou de la reprise d'un feuilleton à succès. Au moment de la publication du *Cousin Pons,* les tarifs d'abonnements du *Constitutionnel* étaient les suivants :

	Paris	Départements	Étranger
trimestre	13 F	15 F	20 F
semestre	26 F	30 F	40 F
année	52 F	60 F	80 F

17. La mesure du succès d'un feuilleton est chose malaisée ; en l'absence d'un courrier des lecteurs nourri, on hésite un peu sur les critères à retenir : les comptes rendus critiques n'interviennent en général que lors de la publication en volumes. Seule donc la longueur du texte est véritablement indicative de la qualité de sa réception ; un feuilleton qui ne plait pas est vite condamné et s'interrompt promptement. Sur la réception critique des *Parents pauvres,* voir André Lorant, *Les Parents pauvres d'Honoré de Balzac, La Cousine Bette- Le Cousin Pons, étude historique et critique,* Genève, Droz, 1967.

18. Le 25 janvier 1847, Eugène Mauron présente dans la *Revue indépendante* les dernières productions de Balzac en ces termes : « On

connait M. de Balzac, [...] on sait la fermeté, on pourrait même dire l'entêtement qu'il met à ne pas modifier sa première manière ; [...] ce n'est pas lui qui a changé de système ou qui a fait des concessions ». Autour de cette date, on constate une réorientation de la critique qui fait de Balzac l'incarnation de la résistance au feuilleton après avoir dénoncé son allégeance au genre. Voir par exemple, la dédicace de Champfleury à Balzac en tête de *Feu Miette* (*BF,* décembre 1847) et l'article d'Hippolyte Babou : « Petites lettres à M. de Balzac », *Revue nouvelle,* XIII, 1ᵉʳ février 1847. Le symptôme évident de ce retour en faveur est la reproduction par *Le Constitutionnel,* en 22 suppléments entre le 1ᵉʳ avril et le 31 octobre 1847 d'*Œuvres de M. de Balzac* dans sa *Bibliothèque choisie,* c'est-à-dire en suppléments détachables. Peu après, c'est au tour du *Siècle* d'offrir aux lecteurs de son *Musée littéraire* une réimpression de *César Birotteau* (du 4 au 23 mars 1847). Ces deux opérations coïncident avec la publication du *Cousin Pons* dans *Le Constitutionnel* du 18 mars au 10 mai 1847 et du *Député d'Arcis* dans *L'Union monarchique* du 7 avril au 10 mai 1847. C'est l'époque où les quotidiens à succès que sont *Le Constitutionnel* et *Le Siècle* se font éditeurs. Matériellement le roman-feuilleton se rapproche du livre tandis que le livre, de plus en plus se débite en livraisons : son prix ainsi fractionné, il devient accessible à un plus grand nombre de lecteurs.

19. *La Femme supérieure, La Maison Nucingen, La Torpille,* Werdet, 2 vol. in-8°, octobre 1838.

20. M.-J. Durry, *La Vieillesse de Chateaubriand,* Paris, Le Divan, 1933. Voir t. I, p. 355-377, t. II, p. 241-152, sur l'affaire de la publication des *Mémoires d'outre-tombe* dans *La Presse.*

21. *Lettres à Madame Hanska.* Textes édités par Roger Pierrot, « Bouquins », Laffont, 2 vol., désormais abrégé en *LH* B.

22. Lettre du 31 mai 1843 pendant la rédaction de *Splendeurs et misères des courtisanes.* Entre 1841 et 1845, on trouve la mention de Sue et de ses œuvres les 31 mai et 5 décembre 1843, 14 janvier, 6, 11, 14, 19 février, 7 et 8 avril, 16 juillet, 11 août, 17 et 20 septembre, 8 et 11 novembre, 28 décembre 1844, 15 février 1845. Même en tenant compte des irrégularités de la correspondance beaucoup plus dense en 1844, c'est l'évidence cette année-là, qui correspond au plus fort de la vogue de Sue, que Balzac s'y réfère le plus souvent.

23. Jean-Louis Bory, *Tout feu, tout flamme (Premiers éléments pour une esthétique du roman-feuilleton. Eugène Sue-Balzac),* Juillard, 1966.

24. Lettre du 17 septembre 1844, *LH* B I, p. 910-911.

25. Définition de « chef-d'œuvre » dans Napoléon Landais, *Dictionnaire général et grammatical des dictionnaires français,* Didier, 5ᵉ éd., 1840.

26. Gustave Planche, « Poètes et romanciers de la France. LII, M. Jules Sandeau », *Revue des deux mondes,* 15 décembre 1846, p. 1107. Si le roman est indéfinissable, le critique est alors en droit de ne pas lire celui dont il doit rendre compte et même en droit de s'en vanter. Voir l'exemple ci-dessous mais le chose et l'aveu sont loin d'être rares. « M. de Balzac a publié dans *La Presse* une suite de feuilletons sous le titre de *Mémoires de deux jeunes mariées.* Nous n'en ferons pas l'analyse

pour la bonne raison que nous n'ayons pas pris la peine de les lire ; et, l'eussions-nous fait, nous ne passerions pas notre temps à un pareil travail. Mais on nous a mis sous les yeux le dernier chapitre de ces mémoires ». *L'Espérance,* journal royaliste de Nancy cité dans *La Gazette de France* du 5 février 1842.

27. Voir *La Quotidienne,* 3 décembre 1841, 17 juillet 1842, 15 octobre 1842, 28 juillet 1844, etc.

28. Nettement , *op. cit.,* t. II, p. 231-330.

29. Défendre le feuilleton n'était pas tâche facile. Témoin, l'article réticent que signe Cuvellier-Fleury dans le *Journal des débats,* le 14 juin 1842, à la veille de la publication des *Mystères de Paris.* Il y rend compte du dernier ouvrage du nouvel auteur maison : *Le Morne-au-diable ou l'aventurier.* Bel exercice rhétorique sur un thème qu'il semble avoir quelque mal à traiter, le roman-feuilleton que, dit-il « il faut bien appeler par son nom » (!). Pour justifier la présence de Sue dans les colonnes de son journal, il construit tout un raisonnement : selon lui, le besoin en romanesque du public est lié à son absence dans la société du temps (conclusion implicite : on ne peut donc aller contre une fatalité historico-politique). Il reconnaît qu'Eugène Sue est un « romancier improvisateur » mais rappelle que *Mathilde* était terminé avant sa publication (il se garde bien de dire qu'il n'en est pas le même pour *Les Mystères de Paris*). Enfin, il élargit le débat en soulignant que le roman de mœurs, le seul grand roman, n'exclut pas nécessairement les aventures et cite *Manon Lescaut,* grande référence obligée dès qu'on parle roman. Ainsi, il rattache ou tente de rattacher le feuilleton à la tradition des romans classiques consacrés.

30. On trouve la formule « roman feuilleton » dès mars 1839 dans un article du *Temps* signé J.S. qui est un compte rendu de *L'Homme et l'argent,* roman nouveau, par M.E. Souvestre. Je n'ai pas pour ma part trouvé de mention antérieure du mot, ce qui naturellement ne prouve rien. La recherche de la première occurrence est ouverte.

31. *Mathilde, mémoires d'une jeune femme* parut dans *La Presse* du 22 décembre 1840 au 19 janvier 1841, du 26 mars au 16 avril 1841, du 10 au 24 mai 1841, du 24 juillet au 5 août et du 30 août au 26 septembre 1841.

32. Voir Yvonne Knibiehler , Roger Ripoll, « Les premiers pas du feuilleton », *Europe,* numéro « Le Roman-feuilleton », juin 1974, p. 7-19.

33. George Sand lui aurait donné raison, elle qui écrivait dans la préface de *Jeanne,* écrite en 1852, dans l'édition de ses *Œuvres complètes* (Hetzel, 9 vol., 1851-1856) : « C'était en 1844 [...] Dumas et Eugène Sue possédaient dès lors, au plus haut point, l'art de finir un chapitre sur une péripétie intéressante, qui devait tenir sans cesse le lecteur en haleine, dans l'attente de la curiosité et de l'inquiétude. Tel n'était pas le talent de Balzac, tel est encore moins le mien. ». N'y aurait-il pas quelque snobisme rétrospectif dans ce jugement de Sand, car les fins de livraisons du *Meunier d'Angibault,* par exemple, témoignent du contraire. Il est vrai que Sand reproche au directeur de *La Réforme,* où elle publiait son interventionnisme et les transformations qu'il avait apportées de sa propre initiative à son manuscrit. *Corr.* de Sand, édition procurée par M. Lubin, t. V, p. 5. Preuve supplémentaire

du rôle des journaux dans les découpages de feuilleton. Voir à ce sujet l'article de F. Van Rossum-Guyon, « Le manuscrit du *Meunier d'Angibault*. Découpages et réécritures », *Écritures du romantisme II*, (B. Didier, J. Neefs [éd.]), PUV, 1989, p. 89-113.

34. Voir dans la *Correspondance*. Textes réunis, classés et annotés par Roger Pierrot, Garnier, 1960-1969, 5 volumes abrégés désormais en *Corr*. On trouve divers types de contrats et modes de paiement : le traité avec Dutacq gérant du *Siècle* du 29 janvier 1839 prévoit pour *Béatrix ou les Amours forcés* et *Les Mémoires d'une jeune mariée*, un prix de 200 francs par neuf colonnes de quarante lignes (*Corr*. III, p. 546), celui d'*Ursule Mirouët* signé avec *Le Messager*, le 21 juin 1840 ne dit mot des coupures et fixe un prix de 75 centimes la ligne à concurrence de 4 500 francs (*Corr*. IV, p. 139-140) ; *Le Siècle* achète, le 29 septembre 1841, *La Fausse Maîtresse* au forfait, pour 1 000 francs (nulle mention des coupures, p. 731-732 et *Corr*. V, p. 60) du 27 novembre 1845, p. 158 du 13 octobre 1846, p. 184-185 du 21 janvier 1847.

35. *La Vieille Fille* est un exemple remarquable de ce point de vue, puisque, comme l'a montré Nicole Mozet, dès ce premier feuilleton, « le découpage loin d'être indifférent, a eu une influence décisive sur la structure même du roman ; non seulement, Balzac a travaillé par tranches de texte successives qui coïncident avec les différents articles, mais encore, pour que chaque article fasse à lui seul un ensemble cohérent, il a été amené à adopter une division par "scènes" qui s'inspire beaucoup de la technique théâtrale ». « Histoire du texte », Pl. IV, p. 1472. (À partir de maintenant, *La Comédie humaine*, nouvelle édition publiée sous la direction de Pierre-Georges Castex, « Bibliothèque de la Pléiade », Gallimard, 1976-1981, 12 volumes, sera abrégée en Pl.) Force est donc de constater que, pour sa première tentative, Balzac avait cherché, et trouvé, une forme romanesque parfaitement adaptée à son nouveau support. Ce coup d'essai fut un coup de maître. On est alors quelque peu dubitatif sur cette incapacité prétendue à organiser sa matière romanesque en fonction des coupures.

36. *Jérôme Paturot à la recherche d'une position sociale* fut publié dans *Le National* à partir du 2 septembre 1842. Le passage mentionné appartient au paragraphe VII, « Jérôme Paturot feuilletoniste ».

37. On reconnaît le fonctionnement de ce que Roland Barthes nommait « code herméneutique » dans *S/Z*, « Tel quel », Seuil, 1970

38. L'expression est de Jacques Goimard, « Quelques structures formelles du roman populaire », *Europe*, numéro « Le Roman-feuilleton », juin 1974, p. 19-30.

39. Pierre Barbéris dans l'« Histoire du texte » de *Un début dans la vie*, Pl. I, p. 1446.

40. Il faudrait ici autre chose que la respectable étude des sources qui, même sous les couleurs ravivées de l'intertextualité, procède davantage d'une théologie esthétique que d'une analyse littéraire. Peut-être une génétique intertextuelle qui serait attentive aux traitements des « lieux », comme aux mécanismes narratifs.

41. Sur les emprunts de Balzac à Sue, voir Jean Pommier, *L'Invention et l'écriture dans* La Torpille *d'Honoré de Balzac,* Droz-Minard, Genève-Paris, 1957, p. 53-54 et *Splendeurs et misères des courtisanes,* éd. Antoine Adam, « Classiques », Garnier 1958, Introduction p. XVI et sq. et André Lorant, *op. cit.,* p. 324-361.

42. Amédée Achard, « M. H. de Balzac », *L'Époque,* 9 mai 1846.

43. Le cas de réécriture *a priori* le plus intéressant est celui de *La Torpille,* ouvrage publié en 1838 chez Werdet et réécrit à l'occasion de sa republication en feuilletons au début d'*Esther ou les Amours d'un vieux banquier* dans *Le Parisien,* du 21 au 31 mai 1843 avant la partie inédite. Cas de figure aussi rare qu'attirant, car on peut observer là un éventuel travail d'adaptation au nouveau support. La date de parution accentue encore l'intérêt de l'expérience, *Esther* débutant quand s'achevaient *Les Mystères.* Nous ne possédons ni manuscrits, ni placards et pouvons donc confronter directement le texte de l'édition Werdet et celui du *Parisien.*

44. Ce fait a été signalé pour la première fois par René Guise, art. cité.

45. *Le Député d'Arcis,* « Scène de la vie politique », « Première partie L'Élection », *L'Union monarchique,* 7 avril-3 mai 1847.

46. Voir Patricia Kinder, « Balzac, *La Gazette de France,* et *Les Paysans* », *AB 1973,* p. 117-143.

47. Lise Quéffelec, « L'auteur en personne dans le roman populaire, Dumas, Sue », *Tapis-franc, Revue du roman populaire* 2, hiver 1989.

48. Gérard-Denis Farcy, « Les inégalités de la couture chez Balzac », *Poétique* n° 76, novembre 1988, p. 463-473.

49. Il s'agit dans tous les cas de fins de livraison.

50. Isabelle Tournier, « Titrer et interpréter » dans *Balzac : Illusions perdues, « L'œuvre capitale dans l'œuvre »,* études réunies par Françoise Van Rossum-Guyon, Groningen, CRIN 18, 1988.

51. Pour la confrontation avec d'autres stratégies narratives envisagées par Balzac dans cette dernière décennie, qui vont à l'inverse vers un effacement « flaubertien » de l'auteur, voir ci-dessous l'article de Joëlle Mertès-Gleize. Cependant une manière d'en dire trop n'est-elle pas déjà une sorte d'esquive bruyante mais plus assurée d'une visibilité et donc d'une efficacité immédiate auprès d'un lectorat en pleine problématisation ?

Acte II
L'imaginaire d'un projet

De l'artiste à l'écrivain
ou comment devenir l'auteur
de *La Comédie humaine*?

José-Luis Diaz

Tout au long de sa carrière littéraire, Balzac n'a cessé de se soucier du statut sociopolitique de l'artiste et de l'écrivain. La série des trois articles sur les *Artistes* en 1830, la *Lettre aux écrivains français* en 1834, le *Code littéraire* en 1840 témoignent entre autres de la continuité d'une préoccupation. Comme les autres grands romantiques ses contemporains, il s'inquiète du destin social de cette *créature* qu'est aussi celui qu'on appelle alors, avec une emphase nouvelle, le *créateur*. Tout au long de son activité de romancier, l'auteur de *Sarrasine*, de *Gambara*, celui d'*Illusions perdues*, de *Modeste Mignon* et de *Béatrix* n'a cessé de mettre en scène des artistes d'abord idéalisés, puis surtout des écrivains chaque jour plus caricaturaux. Ils forment une galerie kaléidoscopique – pandémonium et musée de cire – familière au piéton même distrait de *La Comédie humaine*. Parce qu'elles sont des constantes de la démarche balzacienne, ces deux dimensions complémentaires du rapport qu'entretient Balzac avec l'intelligentsia, soit réelle, soit fictionnelle, ont trouvé des analystes compétents[1].

On peut regretter en revanche qu'aucune étude systématique n'ait été consacrée à un troisième aspect des démêlés de

Balzac avec ce qu'il aurait pu appeler – en ses jours de jargon impénitent – la « galaxie intelligentielle ». Je veux parler de ce constant rapport fantasmatique que l'auteur de *La Comédie humaine* entretient avec sa propre identité publique d'écrivain et d'artiste, avec les images mythologiques, plus ou moins conventionnelles, souvent complaisantes, qu'il fait circuler de lui, et que la galerie des glaces littéraire lui renvoie chaque jour plus grimaçantes.

Balzac est loin en effet de s'en tenir à cette sobriété d'effets théâtraux, à ce refus des simagrées de la « scène littéraire »[2] que, dès les années 1845, exige le jeune Flaubert, manifestant ainsi, de manière agressive, sa sortie hors de la nébuleuse romantique. Il tient à s'afficher en personne à l'avant-scène, encombrant l'espace de sa corpulence, comme ces grands seigneurs bavards et musqués dont Voltaire avait cru nettoyer pour toujours la Comédie-Française.

Par toute une puissante artillerie de textes, dont les préfaces constituent la partie lourde, il ne cesse de prêter assistance à la trajectoire de son œuvre, en la doublant de la constante prestation fantasmatique de son auteur. Celui-ci, loin de s'en tenir au rôle purement instrumental requis du « narrateur », tel que le définissait l'analyse du récit, ne cesse d'apparaître et de dominer. Il écrase, dit-on, de sa pesante stature, une œuvre à laquelle ce qu'on appelait il n'y a guère la « nouvelle critique » avait convenu d'attacher le grelot, au motif qu'elle désobéissait de façon si flagrante au réquisit de la « mort de l'auteur »[3].

Mais on peut rêver de penser enfin pour de bon, sans idéologie toute prête, le rapport de ce qu'il faut bien appeler une « œuvre » (et Balzac plus que tout autre oblige à prononcer ce mot honni) à ce qu'il faut bien appeler – autre blasphème – son « auteur ». Et nul mieux que l'exemple balzacien n'oblige à rêver du moins à cette perspective d'excès et de manque, à cette trajectoire imaginaire qu'est peut-être essentiellement ce qu'on appelle un « auteur ». Car, doublant et parasitant les textes successifs, les rendant tributaires d'une dynamique qui les transcende, l'auteur balzacien, lancé lui-même dans la « circulation littéraire »[4], ne cesse de jouer sur des scènes adjacentes – voire sur des coulisses en forme de *proscenium* – une incessante parade, une comédie aux rebondissements inattendus.

La critique s'est malheureusement peu intéressée à cette dimension fantasmatique de la prestation auctorale balzacienne, et encore moins à sa genèse. C'est dire combien je sais prématuré le propos que j'annonce, qui pose innocemment comme étant à portée de main une étude des mutations de ce que j'appelle en mon sabir les « scénarios auctoraux » balzaciens, au moment de *La Comédie humaine*. Pour la mener à terme, pour être en mesure de se demander efficacement si le tournant de *La Comédie humaine* coïncide ou non avec un réaménagement en profondeur des stratégies fantasmatiques de son auteur, il faut supposer connu l'ensemble de sa trajectoire mythologique préalable. Savoir comment Balzac a mis en scène Balzac jusqu'aux années quarante, pour pouvoir dire si le Balzac nouveau qui jaillit tout armé de l'Avant-propos de 1842 est une création sans précédent, née du génie interne de l'œuvre ; ou s'il n'est qu'un des nombreux avatars d'un incessant travail mythologique[5], auquel se livre un auteur aussi soucieux de son identité spéculaire que soigneux à l'endroit de ce que l'actuel langage des médias appellerait son « image de marque ». Savoir quel rapport existe entre les partitions auctorales balzaciennes et celles des autres grands romantiques ses contemporains. Savoir en quoi la coupure épistémologique et littéraire des années quarante, et l'apparition des vedettes du roman-feuilleton, influent sur le théâtre auctoral balzacien. Savoir enfin quelle dialectique tendue se noue entre les divers personnages que Balzac propose et les images que lui renvoient les matamores des gazettes et les moqueurs des petits journaux.

À défaut de répondre à toutes ces questions et de pouvoir prêter attention à l'histoire polyphonique de ce théâtre d'ombres, on se contentera ici de prendre la mesure des changements de régie auctorale qu'entraîne la mise en œuvre de *La Comédie humaine*, et surtout la rédaction de son Avant-propos, haut lieu incontournable.

Parades préfacielles

Si nous oublions les leçons si riches pourtant des articles de la *Revue parisienne*[6], cinq sortes de textes nous permettent de suivre les mutations de la fantasmatique auctorale balzacienne après la date clé de 1842. Les quelques préfaces atrophiées qui subsistent, après le renoncement solennel à l'activité préfacielle que Balzac jure dans le texte même de l'Avant-propos, sont assez peu significatives[7]. De même, dans les *Lettres à Madame Hanska*, si riches pourtant en matériel

fantasmatique, il ne semble pas que le théâtre auctoral balzacien
change avec netteté, au moment de ce qu'il appelle par trois
fois, avec des roulements de tambour drolatiques et enthou-
siastes, la « grrrrande *Comédie humaine* »[8]. Une même stratégie
se poursuit, avant et après, qui vise à la fois à sécuriser et à
charmer. Le mythe de l'écrivain moine, qu'arbore par ailleurs la
tenue vestimentaire, ou celui de l'écrivain forçat, servent à
rassurer les jalousies russes, tandis que le thème de l'artiste
maudit et prométhéen, ou encore celui du poète angélique,
fournissent aux diverses figures de la parade amoureuse.

Le changement est également peu sensible somme toute,
mais pour des raisons autres, dans cet ultime texte préfaciel que
constitue l'Avant-propos de l'Éditeur du *Provincial à Paris*,
qui est de 1847. Se rabattant *in extremis* sur une pratique dont
il avait exploré tous les charmes, Balzac finit sa carrière de préfacier par un retour remarquable au genre de la préface allo-
graphe. Disons plutôt qu'il s'agit sans doute d'une préface
pseudo-allographe[9], tant on devine la part qu'il a prise à cette
ultime et maladroite sonnerie de clairon[10]. La composante
commerciale de cette dernière apparition d'un quasi-Balzac dans
l'arène préfacielle, le souci « médiatique » comme on dit aujour-
d'hui plus galamment, sont là évidents. Comme l'a justement
vu Henri Evans[11], « ces remarques expriment trop exactement
les sentiments intimes de Balzac pour qu'elles aient pu être
formulées par un autre que lui ». Pourtant « malgré leur indis-
crétion colossale, elles n'éveillent aucune malveillance, juste *un
tout petit peu d'ironie qui se mêle à la tendresse*, comme dit
Proust », tant est grandiose et émouvant l'aplomb de commis
voyageur de ce Gaudissart préfaciel, prêt à faire feu de tout
bois. Ses couplets usés, puisés aux meilleures sources, son pot-
pourri de ritournelles balzaciennes des différents âges, prennent
des résonances douces amères quand on sait rétrospectivement
que c'est la dernière fois qu'on les entend. Si on était sûr que
c'est Balzac qui les entonne, et non pas un quelconque de ses
« porte-pensée », comme dit joliment Anne-Marie Meininger[12],
l'émotion serait d'autant plus forte devant cette ultime version
caricaturalement brouillée des différents mythes héroïques
balzaciens. Passés à l'état d'arguments de vente, on nous les
débite à la file, sans respirer, en mélangeant tout ; ce qui a du
moins le mérite de relativiser – par une sorte de pied de nez
involontaire ou de coup de pied de l'âne – la profondeur de la
rupture volontariste que voulait marquer l'Avant-propos.

Car c'est bien dans ce texte crucial que se joue la mutation décisive ; c'est là qu'il faut désormais s'attacher à la décrire – la *Lettre à Hippolyte Castille* de 1846 n'ayant pour tout mérite que de confirmer, à quatre ans d'intervalle, la stratégie hautaine inaugurée en 1842, à laquelle le préambule éditorial du *Provincial à Paris* fait pour finir un clownesque croc-en-jambe.

Les préfaces successives, auctorales ou allographes, obéissaient à de multiples finalités, plus ou moins conscientes, souvent impures. Répliques aux attaques, établissement d'un lien phatique avec des lecteurs postulés inattentifs ou hostiles, elles sont parfois des sortes de notices, proposant le mode d'emploi de l'œuvre, ou des cours d'esthétique romanesque, voire de philosophie ou de politique. Occasions parfois d'exercices ludiques, imités de Walter Scott, elles offrent aussi à leur auteur des tréteaux où s'exhiber[13], en des parades séductrices où l'essentiel est d'arborer des insignes, de revêtir des costumes d'apparat. Cette dimension exhibitionniste de la préface, toujours présente et décisive à l'époque romantique, tranche avec la préface classique, qui se veut avant tout un « examen » de l'œuvre, et à laquelle Balzac fait mine parfois de sacrifier, pour se dédouaner de ses bavardages racoleurs. Elle explique ce curieux mélange de fausse pudeur et de complaisance narcissique, de censure et d'étalage, qui constitue le décor affectif ambivalent de l'ordinaire des préfaces balzaciennes. Par un mouvement compulsionnel, Balzac n'en finit pas de renoncer à ces coupables péchés mignons[14]. Il ferait presque des préfaces pour dire qu'il ne fera plus de préfaces, tant ce père abusif a du mal à quitter la scène, et à laisser sa progéniture courir le monde sans un mot de recommandation.

Avec l'Avant-propos, cette situation change. Balzac réussit enfin, par un mouvement d'arrachement qui lui a coûté, et que son éditeur l'a aidé à réussir, à se contraindre à un relatif silence, du moins à quelque dignité. Aidé par la maïeutique intelligente d'Hetzel, il supprime les préfaces antérieures, promet de n'en plus commettre. Pour dégager la perspective, il fait le vide sur les avant-scènes. On sait qu'il ne tiendra pas toutes ses promesses. Mais en dépit de manquements partiels, la nouvelle loi, jurée sur les fonts baptismaux de *La Comédie humaine*[15], va prévaloir. Elle commande à l'écrivain de garder un décorum nouveau, qui ne va pas sans l'inhiber : c'est ce qu'il confie à Mme Hanska, au moment de rédiger l'Avant-propos, où se scelle le nouveau pacte[16]. Elle comporte une exigence de tenue et de sérieux, une proscription des narcissismes trop voyants, qui rompent avec le ton chaleureux, dramatique ou enjoué, parfois un peu « catin », qu'adoptent les préfaces antérieures, où la théâtralité se donne libre cours. La correspondance avec Hetzel témoigne de la difficulté qu'il y eut à trouver l'accent nouveau de cet Avant-propos[17]. On sait que pour s'épargner cette peine, autant que pour se mettre à l'abri de notabilités littéraires consacrées, Balzac avait d'abord songé à le demander à Nodier ou à George Sand. Après s'être enfin décidé à affronter l'épreuve (moins sans doute parce que Sand se récuse, que parce qu'il craint au dernier moment d'abandonner l'antichambre du grand œuvre à une ambassadrice étrangère[18]), il a dû tâtonner avant d'arriver à ce premier jet plus succinct que le texte définitif, dont Hetzel a soufflé le protocole d'énonciation, et qu'il s'est empressé de recopier sur ses tablettes[19]. Au nom d'un impératif de mesure qui cadre à la fois avec ses goûts et avec ses calculs commerciaux, l'éditeur – on le devine par l'échange de lettres savoureux – a eu à réfréner avec diplomatie les explosions naïves, réflexes, de l'auto-idolâtrie balzacienne. Sous couvert de nécessités commerciales, elle était prête à s'étaler. À son poulain qui a pris, par réflexe de littérateur industriel, l'avantageuse habitude de « poser », il rappelle en sourdine que le moi reste haïssable. Il pare d'abord à une première erreur, qui aurait consisté à recourir à nouveau, en 1842, aux deux introductions de Félix Davin, rédigées en 1834. « Elles ont le tort, devine-t-il fort finement, d'avoir l'air écrites en grande partie par vous, et signées par un autre. » Bonnes pour un éloge académique ou un plaidoyer, elles ne conviennent pas « à la tête d'une chose capitale comme notre édition complète ». Et d'indiquer à son « gros père », avec des rudoiements affectueux et respectueux, le ton qui conviendrait : une préface

> […] simple, naturelle, quasi modeste et toujours bonhomme, sans prétentions littéraires ou autres. Un résumé, une brève explication de la chose, écrite, signée par vous, ce qui implique une grande sobriété et une mesure très grande, voilà ce qu'il faudrait. […] Résumez, résumez le plus modestement possible. C'est là le vrai orgueil quand on a fait ce que vous avez fait. Contez votre affaire tout doucement. Figurez-vous dégagé de tout, même de vous-même.[20]

Et d'aller chercher dans quelque article qu'il nous importerait de localiser, paru récemment, et trop obséquieusement favorable pour une fois, l'exemple des rodomontades à éviter. Parce qu'ils déchaîneraient les sarcasmes de la petite presse, les couplets humanitaires sur l'œuvre grandiose, qui « fait faire un pas à l'humanité », sont résolument à proscrire[21]. Hetzel veut ramener la chose aux simples proportions d'une « réclame à faire », comme il dit ; par là, il essaye de freiner l'irrésistible propension que Balzac manifeste à se saisir du piédestal ; mais il veut aussi lever les inhibitions qui frappent toute parole qui résonne au pied du monument. S'il est difficile d'apprécier dans le détail la portée de son intervention, on se doute bien que Balzac n'a pas suivi à la lettre ce cours de mise en scène éditoriale, donné par un expert. Rien de moins « causerie au coin du feu » que son Avant-propos. Il y aurait fallu quelque chose justement comme la rondeur popote de la future bonne dame de Nohant. On voit mal Balzac pouvoir se situer longtemps et pour de bon dans ce registre[22] ?

Pourtant, il renonce à toute évocation biographique, obéissant en ceci à Hetzel, qui posait par avance, comme pour éviter le pire, cet interdit catégorique : « Assurément vous ne pouvez être votre propre biographe à vous-même. » Et s'il n'atteint pas à cette classique modestie que le « maigre éditeur » recommandait à sa « grosseur », il accepte de mettre des bémols à son orgueil de « maréchal de la littérature ». Il n'ose pas trop recourir à sa vieille antienne sur les ravages causés par la « force intelligentielle », ni à son habituelle héroïsation de l'énergie. En codicille à sa lettre, son éditeur la lui avait pourtant remémorée peut-être. Mais c'était sur un ton mi-déférent, mi-goguenard, qui frappait par avance d'ironie toute mobilisation sérieuse de ce couplet épique : « Attelez-vous à votre machine, disait-il. Nous sommes les roues, soyez la vapeur. » Balzac a préféré saisir au vol, inconsciemment, le programme indiqué par l'expression de « chose capitale », dont les accents de tribunal ou d'antichambre de la guillotine, voire de jugement dernier, ont dû complaire à son roman mental de condamné à la littérature.

Comme dialoguant avec Hetzel, il revient par trois fois dans l'Avant-propos sur l'accusation d'*amour-propre* (p. 7 et p. 20), d'*ambition* (p. 20), et de *superbe* (p. 14)[23] qu'il tente de conjurer. Il croit s'en tirer par une pirouette (« peu d'œuvres donnent beaucoup d'amour-propre, beaucoup de travail donne infiniment de modestie », p. 7). Et de se mettre à l'abri des grands classiques, revenus en force en ces années de « réaction littéraire » pour reprendre leur place au Panthéon. Balzac, qui a senti avec son acuité accoutumée le vent de l'histoire[24], en profite pour demander qu'on lui permette, à lui aussi, cette modeste immodestie des examens du grand Corneille. Et sans renier Goethe ni Walter Scott, le voilà qui se place avec insistance sous la protection de Molière[25], patron comique décidément plus sortable que le médecin paillard chinonais.

En accord avec ces ombres classiques, le ton qui règne dans le début du morceau vise à la fois à l'économie (il ne s'agirait que d'« expliquer brièvement le plan », p. 7), et à la solennité. Ce n'est plus un baladin ou un empirique qui fait ses tours[26], ni un cicérone hâbleur[27] ; c'est une sorte d'orateur sacré qui s'exprime, que n'aurait pas renié l'illustre Thomas, champion d'éloges académiques vers 1770[28]. Balzac, plus surhomme que nature, s'exerce en bon élève au laconisme, et réussit à attraper le ton martial, pète-sec presque, de cet introït aux roulements beethovéniens. Napoléon devant les Pyramides. Car, à défaut d'avoir contemplé quarante siècles, le monument est « entrepris depuis bientôt treize ans » (p. 7), et manifeste de belles appétences à l'éternité.

Un contenu en quête d'identité

Le décor planté, reste à passer la revue des grands vétérans, des personnages fabuleux qui viennent encore hanter ces géométries solennelles. Et il convient d'abord de compter les morts. Car, lorsqu'on a présente à l'esprit l'histoire d'ensemble des fantaisies auctorales balzaciennes, il est des disparitions ou des déchéances qui surprennent. Surtout, ces deux grands champions des premiers succès, le *conteur* et l'*artiste* manquent presque à l'appel.

Nous voici loin du Balzac qu'avait inventé Philarète Chasles – Pygmalion aidé par sa virile Galatée – dans son Introduction aux *Romans et contes philosophiques*. C'était un conteur philosophe ; un « homme de pensée et de philosophie », mais d'abord un « amuseur de gens », capable d'« enlever » ses lecteurs, tel le char d'Élie ou le chant de la Sirène[29]. Mais ce conteur qui sait distraire comme Rabelais, et capter comme Shéhérazade, ce conteur magicien aux séductions orientales, il y a longtemps déjà que Balzac s'en méfie. Dès 1833-1835, il peste contre les éditeurs et contre le public –

« mule entêtée »[30] – qui l'enferment dans ce rôle, rendu banal par les ravages de la mode hoffmannienne. Le costume du dilettante berlinois, même crevé aux emmanchures par la corpulence d'un Rabelais, même ennobli par le « conteur du Nord » (W. Scott), est trop étriqué dès cette date pour ses ambitions, qu'un titre d'ensemble aux résonances dantesques saura afficher enfin en 1842.

Il continue certes de s'identifier à Shéhérazade, aux *Mille et une Nuits*, dans la préface d'*Une fille d'Ève*, en 1839, et même, une dernière fois, dans la *Lettre à Hippolyte Castille* de 1846. Mais le sursaut viril et castrateur que suppose l'écriture de l'Avant-propos s'appuie sur un rejet quasi total de la part séductrice, féminine, un peu « sorcière » même, que représente le « conteur » balzacien. Pour celui qui veut se hausser d'un bond au niveau de *La Comédie humaine*, pas question de demeurer une catin conteuse, soumise aux caprices du public, ce sultan. Bon pour Sue, « ce Paul de Kock en satin et en paillettes », ou pour Dumas, ce « danseur de corde », un tel racolage de « fille publique plumitive »[31].

Le mot « romancier », qui met en gros l'accent sur le même aspect de l'activité narrative, est plus sortable. Mais il n'en propose pas moins une identité que Balzac désormais subit, non sans scrupules. Il vaut mieux jeter le voile sur cet emploi littéraire un peu déconsidéré, en cumulant des fonctions plus nobles. Et si déjà en 1831 Philarète Chasles plaidait que le « conteur » était aussi « philosophe », le romancier malgré lui de 1842 est en fait comblé qu'on lui cherche querelle « de ce qu'il veut être historien » (p. 14).

Repoussant les sortilèges du conteur, la nouvelle topographie fantasmatique que dessine l'Avant-propos fait passer au second rang l'« artiste », ce premier rôle des années *Peau de chagrin*. L'artiste balzacien, ce fut d'abord un homme de fantaisie, d'« instabilité capricieuse »[32]. Comme le conteur était une femme séduisante et sûre de son fait, perverse, l'artiste fut d'abord, dans la version qu'en donnèrent les trois articles de 1830, une nature féminine, ou du moins un être soumis à cette part féminine qu'est en lui l'inspiration[33].

L'artiste était aussi un être inattendu, inventant les arabesques de sa vie, désarçonnant le bourgeois par ses zigzags : tel Kreisler, tel encore le Nathan d'*Une fille d'Ève*. C'était un être déceptif. En ce sens, dans le monde littéraire réel, l'artiste c'est le Nodier des *Contes* ou du *Roi de Bohême*, le Gautier de

Mademoiselle de Maupin (« une des plus artistes compositions de notre époque »[34]) ou encore l'auteur de *La Femme de trente ans* : « C'est par une pensée artiste, dit la Préface de 1832, qu'il s'est complu à ne pas coordonner avec régularité des effets de [son] histoire »[35], proposant une esthétique très peu *Comédie humaine* de l'œuvre inachevée.

Gautier, Nodier, Hoffmann, mais aussi Rossini et Sterne : il est bien oublié le Panthéon artiste des années trente, au moment où Balzac profile *La Comédie humaine* et se refait une stature aux proportions du monument. À la nouvelle géométrie impérieuse, les discontinuités de l'artiste, cette nature kaléidoscopique, ne conviennent plus. La ligne droite se méfie de ces sinuosités adolescentes et féminines. On laisse l'artiste, ce joueur frappé d'incohérence et de futilité, comme le conteur, ce magicien qui voit le diable, en bordure d'une œuvre vouée rétrospectivement à la rectitude imparable d'une téléologie. C'est que Balzac a résolu d'abandonner la province de l'arabesque à l'auteur des *Rayons et les Ombres*, et à son romantisme pour les yeux[36]. Il formule dans la *Revue parisienne* en 1840 une condamnation nette de l'art pour l'art : « En littérature, il ne suffit pas d'amuser, ni de plaire : il faut attacher un sens quelconque à la plaisanterie. Conter pour conter est l'arabesque littéraire », écrit-il pour se démarquer du Musset des *Contes et nouvelles*[37]. Et il construira en 1842 tout son Avant-propos sur le cliché (disons « humanitaire », malgré toute la répugnance que Balzac aurait éprouvée à s'entendre enrégimenter sous ce vocable) de la mission de l'œuvre d'art.

De l'artiste, seul subsiste, dans ce vestibule voué à d'autres saints, un mot creux, un peu déserté, prononcé dans un contexte où s'efface toute la personnalité de l'artiste originel. N'appelle-t-on pas « artiste » maintenant, celui qui, « pour mériter les éloges », doit « étudier les raisons des effets sociaux » (p. 11).

De tout un itinéraire de reconnaissance au « pays des arts », seul demeure ici un peintre stéréotypé, avec son cortège conventionnel de « cadres », de « galeries », de « fresques ». mais on sent bien que la métaphore picturale ne prend plus, ne fait plus rêver. Le peintre qui reste, c'est le peintre de la « reproduction rigoureuse », le « peintre plus ou moins fidèle » (p. 11). Ce n'est plus Michel-Ange, hanté de visions sur ses tréteaux bringuebalants, ni Frenhofer brûlé par la peinture, c'est le peintre saisi par le daguerréotype, qui « peint les faits comme ils sont »

(p. 17). Et on laisse à Raphaël, seul peintre ici nommé (p. 17), l'exclusivité de la production des figures angéliques, interdite sous peine d'ennui au romancier. Maigre lot de consolation.

Rejetant le conteur et l'artiste, et avec eux les figures naguère séductrices du caprice, de l'arabesque, du jeu, l'Avant-propos réduit aussi la part du mythe de l'énergie. Ce fut la chance de la notion d'artiste de pouvoir se jouer à la fois dans trois registres : la gamme émotive, la gamme ludique et décep-tive, et la gamme énergétique. En atténuant sa fantasmatique énergétique, Balzac continue en quelque sorte à se garder de l'artiste, cet aventurier de l'énergie.

Le *pathos* de l'énergie – qui suppose le tragique de la dépense irréversible, la quête forcenée de la néguentropie, se retournant en victoire de l'entropie –, tous ces thèmes familiers de *La Comédie humaine* (et qui en forment, comme la sonate de Vinteuil pour Swann et Odette, une manière d'air national), sont mis sous surveillance dans l'Avant-propos. On nous rappelle que la passion, qui comprend la pensée et le sentiment, est un élément destructeur. Mais on nous rassure en affirmant que la « pensée, principe des biens et des maux », peut être « domptée, dirigée [...] par la religion » (p. 13). Sans la faire disparaître totalement (sinon Balzac ne serait plus Balzac) on modère tout ce qui est fonction effractive, irruptive, du grand artiste prométhéen, voleur de vérité, usurpateur de puissance divine, explorateur illégal des en dessous. La rage d'aller fureter derrière le voile de Maïa pour contempler voracement les monstruosités que recèle l'abîme, celle qui animait Lorenzaccio, Vautrin, Balthazar Claës, et jusqu'à ce fluet de Lousteau, la passion des envers, des coulisses, tente de faire semblant de n'être qu'une thématique parmi d'autres. Il s'agit bien encore de « surprendre le sens caché » (p. 11), de « saisir » comme amoureusement la Société « dans l'immensité de ses agitations » (p. 14) ; de « créer des personnages conçus dans les entrailles de leur siècle ». Mais les relents de cette esthétique effractive, quasi incestueuse, sont amortis par les nouveaux gendarmes que l'Avant-propos érige, le Moraliste et le Savant. La Passion, le Désir, la Vie, ces grands mots-manifestes, restent bien présents ; mais ils sont du côté des objets à décrire (« la passion est toute l'humanité » (p. 16) et non plus du côté du sujet créateur. Certes Balzac salue au passage, par une formule stéréotypée, la « fécondité surprenante » de Walter Scott, signe de vitalité artistique, obligatoirement requis à l'époque du romantisme flamboyant. (Au contraire quand le « poète » régnait, sous la Restauration, on pouvait se permettre des aphasies d'ange.) Certes, il salue de ce mot bien à lui de « trouveur » la force d'imagination du romancier écossais. Mais nous sommes loin de « cette frénésie d'invention » paroxystique, de cette « énergie et de cette fécondité, de cette verve hardie », avec leur cortège de métaphores volcaniques, de torrents, et de chaudières, que Philarète Chasles trouvait à l'auteur des *Romans et contes philosophiques* en 1831. Dans l'Avant-propos, cette thématique s'est attiédie. Elle reviendra bien, à titre de rengaine en 1847, dans le boniment éditorial qui vante Balzac « pour cette fécondité variée (variée est du meilleur goût !) qui est un des dons les plus heureux dont la nature l'ait doué » (VII, p. 1713), pour « cette plume féconde avec laquelle naguère il combattait la misère » (VII, p. 1711). Mais cette redite a l'air d'une parodie.

La voix de son siècle

En 1842, la stratégie altière qu'exige *La Comédie humaine*, permet l'idée de puissance et l'idée de lutte, mais exclut cet implicite, pourtant si balzacien, que l'artiste est un être oxymorique, une *puissance hors-la-loi* ; un corsaire, un usurpateur, un père illégal qui, tel Vautrin, a des rages filiales de vérité et qui se révolte, Prométhée furieux, contre le mensonge social.

Napoléon, nommé par deux fois, a cadenassé Bonaparte. Et l'écrivain se veut une figure selon la Loi et le Principe. Par deux fois l'expression « la loi de l'écrivain » en témoigne. « L'écrivain » avec ou sans majuscule, mais pourvu de l'article défini marquant la notoriété (le mot n'est pas nouveau, mais il prend depuis quelques courtes années, sous la plume de Balzac, un son nouveau[38]), l'écrivain « instituteur » et « maître », a remplacé l'artiste fluet, zigzagueur et infantile, mais aussi l'artiste viril, le créateur prométhéen. À ces deux artistes, l'un irrégulier, l'autre illégal, l'écrivain-père selon la Loi préfère désormais pour *alter ego* le savant qui quête l'unité, l'explication moniste, le système. Car, loin de vouloir « usurper sur Dieu »[39], celui-ci se met, par sa perspective unitaire sur la création, « en harmonie [...] avec les idées que nous nous faisons de la puissance divine » (p. 8).

Les seules mentions permises de la thématique de l'énergie sont empruntées au système métaphorique de la grandeur (le

« grand Goethe », « l'allure gigantesque » de Walter Scott) ou du courage et de la guerre : « l'écrivain courageux doit savoir essuyer le feu de la critique », et montrer quand il est provoqué qu'il est habile à l'« escrime littéraire » (p. 20). Mais là aussi, toute la charge fantasmatique que Balzac a pu attacher à cette épopée de l'artiste en lutte, athlète pour cirque olympique, soldat ou général, en attendant de passer « maréchal de la littérature », semble ici désamorcée. Le Balzac soldat reviendra en force à nouveau en 1847, dans l'Avant-propos du *Provincial à Paris*, véritable capharnaüm de mythes, au moyen d'une métaphore conventionnellement filée (« Soldat courageux, infatigable, on l'a vu sur toutes les brèches, il a pris sa part de toutes les batailles, sa gloire de tous les triomphes », VII, p. 1710). Le Balzac maréchal de la littérature, puissance sociale consacrée, ayant « conquis une fortune princière et une gloire européenne » y fera aussi un *come-back* remarqué. Mais, pour l'Avant-propos, la mythologie martiale, du moins dans ses aspects les plus agressifs, a dû paraître déplacée. Et la requête du bâton de maréchal ou de la dignité princière, dont la presse s'est tant gaussée, aurait choqué à côté de cette identité austère d'« instituteur », de maître acariâtre, de père tricard bonaldien, que l'auteur de *La Comédie humaine* tente de conquérir, au prix de gommer de son image publique tout ce qui y contredit. La tâche, on le devine, est immense... On ne change pas en un quart d'heure, au moyen d'un générique même réussi, toute une personnalité littéraire. Surtout quand il s'agit d'un apprenti sorcier, qui n'a cessé de tenter, depuis le début de sa carrière, des « coups médiatiques » (comme nous dirions) avec sa propre image, et qui y a si bien réussi qu'il s'est mis toute la critique à dos. Nos modernes conseillers en communication diraient qu'il méritait un meilleur attaché de presse que lui-même. Et ils auraient sans doute tort. Car il fallait à Balzac pour être Balzac l'ironie grinçante, l'innocence grandiose de cet immense malentendu.

Si l'Avant-propos transpose sur un mode plus neutre les couplets héroïques sur l'énergie dévoratrice, les affres de la bataille, la noblesse de l'artiste oligarque, il choisit aussi de donner une version modérée de la thématique du travail. Le « travailleur », ici à l'œuvre n'est pas un forçat, un moujik, ou un moine littéraire, comme à tout bout de champ dans la correspondance avec Mme Hanska. On laisse en paix Prométhée, mais on ne mobilise pas non plus Sisyphe et toutes ses hypostases. Bien sûr, l'inévitable mythologie balzacienne du travail nocturne est au rendez-vous ; mais au lieu de se décliner sur le mode frénétique, outrancier, l'imaginaire du travail suppose ici patience, obscurité, traversée du désert, sans idoles voyantes.

Aux exagérations du martyre, aux discontinuités de l'artiste, comme aux écarts paroxystiques de l'énergie, l'Avant-propos préfère le régime légal de l'Écrivain, figure du sur-moi. Les excès de l'originalité ou de la souffrance ne lui conviendraient pas, ils le feraient participer d'une déviance. Le travail patient peut le nimber. Mais l'essentiel est pour lui dans la perspective cavalière de l'Œuvre, dans la pensée de sa destination.

Cette exigence de système, de hauteur de vue, n'est pas propre à Balzac. C'est aussi par exemple dès 1834, le trait central du « grand écrivain » responsable, paternel, que se veut Vigny dans la Préface de *Chatterton*, et aussi du poète « qui a charge d'âmes », cher à Hugo[40]. Père, chevalier, prophète ou conducteur de peuples, tel Moïse, le « grand écrivain » selon la mise en scène qu'impose ce que Paul Bénichou appelle le « sacre de l'écrivain », méprise en effet ses œuvres occasionnelles, qu'il jette un peu dédaigneusement en pâture à la foule ou aux caprices des éléments. Et il ne se soucie, maître survolant (qu'a si bien décrit Sartre[41]), ravi à l'ici-bas par la haute pensée d'une synthèse impossible, que de la stratégie souveraine de sa mission. Son activité de « transauteur »[42], sa visée pragmatique, l'exercice d'une *auctoritas*, d'une maîtrise spirituelle sont pour lui l'essentiel. Et peu importent alors les arabesques stylistiques ou biographiques de l'artiste.

Balzac n'a pas attendu l'Avant-propos pour explorer les délices imaginaires de la synthèse, de la puissance symbolique du Père. C'est, dirions-nous, son côté d'Arthez, son côté pape saint-simonien de droite, qui se surajoute à son côté empereur napoléonien, l'*auctoritas* sanctifiant la *potestas*. Déjà, dans les deux préfaces de Félix Davin, en 1834, l'accent était mis sur cette exigence du « sens général qu'un écrivain serait tenu de faire exprimer à ses travaux ». « Il ne suffit pas d'être un homme, il faut être un système », « le génie n'est complet que quand il joint à la faculté de créer la puissance de coordonner ses créations », notait docilement le jeune préfacier, sous la dictée du Maître[43].

Désormais Balzac rêve d'une synthèse plus olympienne. Walter Scott, dit-il, a « moins imaginé un système que trouvé sa manière dans le feu du travail ou par la logique de ce travail » (p. 10). Mais Balzac récuse cette manière de procéder, qui dépeint pourtant au plus juste la genèse agitée, hasardeuse de *La Comédie humaine* ; et il se voit en héros d'une synthèse accomplie, d'un ordre serein, goethéen presque. Heureusement pour nous, ce n'est qu'un rêve, et un peu au-dessus de ses moyens de Prométhée invétéré.

Il donne à plein dans la mégalomanie surmoïque de l'Ordre, de la Loi, de l'Obligation, du Principe, tous mots prodigués jusqu'à la redondance. Comme s'il s'agissait de se persuader d'abord soi-même, que cette ultime incarnation de Bridau (l'artiste échevelé), de Vautrin (le génie prométhéen qui crée à même la vie), en un d'Arthez de légende, qui ne tomberait jamais entre les griffes d'une Princesse de Cadignan, était vraiment son dernier avatar.

Qu'on note pourtant que, dans cette veine sacrale, Balzac renonce ici à certains des mots de passe consacrés. Si on entend le mot « but »[44], on cherche celui de « mission », que rajoute, il est vrai, en 1846, la *Lettre à Hippolyte Castille* (« La littérature a pour mission de peindre la société. » « Moraliser son époque est le but que tout écrivain doit se proposer sous peine de n'être qu'un amuseur de gens. »[45]) Oubli ou scrupule, il resterait à le dire, Balzac n'a pas non plus recours ici à ces doubles conventionnels de l'écrivain selon le Sacre, que sont le prophète, le pontife, le sacerdote. Au prêtre missionnaire, sacerdotal, il préfère ici le philosophe, le moraliste, et aussi tous ceux qui ne se contentent pas de l'ivresse des hauteurs, du dialogue sur le Sinaï, mais qui redescendent pour reconstruire la cité des hommes : le politique et même l'ingénieur. Car celui qu'il appelle d'une formule remarquable, qu'il convient d'émettre d'une seule voix, « le-grand-écrivain-qui-se-fait-la-voix-de-son-siècle », n'hésite pas à formuler ses ambitions politiques, et à se mettre en balance avec l'homme d'État. Dans un temps où le Législateur, c'est « quatre cents bourgeois assis sur des banquettes »[46], la direction politico-symbolique de la nation peut être considérée en effet comme vacante, et l'écrivain aspire à en occuper la part la plus noble.

Pour tenter de persuader un public deviné hostile, et qui ne voit peut-être dans de telles offres de service que délire des grandeurs, Balzac va être tenté de contrebalancer le regard d'aigle du politique par la minutie patiente du savant. Lui non plus n'est pas un nouveau venu. Sans reprendre sa longue genèse, qui commence au *Centenaire* de 1822, on doit du moins en garder cet enseignement que le savant idéal balzacien n'a rien d'un savant positiviste, expérimental, qui veut les faits avant tout, prêt à lâcher son hypothèse dès qu'elle contredit l'expérience. Ce que Balzac appelle ici la « haute Science » n'a pas de ces scrupules de laborantin, qui attendront l'époque de Zola pour entrer en littérature.

Mais quel savant ? Le précieux travail que constitue l'édition que Mme Ambrière a donnée de l'Avant-propos, dévoile les tenants et les aboutissants de la science balzacienne, et indique comment, paradoxalement, Balzac préfère au fond le fixisme de Cuvier qui le rassure et convient à son idéologie politique, à l'évolutionnisme de ce naturaliste mystique en coquetterie pourtant avec ses idées, qu'est Geoffroy Saint-Hilaire. Pour lui, le savant par excellence c'est en effet Cuvier, qui est à la fois un observateur et un voyant, et dans lequel, comme le dit Mme Ambrière, il contemple sa propre image. Ce n'est pas un géomètre, un pur nomenclateur, un analyste désincarné, qui veut mettre le réel en bocal, et l'enfermer sous des formules et des étiquettes. Car si le « géomètre prend sa toise et chiffre l'abîme », le théoricien de la démarche veut « voir l'abîme et en pénétrer tous les secrets »[47]. Mais comme le fantasme de la connaissance effractive a laissé place au fantasme du survol surplombant, la science modèle, ce n'est pas non plus la physiologie. Si le « Prospectus » de *La Comédie humaine* parlait encore au nom d'un Balzac physiologiste[48], l'Avant-propos censure le Balzac médecin, Asmodée des corps, en quête des secrets d'alcôve de l'organisme, celui devant lequel Sainte-Beuve affectait de se pincer le nez[49]. Ce Balzac n'est plus de mise, dans le péristyle du nouveau temple, purgé de ses idoles les plus compromettantes. Maintenant qu'il fait partie des « écrivains qui ont un but », Balzac a dû, comme il l'avoue naïvement au passage, « déblayer le terrain » (p. 14). Et le médecin, cet amoureux sadomasochiste des humeurs intimes, est tombé par le même geste qui marginalisait l'artiste, et jetait à la trappe les préfaces « publiées pour répondre à des critiques essentiellement passagères » (p. 14).

Ni géomètre nomenclateur, ni physiologiste obscène, le savant balzacien idéal sera donc ici le naturaliste, le « patient

zoographe ». Tel Geoffroy Saint-Hilaire, il aime à imaginer que
« l'Animalité se transborde dans l'Humanité par un immense
courant de vie » (p. 9) ; mais plus encore, tel Cuvier ou Buffon,
il est celui qui pose la grille fixiste de l'unité de composition,
qui dit l'ordre éternel des espèces. Car sa politique rétrograde
commande à notre amateur de haute Science de préférer les
théories qui affermissent l'Ordre à celles qui rêvent un peu
trop à ce qu'il appelle les « transbordements » ou les « trans-
fusions »[50].

Dans l'Avant-propos, le savant que Balzac se propose
d'être plus immédiatement (alors que les sciences de la vie sont
un rêve de jeunesse qui ne cesse de faire retour), c'est aussi et
surtout l'historien : autre vieux complice de celui qui rêva très
tôt d'une *Histoire de France pittoresque* et qui se voulait plus
historien que romancier. Mme Ambrière a suivi de près
l'évolution du rapport de Balzac à l'histoire et au personnage
de l'historien[51]. Elle met justement l'accent sur la continuité,
chez Balzac, d'une méfiance vis-à-vis de l'histoire-squelette,
« peinture sèche des faits et gestes ». L'historien balzacien n'a
rien d'un chroniqueur anecdotier ; ni non plus, faudrait-il
ajouter, d'un professeur d'histoire éclectique, à la Guizot, qui
fait de la philosophie de l'histoire à distance, sans s'impliquer.
Balzac est trop passionné d'histoire concrète, d'archéologie, de
détails pour cela. Et son rejet de l'histoire-bataille ne lui fait pas
embrasser l'histoire-nuage, malgré son exigence de hauteur de
vue. Au lieu de suivre la voie moyenne, l'historien balzacien est
requis d'exagérer dans les deux sens : vers le haut, en se haussant
jusqu'à la vue d'ensemble, vers le bas, en se laissant captiver par
la magie du document.

C'est dans cette perspective qu'il faut tenter de comprendre, pour finir, ces mots volontiers provocateurs de « secrétaire », de « nomenclateur », d'« enregistreur », d'« archéologue
du mobilier social », « dressant un inventaire », visant à une
« reproduction rigoureuse », qui résonnent dans l'Avant-
propos. Ils ont également leur histoire. On devrait, pour
compléter la série, ajouter le mot de « copiste », absent ici (mais
on trouve « copier »), et le modèle du « daguerréotype » qu'ap-
portera en 1845 la Préface de *Splendeurs et misères*. Il faudrait
rappeler, avec Mme Ambrière, le sens bien particulier que prend
sous la plume de Balzac, un mot comme celui de « secrétaire »[52].
Et garder présent à l'esprit que cette autre figure emblématique,
qui représente elle aussi en principe la part du réalisme

balzacien, « l'observateur », a toujours été décrit comme un être
passionné, qui déshabille du regard, qui soulève fantastique-
ment les voiles.

De même, le « secrétaire » qui saisit au vol le mot de l'époque, n'est pas un simple « sténographe », appliqué et prudent[53].
Le romancier secrétaire ou archéologue a une acuité de regard
qui lui permet de « faire concurrence à l'État civil » (p. 10) et
non d'enregistrer servilement les noms et les dates. Derrière
l'enregistreur ou le secrétaire, et malgré la censure qui opère ici,
un « oseur » guette. C'est un bousculeur d'idées reçues, un
concurrent de Dieu repeint en concurrent de l'état civil, mais
toujours prêt à en découdre. Contenu par la tactique souveraine
de l'écrivain-qui-a-un-but, de l'écrivain instituteur, qui oblige à
une respectabilité que Balzac bouscule constamment, il perce
par endroits. Décidément, le costume de cérémonie que s'est
taillé pour la circonstance l'auteur de la « grrrrande *Comédie
humaine* » l'engonce et l'emprisonne. Heureusement que tout
Balzac ne s'est pas pris pour sa propre statue ! Il faut le dire à
tous ceux qui, par commodité, prendraient l'Avant-propos
pour le fin mot de toute l'histoire.

Resterait enfin le Poète. Car, à la différence de l'Artiste, ni
le Savant, ni le Philosophe, ni le Secrétaire n'ont réussi à
l'expulser. Il a changé d'allure. Balzac n'est plus le poète
sentimental, émotif, qui, appliquant un peu trop le chromo en
vigueur, écrivait à Mme Hanska en 1834 : « Moi, je suis orgueil-
leusement poète, je ne vis que par le cœur, par les sentiments »
(II, 304). Ce n'est plus cet ange, cet enfant, « cet oiseau qui
chante pour lui seul » de la préface du *Gars* de 1828. C'est ici le
grand Goethe, poète et homme de science, comme autrefois
Cuvier était poète avec des chiffres. Poètes à la Louis Lambert
aussi que ces « écrivains mystiques qui se sont occupés des
sciences dans leurs relations avec l'infini » (p. 7). Poète surtout
celui qui, il y a longtemps, à l'origine, a conçu l'idée première
de *La Comédie humaine*, « un de ces projets impossibles que
l'on caresse et qu'on laisse s'envoler, une chimère qui sourit »
(p. 7). Et, le temps d'un paragraphe, voici Balzac, oubliant son
costume de d'Arthez, qui se replace en esprit dans l'esthétique
chimérique de l'épilogue de *La Peau de chagrin*.

On ne saurait s'empresser d'oublier totalement, comme
un rhabillage maladroit, cet Avant-propos solennel et somp-
tueux, où se resserre indiscutablement, mais aussi se mystifie,

l'effet *Comédie humaine*. (Car, s'il faut bien délivrer Balzac de sa statue, il ne faut pas s'empresser non plus de le costumer trop vite au goût du jour, qui n'aime le tout qu'en morceaux, pour parler comme Lucien Dällenbach.) Mais parce qu'il faut rendre à ce préambule trop célèbre, pour le comprendre pour de bon, toute sa relativité.

Notes

1. Il suffit pour s'en persuader de mentionner les travaux familiers aux balzaciens de Bernard Guyon ou de Roland Chollet pour la partie sociologique ; de Pierre Laubriet, de Besser Gretchen (*Balzac's concept of genius, the theme of superiority in the « Comédie humaine »*, Droz, 1969) de Maurice Z. Shroeder (*Icarus : the image of the artist ion French romanticism*, Harvard, 1961) pour la partie romanesque.

2. Victor Morillon, auteur fictif du *Gars*, selon l'« Avertissement » de 1828 est un « nouveau venu sur la scène littéraire » (*La Comédie humaine*, éd. P.-G. Castex, « Bibliothèque de la Pléiade » , Gallimard, – sera ici notre édition de référence –, t. VIII, p. 1671-1672). La métaphore théâtrale est constante chez Balzac pour parler des réalités de la vie littéraire.

3. C'est pourtant un énoncé tiré de *Sarrasine* que Roland Barthes choisit pour mettre en lumière le caractère problématique de la présence de l'auteur à ses énoncés écrits. Mais c'est bien sa réputation de narrateur omniprésent et omniscient qui vaut à Balzac d'être pris en exemple. Démontrée sur ce cas limite, « la mort de l'auteur » passera d'autant plus aisément au rang de principe inébranlable. Voir « La mort de l'auteur », article de Roland Barthes paru dans *Mantéia* en 1968, et repris dans *Le Bruissement de la langue,* Éditions du Seuil, 1984.

4. Comme il est dit encore de Victor Morillon, fantôme auctoral que propulse l'Avertissement du *Gars* : « un auteur de plus dans la circulation littéraire » (Pl. VIII, p. 1676).

5. Sur ce point, voir mon étude sur « Balzac et ses mythologies de l'écrivain », dans le numéro 18 de la revue *La Licorne*, Poitiers, 1990, numéro spécial sur les « Mythologies du romantisme », p. 75-85.

6. Ils fournissent à leur date un état présent du jugement balzacien sur la littérature contemporaine et sur la stratégie littéraire de ses principaux confrères : voir ci-dessus la contribution de Françoise Van Rossum-Guyon.

7. Il s'agit de la préface de *David Séchard* en 1843, de celle de *Splendeurs et misères* en 1845, de l'« Avertissement quasi littéraire » qui précède *Le Cousin Pons* en 1847, et du bref « Avertissement » du *Député d'Arcis* la même année.

8. Cf. *Lettres à Madame Hanska*, édition Roger Pierrot, « Bouquins », Laffont, 1990, 2 vol., t. I, p. 771, p. 878, p. 926.

9. On reconnaîtra là le langage de G. Genette, en sa théorie du genre préfaciel (voir « L'instance préfacielle », p. 166 sq., dans *Seuils*, Éditions du Seuil, 1987.

10. Même protocole d'énonciation dans les préfaces de meilleure venue, mais également à forte composante publicitaire, que Félix Davin, « serinetté » par Balzac, signe en 1834. On sait que si le brouillon de l'Introduction aux *Études philosophiques* s'est perdu, il nous reste trace du premier jet de Davin pour l'Introduction aux *Études de mœurs*. Sa maigreur laisse entrevoir l'importance des ajouts faits par le commanditaire, soucieux d'apposer sa griffe, disons même comme lui le « harpon du génie ».

11. Cf. *L'Œuvre de Balzac*, Club français du livre, t. X, p. XXVI-XXVII.

12. Pl. I, p. 1144.

13. L'Avertissement du *Gars* dénonçait et acceptait tout à la fois, affectant de fixer les règles du jeu, cet aspect charlatanesque de la littérature, évident dans les préfaces de W. Scott : « Si l'on est condamné à monter sur les tréteaux, il faut se résoudre, il est vrai, à y faire le charlatan, mais sans emprunter de mannequin » (Pl. VIII, p. 1669).

14. Le renoncement définitif aux préfaces, annoncé dans la préface du *Cabinet des Antiques*, juré dans l'Avant-propos de 1842, rappelé dans la *Lettre à Hippolyte Castille* en 1846, est précédé de mouvements éphémères de renoncement, si héroïques que Balzac tient à commémorer ensuite l'événement. Ainsi Ph. Chasles est-il chargé de rappeler dans son Introduction aux *Romans et contes philosophiques* la suppression-« sacrifice » de la préface originale de *La Peau de chagrin* (Pl. X, p. 1192), dont il cite cependant de larges extraits. Une tendance contraire, à l'acceptation sans culpabilité de l'étalage préfaciel, se dessine en 1839 dans les préfaces d'*Une fille d'Ève* (Pl. II, 269) et de *Béatrix* (Pl. II, 635). Balzac s'adonne alors un temps aux « Préfaces explicatives », arguant qu'il ne les « ménage plus depuis qu'il s'est aperçu qu'elles sont rendues nécessaires par le grand discrédit dans lequel sont tombés les critiques » (Pl. II,p. 269).

15. « Nécessairement forcé de supprimer les préfaces publiées pour répondre à des critiques essentiellement passagères, je n'en veux conserver qu'une observation », écrit-il dans l'Avant-propos (p. 14). Toujours ce même mouvement de renoncement, mais jamais absolu, et signalé comme héroïque et mémorable.

16. Le 13 juillet 1842. Voir *infra* n. 28.

17. Voir *Correspondance*, éditée par Roger Pierrot, t. IV, 464 sq.; Bonnier de la Chapelle et Parménie, *Histoire d'un éditeur et de ses auteurs, P.J. Hetzel (Stahl)*, Albin Michel, 1953; et surtout la recension par Roger Pierrot de ce livre : « À propos d'un livre récent; Hetzel et l'Avant-propos de *La Comédie humaine*, RHLF, juil.-sept. 1955.

18. George Sand se désiste par lettre du 24 juillet 1842, pour cause d'ophtalmie, et parce qu'il est essentiel pour la survie de la *Revue indépendante* qu'elle se consacre à achever *Consuelo*. Mais, dès le 12 juillet, Balzac écrivait à Mme Hanska : « Je n'ai pas eu le temps d'aller à

Nohant, et comme *elle* veut faire quelque chose sur moi, je ne suis pas fâché de ne pas y aller » (*LH* B I, p. 593).

19. Le texte de ces trois feuillets in-4°, écrits de la main d'Hetzel, et qui sont sans doute, comme le suggère R. Pierrot, une copie faite par Hetzel « d'un des brouillons de Balzac », est donné dans le livre de Parménie et Bonnier de la Chapelle, p. 32-34.

20. *Corr.* IV, 464-466. Lettre que R. Pierrot date de la fin juin 1842.

21. *Ibid.*, p. 465. À lire ensuite la préface définitive, on peut se demander si Hetzel n'a pas essayé sans succès de parer, par ce moyen détourné, à certains des grands airs que Balzac menaçait d'entonner, sur les écrivains qui ont un but, qui sont la voix de leur siècle, etc.

22. Avant d'être apprivoisé tardivement par celle qui fut un jour Lélia, et qui tente pour l'heure d'être Consuelo et l'idéologue de la *Revue indépendante*, on se souviendra peut-être que ce ton de bonhomie avait contre lui d'avoir été un mot de passe pour la célèbre et honnie « littérature de l'Empire », cible privilégiée de tant de Jeunes France.

23. Je cite l'Avant-propos d'après l'édition annotée et préfacée par Mme Ambrière dans le tome premier de la nouvelle édition de *La Comédie humaine*, « Bibliothèque de La Pléiade ».

24. Mais cette sensibilité à l'air du temps ne va pas jusqu'à lui faire apprécier la *Lucrèce* de Ponsard, que la critique a brandie comme le signe d'un retour au classicisme, après l'échec des *Burgraves*. Ce « pastiche de Chénier » est pour lui une « mystification faite aux Parisiens » (*LH* B I, 11 mai 1843, p. 681).

25. La référence à Molière est constante en ces années de mise en forme de *La Comédie humaine*. Parmi les nombreuses allusions, retenons seulement cette réclame un peu caricaturale de l'Avant-propos de l'Éditeur du *Provincial à Paris* : « Si Molière vivait de nos jours, il écrirait *La Comédie humaine*. » La portée de l'influence de Rabelais est alors minimisée, comme en témoigne la *Lettre à H. Castille* : « Mon admiration pour Rabelais est bien grande, mais elle ne déteint pas sur *La Comédie humaine* ; son incertitude ne me gagne pas. C'est le plus grand génie de la France au moyen-âge, et c'est le seul poète que nous puissions opposer à Dante. Mais j'ai les *Cents contes drolatiques* pour ce petit culte particulier » (*Œuvres complètes*, Club de l'honnête homme, t. XVIII, 496) abrégé en CHH.

26. Ainsi que le « charlatan » des préfaces « parades » de W. Scott, s'exhibant sur ses « tréteaux » (Avertissement du *Gars*, Pl. I, p. 1669).

27. Ce n'est pas sans auto-ironie que le préfacier d'*Une fille d'Ève*, qui s'est pourtant mis à l'abri de la préface-examen des classiques, se dénonçait lui-même comme un auteur se faisant « le cicérone de son œuvre », et se comparait à un personnage à moitié fou d'Hoffmann. Toute cette dimension d'auto-dérision, qui forme le pendant de l'héroïsation romantique de l'écrivain à laquelle Balzac participe activement, disparaît bien sûr dans l'Avant-propos.

28. Ainsi que toute la génération du premier sacre de l'écrivain, celui des années 1760-1780.

---

29. Pl. X, p. 1186-1187.

30. Dans la préface de *Melmoth réconcilié*, qui est de 1835, Balzac n'affecte de prononcer que du bout des lèvres cette « expression à la mode » de « conte », sous laquelle on confond tous les travaux de l'auteur, de quelque nature qu'ils puissent être. Par ailleurs, ordre semble avoir été donné à Davin en 1834 de corriger l'image de conteur que proposait de Balzac Ph. Chasles en 1831. L'Introduction aux *Études philosophiques* accuse Chasles d'avoir trop vite « cru sur parole l'humble étiquette que M. de Balzac avait, sur le vœu d'un libraire, primitivement attaché à ses œuvres ». Mais on remarque déjà des signes d'impatience à l'égard de la réputation de « conteur » dans la *Correspondance*, en avril 1833 (t. II, p. 294) et dans les *Lettres à Madame Hanska* en mars 1833 (t. I, p. 32). Amédée Pichot, alors directeur de la *Revue de Paris*, est parmi ces éditeurs dont les requêtes réitérées ont contribué à faire que Balzac veuille bousculer sa réputation commerciale de « conteur »: « Donnez-nous aussi vos contes, lui écrit-il en novembre 1832, car le public est une mule entêtée, que vous avez parfaitement définie dans ce que vous dites des spécialités auxquelles il condamne un auteur (*Corr.* II, p. 175). Tout en tenant pour l'instant le genre du conte pour l'« expression la plus rare de la littérature », Balzac lui répond fermement: « je ne veux pas être exclusivement un contier » (*ibid.*, p. 185).

31. Cf. *Lettres à Madame Hanska*, t. I, p. 910 et p. 354. L'expression de « filles publiques plumitives » est de Ph. Chasles, dans une lettre à Balzac de 1832 (*Corr.* II, p. 164).

32. « Des artistes », *La Silhouette*, 11 mars 1830.

33. « Jouet d'une force éminemment capricieuse » (*Des artistes*), constamment « subjugué par ses fantaisies » (*Le Chef-d'œuvre inconnu*, Pl. I, p. 432), il avait des « caprices de femme » (*Louis Lambert*). « Il n'y a que les artistes qui sont dignes des femmes parce qu'ils sont un peu femmes », confirme la correspondance avec Mᵐᵉ Hanska en 1834. Et alors Balzac, fort de la confiance des boudoirs, s'appliquait cette identité.

34. Préface d'*Un grand homme de province à Paris*, Pl. V, p. 113.

35. Note de l'éditeur des *Scènes de la vie privée (La Femme de trente ans)*, 1832, Pl. II, p. 1587.

36. *Revue parisienne*, 15 juillet 1840, CHH XXVIII, p. 104.

37. *Revue parisienne*, 25 septembre 1840, *ibid.*, p. 145.

38. Le mot tend à prendre la majuscule et l'article défini de notoriété. Voir « les douleurs de l'Écrivain » (*LHB* I, p. 784, le 21 janvier 1844) ; et *ibid.*, le 6 février 1844, t. I, p. 804. Voir aussi la Préface de *David Séchard* qui, en 1843, met « l'écrivain qui se fait la voix de son siècle » au-dessus de Napoléon et de Louis XIV, et qui précise: « Le mot *écrivain* est pris ici dans une acception collective. » Il serait facile de montrer, textes à l'appui, qu'on assiste alors, et pas seulement chez Balzac, à une promotion de l'*écrivain*, aux dépens de l'*artiste*.

39. « Faire croire à la vie de René, de Clarisse Harlowe, n'est-ce pas usurper sur Dieu ? » demandait Balzac en 1833, dans la Préface de *Ferragus* publiée par la *Revue de Paris* (Pl. V, p. 1415).

40. Préface de *Lucrèce Borgia*, février 1833, CHH IV, p. 656.
41. Dans le chapitre intitulé « Les frères aînés », au t. III de
L'Idiot de la famille.
42. J'appelle « transauteur » l'auteur de l'Œuvre, c'est-à-dire de la
totalité des productions d'un écrivain, saisies comme un ensemble
organique. C'est un des réquisits du « grand écrivain » romantique que
de ne pas se soucier des œuvres ponctuelles, occasionnelles, et de
n'avoir en vue que sa trajectoire d'ensemble, son action spirituelle tout
entière.
43. Introduction aux *Études de mœurs au XIXᵉ siècle*, Pl. I, 1151-
1152.
44. « ... les écrivains qui ont un but » (p. 14). Il faut dire que cette
idée et ce mot sont déjà un programme dans l'Introduction de Davin
aux *Études de mœurs*, en 1834 : « Il ne suffit pas d'observer et de
peindre, il faut encore peindre et observer dans un but quelconque »
(Pl. I, p. 1152).
45. CHH XVIII, p. 496 et 494.
46. Voir « Critique littéraire », 10 janvier 1836, dans *Chronique de
Paris*, CHH XXVII, p. 285.
47. Voir la note 1, Pl. I, p. 1113-1114, de l'édition de l'Avant-
Propos par Mᵐᵉ Ambrière.
48. Texte d'avril 1842, Pl. I, p. 1109.
49. Voir l'article qu'il consacre à *La Recherche de l'Absolu* le 15
novembre 1834, et surtout la note qu'il ajoute plus tard et qui aggrave le
portrait de ce Balzac « médecin quelque peu suborneur, de maladies
cutanées ou sous-cutanées, de maladies lymphatiques secrètes »,
Portraits contemporains, t. II, p. 329.
50. Voir l'édition de Mme Ambrière, notes 3 et 5, Pl. I, p. 1126-
1127.
51. *Ibid.*, p. 1120, n. 3 ; p. 1124, n. 3 et 5 ; p. 1125, n. 7 ; p. 1131, n. 2.
52. *Ibid.*, p. 1124, n. 3.
53. Voir la Préface du *Cabinet des antiques*, 1839, Pl. IV,
p. 962-964.

Paratexte et complétude.
Notes sur l'Avant-propos et sur la Préface
de *Pierrette*

Franc Schuerewegen

> Il est fort inutile que l'auteur défende,
> dans sa préface, le livre qui ne répond pas
> pour lui-même devant le public.
>
> Locke.

Le lecteur, un otage

Dans un de ses contes, Borges imagine « une carte de l'Empire, qui avait le Format de l'Empire et qui coïncidait avec lui, point par point »[1]. Tel est aussi le travail du texte dans la conception de Balzac lorsqu'il met en place, dans les années 1840, l'édifice de *La Comédie humaine.* Dire le monde, c'est faire une représentation qui redouble, « point par point », son objet : c'est donner à chaque lieu, à chaque chose, à chaque homme ou type d'homme un équivalent dans la fiction : « Mon ouvrage a sa géographie, [lit-on dans l'Avant-propos de 1842], comme il a sa généalogie et ses familles, ses lieux et ses choses, ses personnes et ses faits : comme il a son armorial, ses nobles et ses bourgeois, ses artisans et ses paysans, ses politiques et ses dandies, son armée, tout son monde enfin ! » (Pl. I, p. 19). Alors que le statut de l'auteur, dans cette conception des choses, donne peu de problèmes, dans un premier temps du moins (on verra qu'ici encore une réflexion est nécessaire), la question se pose d'abord de savoir quelle est ou doit être *la place du lecteur*. Si l'œuvre se construit un monde bien à elle, un univers « complet », ne faut-il pas qu'elle inclue également le sujet lisant ? L'extériorité du lecteur, nécessaire à l'avènement de l'œuvre (c'est grâce au lecteur que le livre se transforme en chose lue), ne lance-t-elle pas un défi à la la représentation ? Ou encore : Balzac peut-il réussir dans son entreprise s'il donne au lecteur le statut de *co-énonciateur,* comme le veulent les théoriciens de la réception[2], c'est-à-dire s'il institue le lecteur partenaire de l'énonciation, responsable, avec l'auteur, de la création du livre, de la production du sens ?

Il est vrai qu'à cette dernière question, un texte comme la *Physiologie du mariage* répond par l'affirmative, en observant que « Lire, c'est créer peut-être à deux » (Pl. IX, p. 1019). Mais le physiologiste semble se référer surtout à l'idée romantique d'une lecture congénitale, lecture dangereuse, puisqu'elle signifie, chez Balzac, dérèglement, perversion de l'esprit[3] : il n'est donc pas sûr que la remarque de l'auteur de 1829 puisse être lue comme un commentaire sur le scénario énonciatif balzacien, d'autant moins si l'on tient compte de la façon dont ce « scénario » évolue dans les années qui suivent. À y réfléchir, il n'est nullement évident que l'on puisse attribuer à Balzac une conception *dialogique* de la lecture. L'ouverture vers l'autre dont fait état le physiologiste gagne à être mise en rapport avec le moment où son texte apparaît : tout se passe comme si, à mesure que l'idée d'une totalité narrative se développe dans l'esprit de Balzac et que la conviction s'affermit que représenter, c'est nécessairement totaliser, l'auteur tendait de plus en plus vers ce que Bakhtine appelle un monologisme « extrême » ou « pur », c'est-à-dire un mode d'énonciation où « "autrui" reste entièrement et uniquement objet de la conscience, non une conscience autre »[4]. Ajoutons, pour dissiper tout malentendu, que l'hypothèse que nous venons de formuler ne prend en considération que la posture énonciative de l'auteur (ou du narrateur, on reviendra plus loin à ces termes) : à tenir compte de l'ensemble des strates dont est composé le texte et, surtout, des phénomènes d'hétérogénéité et de fragmentation qui s'y produisent, c'est bien évidemment un tout autre Balzac que l'on voit apparaître[5]. Reste que les prétentions discursives affichées par l'auteur de *La Comédie humaine* méritent qu'on

les étudie pour elles-mêmes et qu'on essaye d'en dégager la
logique interne.

Plutôt que de se pencher sur le schéma narrateur-narra-
taire, qui a déjà fait l'objet du type d'étude proposée ici (on a
pu dire que le discours du narrateur chez Balzac procède à une
mise sous tutelle[6], voir à une prise en otage[7] du lecteur, ce qui
va bien entendu dans le sens d'une interprétation mono-
logique), on s'intéressera dans les pages qui suivent à deux
préfaces : l'une est l'Avant-propos de 1842, discours euphorique où Balzac dresse le constat de complétude que l'on a cité
en commençant : l'autre est la Préface de *Pierrette* (1840), texte
qui lui aussi chante la louange du *liber mundi* balzacien tout en
situant celui-ci dans une perspective quelque peu différente. Car
on constate que sur ces points sensibles de l'entreprise balzacienne que sont le rapport texte-lecteur et ce qui, dans ce rapport, pousse au monologisme, l'auteur de l'Avant-propos se
montre plutôt discret – discrétion liée sans doute au statut du
texte de 1842 qui devrait servir de vestibule ou, si l'on préfère,
de façade à *La Comédie humaine*. La Préface de 1840, elle,
semble avoir imposé moins de contraintes à l'auteur : destinée,
comme tant d'autres, à disparaître avec l'édition Furne, elle a
permis à Balzac, et cela en raison très probablement de son
caractère provisoire, de s'exprimer plus librement sur les questions qui nous concernent ici (on verra notamment que, dans
la Préface de *Pierrette*, Balzac tend à dévoiler ce qu'on pourrait
appeler un secret de fabrication). Ce n'est pas un hasard d'ailleurs si les deux paratextes s'opposent d'emblée par le *ton* qui y
est adopté : alors que dans l'Avant-propos règne le grave et le
sérieux (« En donnant à une œuvre entreprise depuis bientôt
treize ans le titre de *La Comédie humaine,* il est nécessaire d'en
dire la pensée », etc., Pl. I, p. 7), le préfacier de *Pierrette* commence par évoquer « un rire universel » : « Et les filles à marier
ne cesseraient de rire [...]. Et les gens mariés poufferaient de rire
[...]. Ce serait un rire universel » (Pl. IV, p. 21). Comme l'a
aussi montré Bakhtine, le rire transgresse, passe outre [8] : or
c'est bien d'une sorte d'outrance que le préfacier a besoin pour
s'acquitter de son message. Il est permis de penser que, formulé
plus neutrement (sans les effets « comiques » que Balzac y a
incorporés et qu'il emprunte à Sterne et à Rabelais) la Préface de
Pierrette risquerait de déclencher un petit scandale de la lecture.

Le grand tout qui se meut autour de vous

Commençons par observer que l'Avant-propos et la Préface de 1840 ont ceci en commun que, dans les deux cas, l'auteur se propose de parler de son œuvre de façon objective, « comme s'il n'y était pas intéressé » [9]. Mais c'est la Préface de 1840 qui réalise le plus parfaitement cette « objectivité » : alors que le *je* est explicitement présent dans l'avant-dire de 1842, à aucun instant, l'auteur de *Pierrette*, devenu préfacier, ne parle en son nom propre : Balzac apparaît sous la forme d'un *il*, auteur absent dont le *je* préfacier commente les exploits. Il est vrai qu'une certaine discrétion énonciative fait partie des canons du genre : il est pratiquement de règle qu'un préfacier, du moins à certains moments de son exposé, se confonde (ou fasse semblant de se confondre) avec le lecteur, en parlant du point de vue du public – on sait d'ailleurs que Balzac s'est effectivement servi de ce « public » pour introduire à son œuvre : qu'on pense à la collaboration avec Davin ou avec Philarète Chasles. Toujours est-il que ce n'est pas le lecteur, en tant que figure de l'autre, du destinataire empirique, qui s'exprime dans la Préface de *Pierrette*. Au contraire, Balzac semble vouloir faire en sorte que l'altérité disparaisse, que l'autre soit réduit à la catégorie du même.

Ainsi, c'est un des effets « comiques » (mais aussi troublants) du paratexte de 1840 que le préfacier se trouve, vis-à-vis des êtres de la fiction, dans un rapport de voisinage et non pas de production (privilège de l'auteur) ou de réception (ce qui serait le cas du lecteur). En même temps, le *je* préfaciel prend la place de l'écrivain, reléguant celui-ci dans une pseudo-diégèse où les frontières entre niveaux narratifs semblent abolies (il y a donc, ici, métalepse) :

> L'un de nos plus terribles célibataires, Maxime de Trailles, se marie. [...] Oui, cette nouvelle doit être publiée dans l'intérêt des familles qui grouillent entre les mille pages de cette longue œuvre et qui s'alarmaient en sachant Maxime toujours affamé. – *Il le fallait !* a dit l'auteur en se drapant dans sa robe de chambre par un beau mouvement semblable à celui d'Odry qui s'élève en disant ce mot à la grandeur du FATUM des anciens. (Pl. IV, p. 22)

On est frappé par la représentation que Balzac donne de lui-même. En se comparant à Odry (comédien spécialisé dans les rôles bouffons), l'auteur semblerait s'en prendre à son propre mythe (Balzac en robe de chambre, travailleur nocturne[10]) : il semblerait se distancier de la figure olympienne, maîtresse du hasard et de la fatalité à qui, ailleurs, il s'associe volontiers. Mais l'ironie qui s'installe dans le texte, la distance que le sujet interpose entre son image et lui-même sont aussi une sorte de *subterfuge* d'un auteur qui ne demande pas mieux que de descendre dans l'arène de la fiction afin de s'emparer ainsi de la personne de son lecteur. La mise en scène de l'écrivain pourrait bien être la condition préalable à l'annexion du destinataire, lui aussi incorporé au texte, intégré à l'œuvre (à l'espace fictionnel dont le préfacier esquisse les confins) par le même procédé qui fait de Balzac l'égal de ses personnages. C'est ce qui est plus évident encore dans la suite où l'on voit l'« auteur » s'entretenir avec quelques femmes qui sont à la fois des *personnages* (puisqu'elles n'ont pas lu, mais *vécu* l'événement qu'elles commentent) et des *lectrices,* puisqu'elles parlent à l'auteur de son œuvre : « Beaucoup de femmes se sont récriées : Comment ! vous mariez ce monstre qui nous a fait tant de mal [...]. «Que voulez-vous. ce diable de Maxime se porte bien », a dit l'auteur » (Pl. IV, p. 23).

Au-delà de leur impact « comique », ces phrases sont aussi une sorte d'aveu, la révélation d'un contenu ou d'une stratégie ailleurs moins facilement avouable (même si la stratégie en question est au principe de la posture énonciative balzacienne). Balzac montre que, de son point de vue (qui est, ou devrait être celui de la totalité), il y a très peu de différence entre le personnage et le lecteur. Destinataire et créature sont tous les deux des objets de l'œuvre. Lire *La Comédie humaine*, dans la conception de l'auteur, c'est passer de l'autre côté du miroir, s'aventurer dans un monde où la distance entre référent et allocutaire (entre *ce dont* et *ceux à qui* il est parlé) a été abolie. Voir aussi le passage suivant où le préfacier se penche plus particulièrement sur le phénomène de la complétude :

Ne devrait-on pas attendre, en bonne conscience, qu'un auteur ait déclaré son œuvre finie, avant de la critiquer ? [...] Sa pensée [celle de l'auteur] sera la pensée même de *ce grand tout qui se meut autour de vous,* s'il a eu le bonheur, le hasard, le je ne sais quoi, de le peindre entièrement et fidèlement (p. 25, je souligne).

Ces adjurations à l'adresse de la critique, qui devrait attendre l'achèvement de l'œuvre (toujours remis à plus tard, comme on sait) avant de la juger, n'ont *a priori* rien de remarquable. Ce qui mérite d'être noté, c'est l'espèce de court-circuitage qui apparaît au niveau des rapports entre représentation et allocution. Dans la conception du préfacier, l'auteur donne au lecteur une représentation du monde dans laquelle le lecteur se trouve *inclus,* dont il est, à la fois, *objet* et *destinataire.* Évoquer « le grand tout qui se meut autour de vous », c'est en effet poser un rapport d'inclusion entre le livre, qui se veut la représentation du « tout », et celui à qui ce même livre est destiné : c'est affirmer sans détours ce qui est l'enseignement de cette préface, à savoir que, pour être complet, l'œuvre doit offrir à la fois une représentation du monde et *une représentation de la représentation en tant qu'elle est lue.* On s'étonnera moins, après la lecture de la Préface de *Pierrette,* que la communication narrative dans *La Comédie humaine* soit vécue comme une sorte de prise d'otage. Puisque l'œuvre se veut totale, sans restes, s'adresser au lecteur, c'est nécessairement se l'approprier, l'annexer à l'œuvre par le geste même qui l'interpelle.

Une fantaisie obsessionnelle

Ce n'est pas tout. Encore faut-il montrer que l'idéal balzacien de construire une œuvre sans dehors, un texte qui est « tout un monde », n'est pas sans répercussions sur le statut de *l'auteur lui-même.* Il est frappant de constater que, dans l'univers décrit par la Préface de *Pierrette* (c'est là une différence importante avec l'Avant-propos ou Balzac s'exprime en son nom propre et où il n'y a pas de distinction « dure » entre auteur et préfacier), seul ce dernier se trouve à proprement parler hors fiction : le romancier-peintre, lui, a passé *dans* le texte, dans le tableau qu'on le voit en train de peindre. Il semblerait donc que la Préface de 1840 non seulement tende à abolir l'écart entre lecteur et personnage mais aussi fasse éclater la frontière entre *auteur* et *narrateur.* Étant donné que le créateur est lui aussi un élément du « grand tout » qu'il se propose de représenter, il n'y aurait guère de sens ici à distinguer entre énonciateur fictif et responsable effectif de la fiction. L'auteur est dans le texte (il est donc *aussi* narrateur), s'entretenant avec des personnages qui sont en même temps des lecteurs. Un tel état de choses appellera ici deux remarques. La première concerne le statut du réalisme balzacien (ce qu'on appelle communément « réalisme » chez Balzac et qui consiste en fait à jouer le jeu de l'auteur en lui accordant effectivement le rôle de « peintre des mœurs » que Balzac s'attribue aussi à lui-même) : à en croire le préfacier de *Pierrette*, le risque existe (et en un sens, la Préface semble mettre en garde contre ce risque) que le « réaliste » Balzac, travaillé qu'il est par le fantasme de complétude, commence à perdre le contact avec le réel et s'enferme dans une sphère autonome et indépendante qui, à la limite, se passerait de tout modèle, de toute référence à un ailleurs dont l'œuvre serait l'imitation (ce qui s'appelle dans la Préface de 1840 « le monde vrai », p. 25). Jonathan Culler définit bien ce risque inhérent à l'entreprise balzacienne lorsqu'il suggère que, par le rapport à la totalité qu'elle prétend soutenir, *La Comédie humaine* pourrait bien basculer du réalisme dans quelque chose qui serait proche du merveilleux ou du fantastique. « L'insistance de Balzac à vouloir construire un monde intelligible » écrit Culler, relèverait d'une « fantaisie obsessionnelle *(obsessional fantasy)* non sans ressemblance avec l'univers fantastique du *Lord of the Rings* »[11] (*Le Seigneur des anneaux*, le livre de Tolkien à cheval sur la science-fiction et le merveilleux). Telle est aussi la conclusion qu'il faut tirer de la Préface que nous lisons : ce qui rappelle – ou annonce – Tolkien chez Balzac, c'est très exactement la volonté de l'écrivain de faire concurrence à l'état civil à l'aide d'une représentation qui devrait idéalement se substituer au réel, prendre la place de celui-ci. Ne raconte-t-on pas d'ailleurs que Balzac à l'agonie appelait Bianchon, comme si, dans son délire, l'auteur s'était effectivement identifié à ses livres, pactisant avec ses personnages ainsi que l'avait prophétisé le préfacier de 1840 ?

Si l'on persiste dans ces conditions à parler d'un « réalisme » balzacien, ce sera donc (conforme à la leçon de Lukacs et de Macherey) en s'inscrivant en faux contre les intentions affichées de l'auteur, contre le vouloir-dire qui est derrière le texte. Concrètement, en ce qui concerne la problématique soulevée ici, on dira que c'est parce que Balzac n'a pu achever *La Comédie humaine* et qu'il subsiste malgré tout des cases vides dans la représentation soi-disant totale que celle-ci mérite l'étiquette « réaliste ». Les « trous » dans le texte, que la lecture

de Lucien Dällenbach a bien mis en évidence, les fissures et les
béances qui apparaissent sous la surface rassurante du discours
et qui sont autant de démentis au projet totalisant constituent
également un puissant retour du réel, au sens, cette fois-ci, où
l'on parle du retour du refoulé. La réalité est ce qui resurgit
dans le livre qui voudrait précisément se substituer à elle. Or
(c'est ma deuxième remarque) tout ceci n'est pas sans
conséquences pour la lecture de la Préface. Si l'on entend par
« réalisme » balzacien non pas la victoire mais l'incapacité de
Balzac de mener à bien l'entreprise à laquelle il s'est voué, le
texte préfaciel, que l'on a considéré jusqu'ici comme le lieu où
s'articule le rêve de la complétude, s'avère être aussi – et
paradoxalement – une preuve de l'inachèvement du livre et, dès
lors, du caractère « réaliste » de celui-ci. Bien que ce soit dans la
Préface précisément que Balzac explique comment l'œuvre,
lentement et non sans difficulté, s'achemine vers le moment
hypothétique de son achèvement, par son statut même, le texte
préfaciel est un obstacle à l'accomplissement qu'il annonce. Car
il ne faut pas oublier que la *praefatio,* le pré-dire ne devient
nécessaire que là où il y a des lacunes dans le dit. D'une certaine
façon, la Préface creuse elle aussi un « trou » dans le livre qu'elle
est appelée à compléter et prétexte de ce tour pour justifier sa
présence. C'est une des raisons sans doute[12] pour lesquelles
Balzac a décidé d'enlever toutes les préfaces dans le Furne et
que, dans l'Avant-propos, l'auteur se dit « forcé de supprimer
les préfaces publiées pour répondre à des critiques essentiellement passagères » (Pl. I, p. 14). Laisser subsister du texte en
marge du texte, ce serait admettre des lacunes dans l'œuvre,
contredire le postulat de la complétude. Il demeure que le lieu
même où Balzac conclut à l'inutilité de la Préface est lui aussi...
une préface : l'auteur ne peut empêcher qu'alors même que son
œuvre s'achève ou, plutôt, tend vers l'achèvement, un avant-
dire est toujours nécessaire : c'est que le livre a besoin de cette
parole qui précède et qui l'empêche de s'acquérir une autonomie telle qu'elle couperait le cordon ombilical entre le livre et
le réel.

La préface autonome

Reste à montrer que si la Préface sert, entre autres choses, à
limiter l'autonomie de l'œuvre, autonomie dangereuse dans le
cas de textes dits « réalistes », qui représentent autre chose

qu'eux-mêmes, le supplément préfaciel peut aussi se construire
sa propre indépendance, se libérant du *prae-* qui est sa marque
spécifique pour se transformer en simple *fatio* ou dire. On se
souvient peut-être de Gautier qui souhaite dans les *Jeune-
France* une préface qui « tiendra la moitié du volume » :
« j'aurais bien voulu », ajoute-t-il, « qu'elle le remplît tout
entier, mais mon éditeur m'a dit qu'on était encore dans
l'habitude de mettre quelque chose après, pour avoir le prétexte
de faire une table » [13]. Moins ironique, Borges affirme qu'« Une
préface, quand elle est réussie, n'est pas une manière de toast :
c'est une forme latérale de la critique » [14]. Ce que suggèrent ces
deux passages, en dépit de leur différence, c'est que, dans
certains cas, le paratexte peut (et, en un sens, *doit*) se mettre à la
hauteur du texte, s'affranchissant de l'œuvre qu'il accompagne,
revendiquant une lisibilité qui lui serait propre. D'une certaine
façon, c'est cette volonté d'une *autonomie paratextuelle* que
l'on retrouve dans la Préface de *Pierrette* : mise en scène particulièrement révélatrice du fantasme balzacien de la complétude,
la Préface de 1840 est aussi une *fiction concurrente,* un texte qui
rivalise avec la narration qu'il escorte. On peut en effet suggérer
que si, dans *La Comédie humaine,* Balzac raconte le monde
(fût-ce en le réinventant, en mettant la fiction à la place du
réel), dans la Préface de *Pierrette,* un commentateur anonyme
explique comment Balzac décrit le monde et, plus particulièrement, quel type de rapport, narrant, il entretient avec ses
lecteurs.

   Mais il importe surtout de montrer que le même désir
d'autonomie, la même volonté d'émancipation s'exprime
– selon des modalités différentes, il est vrai – dans l'Avant-
propos de 1842, paratexte qui lui aussi semblerait vouloir se
libérer du texte dont il est le commentaire. On commencera par
noter que la Préface de 1842 montre à l'œuvre de façon
particulièrement visible un effet de déplacement inhérent à
toute écriture préfacielle et qui consiste à dire le « sens » du livre
hors-livre, dans un lieu que le livre ne contrôle pas [15]. « Quant
au sens intime, à l'âme de cet ouvrage », écrit Balzac dans
l'Avant-propos , « voici les principes qui lui servent de base » :
après quoi le préfacier formule une série de propositions
idéologiques parmi lesquelles le fameux « J'écris à la lueur de
deux vérité éternelles : la Religion, la Monarchie » (Pl. I, p. 13).
Que l'auteur inflige ainsi un geste de décentrement à son œuvre
est d'autant plus frappant que Balzac éprouve en quelque sorte

le besoin de s'excuser du tournant pris par sa réflexion : juste avant de proclamer son adhérence au Trône et à l'Autel, le préfacier formule la remarque suivante : «chacun sentira qu'une préface aussi succincte que doit l'être celle-ci ne saurait devenir un traité politique». De cette phrase, il est deux interprétations possibles : ou bien on y voit la volonté de couper court à un type de discours qui, selon Balzac, ne serait pas à sa place dans le lieu préfaciel (à savoir, le discours politique) ou bien – lecture plus risquée mais néanmoins possible – on y lit un geste de *dénégation,* au sens freudien du terme : c'est-à-dire que Balzac exprimerait ici, tout en la niant, une tentation qui fut effectivement la sienne en rédigeant l'Avant-propos et qui consiste à faire de la politique quand même, substituant le « traité » à la « préface », abandonnant le roman ou le commentaire sur l'écriture romanesque au profit d'une réflexion plus radicalement théorique. Souscrire à cette deuxième lecture (reconnaître une autonomie à l'Avant-propos), c'est aussi mettre en évidence l'autre tâche de l'écrivain selon le texte de 1842, à savoir, prendre « une décision quelconque sur les choses humaines » [16]. Car l'auteur n'a pas seulement à recréer le monde par la fiction (tâche que met en évidence la Préface de *Pierrette*), il doit aussi activement intervenir dans ce monde. Or, à confronter les deux textes réunis ici, et surtout, l'image qu'ils donnent d'un auteur hanté par la complétude, il semblerait que seul le *préfacier* soit en mesure d'effectuer une tâche pareille. Le romancier, lui, pris dans le travail de la représentation, ne semble plus guère concerné par les problèmes du « monde vrai » – ou plutôt, s'il considère comme sa tâche de légiférer, sa loi ne s'appliquera que dans le monde fictionnel dont il est le créateur. En ce qui concerne les rapports entre texte et horstexte et aussi ce qui dans le texte est censé « décider » du horstexte, c'est vers la Préface qu'il faut se tourner. Ce qui ne veut pas dire que la fiction balzacienne soit à l'écart de toute interrogation politique, loin de là. Mais la question se pose de savoir si, dans la logique du préfacier, le récit peut se fondre avec son explication, autrement dit si ce que Balzac appelle le « sens » de l'œuvre ne lui vient pas nécessairement du dehors.

On terminera sur une ultime hypothèse qu'on livrera à la réflexion du lecteur. Il est assez tentant d'inférer de ce qui précède que lorsque Balzac, à la fin de l'Avant-propos , annonce le travail qu'il lui reste à faire, les textes qui·sont encore à rédiger (ici comme ailleurs, la Préface est à la fois la promesse d'une totalité à venir et le constat d'une incomplétude actuelle), l'annonce elle-même semble quelque peu suspecte ou, du moins, mérite réflexion :

> Au-dessus [des *Études philosophiques*], se trouveront les *Études analytiques,* desquelles je ne dirai rien, car il n'en a été publié qu'une seule, la *Physiologie du mariage.* D'ici à quelque temps, je dois donner deux autres ouvrages de ce genre. D'abord la *Pathologie de la vie sociale,* puis l'*Anatomie des corps enseignants* et la *Monographie de la vertu.* (Pl. IV, p. 19)

On sait que Balzac n'a jamais terminé les textes qu'il porte à la connaissance et que, de manière générale, la superstructure de *La Comédie humaine* est très faiblement représentée – ce qui est d'autant plus remarquable que c'est là précisément, plus encore que dans l'Avant-propos , que devraient se démontrer les « causes » et les « principes » de l'œuvre (termes que Balzac utilise dès 1834 [17]) et que *La Comédie humaine* écrirait sa propre théorie. On peut expliquer ce déséquilibre dans la structure de l'édifice en avançant que le roman (qu'il soit celui des *Études de mœurs* ou des *Études philosophiques*) s'avère déjà assez « analytique » pour qu'une conceptualisation *a posteriori* soit encore nécessaire. Une autre explication (celle pour laquelle on penchera) consiste à suggérer que l'auteur a bel et bien tenu sa promesse, quoique de façon oblique, ou indirecte : les commentaires métafictionnels annoncés par l'auteur de l'Avant-propos seraient alors ceux de l'Avant-propos lui-même, traité théorique qui ignore son nom ou qui refuse de le reconnaître et qui vient ainsi se mettre à la place de ce qu'il annonce (un peu comme la fiction balzacienne devrait se substituer à son propre référent). À supposer que l'explication soit valable, Balzac aurait trouvé une importante mesure d'économie qui lui permet de se contenter, en matière d'*Études analytiques,* de la seule *Physiologie du mariage* et de ne pas écrire le reste.

On avancera donc, pour conclure, que la Préface, chez Balzac, n'est pas seulement ce qui établit le pont entre le livre et le réel, c'est aussi, parfois, un *piège,* un discours truqué où la frontière entre texte et paratexte est en train de devenir indécidable.

Notes

1. *L'Auteur et autres textes*, Gallimard, 1965.
2. Sur la notion de co-énonciation, voir W. Ray, « Recognizing Recognition : the Intra-textual and Extra-textual Critical Persona », *Diacritics*, décembre 1977, p. 23.
3. Voir mon article « Le prix de la lettre. Réflexions axiologiques » dans F. Van Rossum-Guyon (éd.), *Balzac, Illusions perdues,* « *L'œuvre capitale dans l'œuvre* », CRIN 18, 1988, p. 84.
4. « Plan dorabotki knigi "Problemy poétiki Dostoevskogo" », 1961, cité par T. Todorov, « Bakhtine et l'altérité », *Poétique* n° 40, 1979, p. 509.
5. Voir à ce sujet L. Dällenbach, « *La Comédie humaine* et l'opération de lecture, I : Du fragment au cosmos », *Poétique* n° 40, 1979 et la suite dans *Poétique* n° 42, 1980.
6. *Ibid.*, I, p. 428.
7. C'est le terme utilisé par Cl. Duchet dans « Le texte du narrataire », communication inédite au colloque « Des Œuvres de jeunesse au *Père Goriot* », 1984.
8. Voir *Esthétique et théorie du roman*, Gallimard, 1978, p. 377.
9. « [...] en essayant de parler de ces choses comme si je n'y étais pas intéressé », (Avant-Propos, p. 7).
10. On pense aussi au fameux daguerréotype de 1842 où l'on voit l'auteur en robe de chambre – image que la Préface de Pierrette semble anticiper tout en s'en distanciant.
11. *The Pursuit of Signs, Semiotics, Literature, Deconstruction*, Ithaca, Cornell UP, 1981, p. 62.
12. Il fallait également obtenir une édition plus compacte.
13. Éd. des autres, 1979, p. 10.
14. *Livre de préfaces*, Gallimard, 1980, p. 13.
15. On sait que Jacques Derrida insiste beaucoup sur cet aspect dans la Préface qu'il ajoute à *La Dissémination*, Seuil, 1972.
16. « La loi de l'écrivain, ce qui le fait tel, ce qui, je ne crains pas de le dire, le rend égal et peut-être supérieur à l'homme d'État, est une décision quelconque sur les choses humaines », p. 12.
17. Voir la lettre à Mme Hanska du 26 octobre 1834 : « Alors la seconde assise sont les *Études philosophiques*, car après les effets, viendront les causes [...] Puis après les effets et les causes, viendront les *Études analytiques* [...] car après les effets et les causes doivent se rechercher les principes », *Lettres à Madame Hanska*, Roger Pierrot (éd.), « Bouquins », Laffont, 2 vol. 1990, t. I, p. 204.

Les trois étages du mimétique
dans *La Comédie humaine*

Jacques Neefs

Les « scènes » balzaciennes, qui font le socle multiple de *La Comédie humaine*, doivent être entendues comme des scénarios Elles sont en effet, si l'on veut les caractériser par leur puissance mimétique, des configurations de passions conjuguées dans le temps du récit, configurations qui valent par leur force démonstrative.

Elles sont bien « représentation », au sens aristotélicien du terme, en tant qu'elles offrent un modèle dramatique de l'action humaine. La *mimesis* a là une valeur de concentration exemplaire, prise dans le tournant d'un temps catastrophique, précipité, et dense de tout ce qui s'y conjoint en force de tourbillon.

La « scène » balzacienne n'est pas, comme d'ailleurs l'affirmait fortement Balzac, du roman, dans la mesure où le récit y construit un modèle véridique de coordination et d'organicité exemplaires, et dans la mesure où les choses et les passions qui s'y culbutent ne sont pas aménagées au profit d'une conception *a priori* de ce que devrait être la bonne histoire. Le récit balzacien récuse l'arrangement conciliant des choses propre au « romanesque » de convention.

La « scène » – tirant son énergie de la signification qu'elle déploie – se veut production crue, acérée, violemment significative, d'histoire identifiable. Mais la puissance d'identification qu'elle procure tient essentiellement à ce que les histoires qu'elle coordonne sont composées à partir d'expériences individuelles et de socialités en cours d'élaboration.

C'est ainsi que les récits balzaciens, « scènes », ou « études », ou « drames », participent pleinement du rôle caractéristique du roman européen : dire au lecteur, comme l'indique Kundera : « les choses sont plus compliquées que tu ne le penses », « l'esprit du roman est l'esprit de complexité ».

La Comédie humaine est un type de construction hypercomplexe qui tend à rendre lumineuse la complexité essentielle d'un monde, d'une société, d'humains, qui sont autrement infigurables. Plus qu'à sa force de ressemblance ou de témoignage, c'est à son pouvoir d'investigation et de configuration croisées, embrayées les unes sur les autres, que *La Comédie humaine* doit son inépuisable pouvoir. L'existence qu'elle donne à la perceptibilité du social et aux variations de celui-ci fait la beauté de l'œuvre.

Dans le récit romanesque, entrer dans le jeu de la « représentation », c'est-à-dire assentir à ce mixte de paroles, de narrations, de quasi-tableaux qu'est le récit, implique une permanente restructuration qui passe du flou au lié, de l'inconnu au reconnu. La « représentation » romanesque rencontre alors des « représentations » qui sont déjà naissantes, confuses, en attente de figuration plus vive, plus efficace. Elle rencontre également l'ensemble des autres tentatives de mise en évidence et d'intellection qui caractérisent un siècle (le lien, au XIXe siècle, entre l'histoire et le roman est conçu, pratiqué et développé dans les termes d'une telle concurrence). Elle rencontre aussi les représentations déjà trop faites, les conduites (entendues comme représentations de soi socialisées) ou les « idées » (surtout) déjà figées par l'impératif de ce qui doit se faire ou se penser. C'est en les représentant, ces idées, ces opinions, trop « reçues », que le roman au XIXe siècle trouve son grand pouvoir « comique », de Stendhal à Flaubert.

De ce dernier rôle, cependant, il y a peu, chez Balzac. La pression qu'exerce la découverte de ce qui fait loi, et l'exposition de ce qui fait sens dans le multiple, sont, semble-t-il, pressantes, exigeantes – comme si l'œuvre devait se mettre à la hauteur de ce qui se contruit d'inconnu dans une société qui est perçue, pensée, analysée comme effondrée et sans liens identifiables. La réponse du roman, avec Balzac, consiste à surinvestir d'intelligibilités multiples la projection du divers, à construire narrativement des lois qui se donnent comme lois du réel et de sa production. Projeter le divers en une « scène », c'est donner trait à la loi, à la régularité, au type, qui permettront de penser « en actions » l'infinie turbulence des choses, des êtres, des passions. Cela donne une nécessité au croisement des « histoires », au report constant du terme envisageable et à la dispersion de l'*ultima ratio* dans la totalité du « système ».

Le roman balzacien tire en effet du « système » dans lequel il se dispose une démultiplication considérable de ses forces. Le « système » en trois étages de *La Comédie humaine*, qui affiche la vertu d'un classement, qui se donne comme organisation du monde et des niveaux de l'intellection qu'il est possible d'en offrir, a de fait une prodigieuse force de « découplement », dans la mesure où lui-même se présente comme aspiration vers une intelligibilité plus abstraite, plus éthérée, du concret le plus immédiat.

L'Avant-propos commente, on le sait, l'édifice. Il y a échelle, élévation, en même temps que concentration :

> Telle est l'assise (les « scènes ») pleine de figures, pleine de comédies et de tragédies sur laquelle s'élèvent les *Études philosophiques,* seconde partie de l'ouvrage, où le moyen social de tous les effets se trouve démontré, où les ravages de la pensée sont peints, sentiment à sentiment, et dont le premier ouvrage, *La Peau de chagrin,* relie en quelque sorte les *Études de mœurs* aux *Études philosophiques* par l'anneau d'une fantaisie presque orientale où la Vie elle-même est peinte aux prises avec le Désir, principe de toute Passion. Au-dessus, se trouveront les *Études analytiques,* desquelles je ne dirai rien, car il n'en a été publié qu'une seule, la *Physiologie du mariage.*
>
> (« Bibliothèque de la Pléiade », Gallimard, 1976, t. I, p. 19.).

La Comédie humaine est semblable en cela au magasin de l'Antiquaire, dans *La Peau de chagrin* : l'étage du divers foisonnant, hétéroclite, est aussi celui de la reconstruction et de l'imagination romanesques :

> Cet océan de meubles, d'inventions, de modes, d'œuvres, de ruines, lui composaient un poème sans fin. Formes, couleurs, pensées, tout revivait là ; mais rien de complet ne s'offrait à l'âme.

Le poète devait achever les croquis du grand peintre qui avait fait cette immense palette où les innombrables accidents de la vie humaine étaient jetés à profusion, avec dédain.   (Pl. V, p. 71-72.)

Mais l'étage supérieur est celui de l'expérience « philosophique » et de l'émergence d'un triple foyer de fascination et de concentration : la tête du vieillard (auréolée de lumière), la tête du Christ peinte par Raphaël (« ce prestige de la lumière agissait encore sur cette merveille ; par moments il semblait que la tête s'agitât dans le lointain, au sein de quelque nuage », Pl. t. 5, p. 80), et surtout « l'étrange lucidité » de la peau de chagrin. Au foyer du philosophique, creux de lumière dans l'ombre – on pense à Rembrandt – l'énigme rayonne comme pouvoir de la pensée, passion de la pensée. L'infini divers ne peut être subsumé que s'il est rapporté à quelque foyer qui l'éclaire, énigmatiquement, mais qui fait gouffre, aussi, pour la pensée.

Il serait artificiel de traduire terme à terme cette disposition dans l'espace systématique de *La Comédie humaine*. Pourtant, c'est bien ce dédoublement de la représentation qui semble commander toute l'entreprise de Balzac. D'une part, la démonstration proprement « dramatique », d'autre part, la fable philosophique sur les causes et les principes. La démonstration dramatique articule en scénarios une transformation répétitive et un devenir, quitte à multiplier sans cesse les scénarios locaux pour produire et couvrir les différentes classes du divers, et pour construire comme en camaïeu le vaste scénario d'une transformation générale. Usure des forces, production des ruines, formation obscure de nouvelles socialités et distribution renouvelée des énergies, chaque fiction narrative produit l'expérience imaginaire de ce devenir. Chaque fiction est l'efflorescence d'une poussée du temps dans le temps : dispersion, délabrement, rupture des solidarités familiales. La force de la *mimesis* romanesque est bien d'être quasi performative, au sens où le récit qu'elle propose est l'expérience éclatante d'une concentration de forces et de séries contradictoires vers les points de rupture et de redistribution qu'effectue chaque histoire. La construction par prologues (ou introductions), drame, dispersion finale plus que résolution, est la forme même de cette expérience imaginaire. Mais le sont aussi les petites constructions par doublets ou par séries. Par exemple, *L'Histoire des treize* n'est-elle pas, de récit à récit, la mise en fable de l'usure d'un pouvoir occulte, la défection de la force solidaire du complot, vers le dérisoire et le privé, sous le signe de la mort ? Comme en ce constat de ruine, de mise à l'écart, qu'est la fin de *Ferragus* : « C'est lui, dit Jules en découvrant enfin dans ce débris humain Ferragus XXIII, chef des Dévorants. »

La « théâtralité » de l'œuvre de Balzac est plus qu'une concurrence du roman avec le théâtre. Elle est la forme textuelle d'un pouvoir de présentation et de modélisation, elle est l'essence d'une représentation qui ne se conçoit que comme « action » de passions, c'est à dire comme scènes qui sont « comme » le discours du réel lui-même. Pour reprendre les termes de l'Avant-propos, être romancier sous la dictée de la Société, ce n'est pas simplement concevoir le récit romanesque comme représentation du déjà-là, c'est faire de l'écriture narrative et de son pouvoir d'« étude » le mode d'exposition adéquat de cette Société elle-même, pour elle-même. Le secrétaire qui réussira à « rendre intéressant le drame à trois ou quatre mille personnages que présente une société », qui pourra « arriver à écrire l'histoire oubliée par tant d'historiens, celle des mœurs », celui qui saura « étudier les raisons ou la raison des effets sociaux, surprendre le sens caché dans cet immense assemblage de figures, de passions et d'événements », celui-là ne fait pas que dépeindre – il est l'organe même par lequel la Société acquiert une visibilité pour elle-même : « ainsi dépeinte, la Société devrait porter avec elle la raison de son mouvement ». Les termes sont forts, ici, pour caractériser la fonction de la *mimesis* : produire l'intelligibilité qui réside dans les choses elles-mêmes par la seule force du tour narratif dramatique. « Histoire des mœurs du XIXᵉ siècle en action », indiquait le titre auquel pensait Balzac en 1833, pour la première édition d'ensemble de ses œuvres, chez Mᵐᵉ Béchet. « En action » : la forme narrative-dramatique de la scène-étude est l'activité par laquelle le significatif pourra s'exposer et s'expérimenter.

Pourtant, l'on sait à quel point le « scénarique » est doublé, en permanence, du commentaire qui le projette en généralité autant qu'il le justifie. Et à quel point la production de foyers d'énigme est l'effet du scénarique lui-même autant que du discours en fragments de la postulation. Il faut inventer les récits qui donnent force et visibilité à ces foyers. Le point de fédération est produit comme rayonnement et comme vertige à la fois. C'est aussi le rôle de ces personnages flottants mais absolus que dispose en elle la pensée de *La Comédie humaine*, selon une logique triadique de référence, comme le Vouloir, le Pouvoir, le Savoir, ou comme « la Vie elle-même, peinte aux prises avec le Désir, principe de toute Passion » (Avant-propos, p. 19) ; ou encore comme ce couple de *La Fille aux yeux d'or*, paradigme de la pensée du XIXe siècle : l'Or et le Plaisir. La représentation romanesque dramatique produit ces foyers autant qu'elle s'ordonne autour d'eux. Le scénarique est tenu par les Principes – que l'on peut assimiler ici au philosophique, sous le double aspect du causalisme et du métaphysique – autant que les Principes sont démontrés par le scénarique. Il y a en effet une sorte de tautologie balzacienne qui fait que la fiction (ou le petit fait, ou le trait) démontre la loi, autant que la loi légitime, motive (y compris dans la forme du récit) la fiction (ou le petit fait, ou le trait). Énoncés sur la Pensée, la Passion, l'Énergie, ou le Vouloir, tabulations et classifications à l'œuvre dans la répartition des personnages, des êtres, des attitudes, bruissent et agissent dans tout le texte balzacien : le scénarique n'est jamais abandonné à sa simple valeur d'appréhension imaginaire du devenir. On peut interpréter cela comme l'exorcisme d'une indépendance du récit et du mutisme relatif que la démonstration narrative suppose ; on peut proposer aussi d'y voir la nécessité qu'il y a pour l'œuvre de démultiplier ses postures énonciatives pour produire l'espace d'intelligibilité complexe qui pourra à la fois démontrer les configurations et les laisser se mouvoir, leur accorder le jeu de l'inaccompli, de l'énergique.

L'analytique enfin, si peu écrit comme tel, Balzac le souligne, et qui du point de vue chronologique est largement antérieur aux grands développements narratifs, est posé comme couronnement, mais dans l'ordre du possible et du travail à accomplir. Règne ici la figure ascendante qui est comme la figure nostalgique d'un monde debout – l'on peut penser au tourbillon qui inaugure *La Fille aux yeux d'or*, avec l'image d'une configuration qui s'épure vers son sommet (Françoise Gaillard a souligné le paradoxe qu'il y a, dans ce texte célèbre, dans la cohabitation de l'image du corps avec celle du tourbillon [*Littérature* n° 58, « La cinétique aberrante du corps social au temps de Balzac »]). Qu'en est-il alors du mimétique ? L'analytique n'est bien sûr pas cantonné aux seules « Études » du même nom. Il est aussi une qualité de visée, de « coup d'œil », répandue dans l'ensemble du narratif balzacien.

L'analytique est cette passion de la concrétude qui donne à la présence de toute chose valeur de signe. Il est l'étonnante sémiologie du concret qui caractérise la description et l'identification balzaciennes. S'il y a de l'identifiable (une façade, un visage, un trait, une démarche, le carrelage d'une pièce) qu'il est possible de mettre en action, c'est d'abord parce qu'il y a acuité de la vision et interrogation sur ce que projettent les choses et les êtres. Entre « la toise et le vertige » (la toise du savant et le vertige du fou), pour reprendre le titre et quelques analyses de l'étude qu'a faite Lucette Finas de *La Théorie de la démarche* (Des Femmes, 1986), le regard observateur, doublé de l'esprit d'abstraction et de spécialisation, doit encore se faire « coup d'œil » qui, dit Balzac, « fait converger les phénomènes vers un centre ; il faut posséder cette logique qui les dispose en rayons, cette perspicacité qui voit et déduit, cette lenteur qui sert à ne jamais découvrir un des points du cercle sans observer les autres, et cette promptitude qui mène d'un seul bond du pied à la tête ».

L'analytique est un pouvoir de transversalité, de synthèse et de pulvérisation à la fois : on pense ici au narrateur proustien, tel que le décrit Deleuze dans *Proust et les signes* (PUF, 1970), et qui rêve de conjoindre les points de vue inconciliables du proche et du lointain, qui fait de l'art le pouvoir de tenir ensemble les échelles les plus diverses.

Pourtant l'analytique, qui donne au mimétique scénarique ses éclats de densité, de concrétude, est lui-même indissociable d'un minimum de narrativité.

Les études analytiques proprement dites (*Physiologie du mariage*, *Petites misères de la vie conjugale*, *Pathologie de la vie sociale*...) sont tissées, dans leur présentation fragmentaire mais à dominante axiomatique (aphorismes, axiomes, lois), de narrativité (une sorte de récit de la découverte, de l'exposition, ou bien des petits scénarios significatifs, petits dialogues exemplaires, comme si les propositions ne pouvaient elles-mêmes tenir qu'à travers d'infimes concentrations scénariques (l'*exemplum*) ou un léger fil narratif qui fait cadre (*Physiologie du mariage*, *Petites misères de la vie conjugale*). L'intelligibilité du concret, la mesure des différences infimes dans un monde livré à l'uniformisation et au commun – c'est du moins la représentation dominante et motivante – cette « science des riens » que Balzac compose en style et « coup d'œil », semblent être à la fois le tissu et le rêve de l'entreprise mimétique : un

savoir qui se dirait dans le voir immédiat ; des lois qui s'expo-
seraient avec leur force de mouvement, des œuvres qui auraient
l'intelligence même de ce mouvement, pour l'exposer comme il
est, sans excès, sans lourdeur.

C'est peut-être là une des étrangetés les plus grandes du
geste de *La Comédie humaine* : offrir comme socle de démonstration multiple l'intelligence dramatique du temps, des
conflits, des transformations et catastrophes, que sont les
« scènes » et le scénarique, mais en dégageant comme étages supé-
rieurs d'intelligibilité le philosophique (les foyers et les principes) et surtout l'analytique (construire les lois de l'imper-
ceptible dans le multiple), qui sont pourtant des postures de
perception, de concentration et d'abstraction actives dans le
scénarique lui-même. Ce qui fait la force « dramatique » et
« mimétique » des fictions balzaciennes (c'est-à-dire l'imbrica-
tion des niveaux de pensée dans le même mouvement narratif)
semble devoir être dégagé, éthéré, en des formes qui seraient
plus pures, quasi spécifiques, comme pour exposer au sommet,
en corps d'axiomes, en textes-lois, la nature de la pensée et du
regard qui sont pourtant la condition de possibilité des récits
d'études eux-mêmes.

Et ce n'est pas l'un des moindres paradoxes de l'édifice,
que d'offrir comme œuvres à venir, à faire, des textes qui ont
déjà été expérimentés, et une structure d'intelligibilité qui a déjà
donné à la *mimesis* balzacienne son relief particulier. La disposition en trois étages de l'intelligibilité est comme la pulvérisation du scénarique et du mimétique auxquels l'écriture balzacienne a donné une puissance fondatrice inépuisable.

Défaire la puissance du récit par le biais d'acuité qui anime
cette puissance et pour une intelligibilité immédiate, plus
impérative, plus ironique peut-être, c'était consommer dans
l'espace même de l'œuvre le genre du roman que l'œuvre fonde
pourtant de manière nouvelle. *La Comédie humaine*, comme
un ensemble sans bord, est elle-même livrée au tourbillon et à
la consumation : tourbillon des actions singulières emportées
en lois, et consumation du mimétique en projection de signes.
C'est en cela que l'œuvre en cours peut être à la fois connaissance des mouvements du temps, de l'histoire, de la société, des
passions, et esthétique des particularités et des énergies. C'est en
cela aussi qu'elle est « œuvre », par la manière dont elle fait une
forme de son travail sur elle-même.

Mimesis ou autoréférence :
les apories des *Études analytiques*

Catherine Nesci

> L'extrême chaleur, l'extrême malheur, le
> bonheur complet, tous les principes
> absolus trônent sur des espaces dénués de
> productions : ils veulent être seuls, ils
> étouffent tout ce qui n'est pas eux.
>
> *Une fille d'Ève.*

En 1846 paraît chez Furne le volume XVI de *La Comédie
humaine,* volume qui se clôt par la *Physiologie du mariage.* En
dépit du programme tracé dans le catalogue de 1845, le texte
porte, après la date de 1824-1829, la mention de « Fin des
Études analytiques ». On se rappelle qu'en 1834, Balzac avait
assigné un rôle fondateur à ces études du troisième type : celui
d'exposer les « principes », terme polysémique qui désigne les
principes de l'architectonique dramatique ainsi que les
fondements d'un système du monde et d'une pratique du
langage[1]. Mais dans l'« Avant-propos », Balzac se contente de
préciser brièvement leur position topologique : si les *Études de
mœurs* apparaissent comme l'assise sur laquelle s'élèvent les
Études philosophiques,

> Au-dessus, écrit-il, se trouveront les *Études analytiques,*
> desquelles je ne dirai rien, car il n'en a été publié qu'une seule, la
> *Physiologie du mariage.* D'ici à quelque temps, je dois donner
> deux autres ouvrages de ce genre. D'abord la *Pathologie de la vie*

sociale, puis l'*Anatomie des corps enseignants* et la *Monographie de la vertu.*[2]

À la place d'un commentaire explicatif, nous avons un programme qui ne sera jamais rempli. Le geste, on le verra, témoigne d'autant mieux des douleurs de l'entreprise que le manque de justifications ne sera pas comblé : la *Physiologie* a fait l'objet de remaniements minimes, et aucun propos méta-discursif ne vient motiver l'intégration de ce pseudo-traité d'esclavage conjugal dans l'énorme bâtisse. Tout au contraire : après la triade du *Livre mystique,* le retour à la médiocrité du quotidien a toutes les allures d'une provocation. Comment cette retombée dans le dérisoire peut-elle jouer en même temps le rôle de couronnement de la totalité architecturale ? Et pour-quoi avoir conservé « au faîte » de la somme romanesque une œuvre d'une discursivité pour le moins problématique et dont le titre, en 1842, est un clin d'œil ironique à l'opération commerciale que constitue la publication « en série » de physio-logies de tous ordres ?

Afin de situer les enjeux du réemploi de la *Physiologie du mariage* dans *La Comédie humaine,* je lirai cet ensemble de « méditations » comme un *en-soi* et comme pour un *pour-ensemble,* en tenant compte de son environnement immédiat (le texte vient à la suite de *Louis Lambert* et de *Séraphîta*) et de sa place dans l'édifice : d'une part, le texte est symétrique de l'Avant-propos en ce qu'il vient – temporellement – avant et – spatialement – en position finale ou au-dessus ; et d'autre part, ce positionnement produit un effet de circularité à étudier puisque le programme narratif de la *Physiologie* renvoie implicitement le lecteur au seuil de *La Comédie humaine,* en l'occurrence aux *Scènes de la vie privée,* et plus précisément, à *La Maison du chat-qui-pelote.* J. Neefs nous parle dans ce volume de l'équilibre qui s'établit entre l'analytique et le mimétique dans ce « troisième étage du savoir » que construi-sent les *Études analytiques.* Pour ma part, je montrerai qu'au sommet de son monument, Balzac place une « pièce maîtresse » où s'exprime la crise de la raison analytique. À titre d'hypo-thèse de travail, je suggérerai que la *Physiologie du mariage,* texte du retournement et qui théorise son propre dysfonc-tionnement, est bien le blason – certes grotesque – de cet « agencement infiniment varié de perspectives »[3] qu'est *La Comédie humaine* et ce, dans la mesure où l'œuvre démontre, avec la plus déroutante systématicité, l'impossibilité d'instituer « une fois pour toutes » les lois fondatrices de l'édifice romanesque.

Si à l'entrée de *La Comédie humaine*, on sait que Balzac ouvre son propos justificatif sur une datation (« En donnant à son œuvre entreprise depuis bientôt treize ans »), à la sortie de l'œuvre, dans l'édition Furne, il ajoute les dates de 1824-1829, comme pour bien marquer le statut originel de son unique *Étude analytique.* Est-ce à dire que la rationalisation *a posteriori* soit ainsi confortée par l'inscription supplémentaire et définitive d'une origine ? On peut se demander pourquoi Balzac, lorsqu'il remanie la *Physiologie,* laisse celle-ci dans son état premier d'isolement. Par exemple, pour l'édition Furne, il donne aux héros d'anecdotes les noms des protagonistes des *Petites misères de la vie conjugale,* œuvre au statut mal défini que ni le « Furne corrigé » ni le *Catalogue* de 45 ne classe parmi les *Études analytiques.* De plus, l'Introduction à la *Physiologie* est celle de l'édition originale et explicite le caractère fondateur de cette seule œuvre. Le remaniement le plus significatif apparaît cependant au niveau du paratexte et enferme l'œuvre dans sa propre textualité. En effet, les éditions antérieures à Furne portaient l'épigraphe suivante : « Le bonheur est la fin que doivent se proposer toutes les sociétés/(L'auteur) », épigraphe que Balzac remplace par une dédicace intratextuelle et autoréférentielle : « *Faites attention à ces mots* : L'homme supérieur à qui ce livre est dédié, *n'est-ce pas vous dire* : C'est à vous/L'AUTEUR. » L'autocitation, qui transforme le destinataire problématique en décidataire de l'ouvrage remet en question le souci didactique que présentait l'épigraphe autoritaire de l'édition originale.

Quel est l'enjeu de cette opération de réécriture ? Et que nous communique-t-elle quant à la réception de l'œuvre et sa place au sommet de *La Comédie humaine* ? L'épigraphe de 1829 était, avant tout, un « facteur de vraisemblance générique »[4]. Publié dans le format in-8°, le texte alléguait un objectif téléologique des plus sérieux. Par cette prise de parole axiologique, le jeune célibataire qui signe le traité se logeait dans l'espace intellectuel circonscrit par les Idéologues. Je rappelle que ceux-ci, à la suite de Condillac, donnèrent à l'analyse sa valeur heuristique et tentèrent de reproduire une nouvelle « philosophie première » à partir de fondements scientifiques puisés dans la physiologie dont ils furent les grands promoteurs. Il s'agissait, comme le dit Michèle Le Doeuff, de construire une « théorie générale des premiers principes et non une doctrine sur un objet particulier »[5]. De cette façon, ils occupaient la place laissée vacante par la philosophie spéculative qui ne pouvait plus donner de système du monde. Les savants, quant à eux, s'appuyant sur les faits et « se prévalant d'une compétence locale et d'une autorité délimitée, l'ont exportée en fondant sur elle un droit à discourir de tout »[6], tel Cabanis dont le but était d'instituer une anthropologie générale à référence médicale.

Pour le jeune écrivain, qui cherche à découvrir les règles et les lois du jeu social, l'analyse se présentait comme la voie royale, si corrosive, de l'accès au savoir. C'est ce qu'explique Balzac dans le préambule au *Traité des excitants modernes* : « Dès 1820, j'avais formé le projet de concentrer dans quatre ouvrages de morale politique, d'observations scientifiques, de critique railleuse, tout ce qui concernait la vie sociale analysée à fond. »[7]

En écrivant sa *Physiologie du mariage*, il conquiert son droit de parole grâce à un projet tout à la fois mimétique et totalisant, le terme même de physiologie s'indexant sur un inventaire encyclopédique du savoir. Le discours procède ainsi à la mise en texte raisonnée et systématique de la vie privée. Derrière cette entreprise d'appréhension du réel se profile toute une matière romanesque et se crée un espace de lisibilité du social, geste par lequel le célibataire, héritier des Lumières, redéfinit en fait « l'ensemble de la littérature »[8], ainsi que son rapport à la philosophie.

Reste que l'héritier est surtout un fils prodigue qui ne reviendra pas au bercail. Car, pour l'architecte-archiviste en devenir, il s'agit d'obtenir la « conformité » de son « plan » pour, en fait, le dépasser, le dénaturer, le retourner, voire l'annuler. Le physiologiste du mariage établit sa légitimité apparente sur la positivité qu'il feint d'atteindre et de construire. Mais, sous prétexte de sauver une institution en péril et d'endiguer une menaçante instabilité sociale, le texte dévoile dans l'adultère le « moteur », le « ressort » caché de la vitalité sociale et mène son imprudent lecteur jusqu'au « dernier cercle infernal de la divine comédie du mariage [...] au fond de l'enfer » (p. 1173). C'est ici que prend tout son sens la double date de 1824-1829 : en 1826, Balzac imprime sur ses presses neuves la première partie de la version préoriginale de la *Physiologie*, traité qui sera ensuite relié à l'*Histoire de la rage*

de Bernard-François Balzac, texte de 1814 où cet admirateur des
Idéologues, s'appuyant sur une compétence locale qu'il exporte
dans le champ social, préconise maintes réformes dans le
domaine de la santé publique. Et c'est en 1829, l'année même de
la mort de son père, que Balzac réemploie et réécrit sa *Physiologie* en substituant à la positivité du texte paternel une criante
négativité : si les seize premières méditations de la *Physiologie*
proposent au mari les moyens de maîtriser son épouse, le reste
du texte opère la destruction méthodique de cet échafaudage
panoptique et réduit à néant l'efficacité des discours péda-
gogique et disciplinaire.

C'est dire que le fils prodigue dilapide l'héritage paternel
et que la mort du père apparaît comme le principe générateur de
la *Physiologie*, dans sa genèse et sa structure. De fait, le discours
qui cherche à assurer les garants d'ordre et de distinction du
social, produit les figures monstrueuses de l'excès et du paradoxe. Visant une finalité pragmatique, en l'occurrence la régulation de l'échange des femmes et de l'argent, le texte orchestre
en dernier lieu leur circulation débridée. Or la façon dont
s'articule ce renversement pose le problème des rapports entre
référence et discours. Dans la méditation XVI « Charte conjugale », le physiologiste, mettant à l'épreuve du réel les préceptes
tyranniques qu'il vient de fournir à ses destinataires, rencontre
le disciple qui lui a servi de modèle et prend bien soin de
préciser : « j'ai bâti le système d'après la maison » (p. 1050). Le
modèle en question expose alors l'ensemble des principes sur
lesquels repose l'exercice du (et de son) pouvoir autoritaire qui
prend les femmes, et le peuple, dans les rêts d'une planification
dissimulée. Mais la crédibilité de la référence et de l'auto-
justification est tout aussitôt dévoyée par un grotesque inci-
dent qui vient perturber les certitudes du savoir autoritaire. De
plus, le scénario est emblématique de la machine paradoxale qui
fait naître la haute trahison de la femme à partir de la haute surveillance du mari. Du même coup, par cette destitution du
modèle, et, comme l'a bien vu J.-C. Fizaine, cette « destruction
ironique du dialogue philosophique »[9], se découvre l'incapacité
du discours à construire ou à stabiliser un « système »
d'explication du réel. Dans la petite aventure qui découvre les
failles de la démarche magistrale, le langage se voit dépossédé de
son pouvoir de régulation du sens et des signes.

Dans la tentative de restauration d'un mariage baroque, le
jeune « analyste » fait tout sauf honorer ses engagements, et,

quoiqu'il obtienne la légitimité de son discours en faisant
miroiter à ses adeptes le rêve d'une maîtrise sans défaut et d'un
déchiffrement total de l'être féminin, il ne réussit ni à imposer
un sens de façon univoque ni à jouer sur une clôture absolue.
J'avancerai, à titre d'hypothèse, que l'on peut lire, dans le
retournement sur lequel s'articule la *Physiologie*, l'évolution
même de l'écriture balzacienne. Si le texte, selon une visée
archéologique, tente de restaurer la sécurité ébranlée de la
paternité et de l'ordre social, il dévoile en fait, sous couvert de
restitution, « l'illégitimité radicale de toute propriété »[10] et les
principes selon lesquels fonctionne la société de la mobilité
mise en place par la Révolution. Et c'est à travers un processus
de négation que sont mises au jour les apories des savoirs
accrédités. Mais il y a plus : dans la deuxième partie, le texte se
représente lui-même, se parodie comme pour annuler de façon
encore plus catégorique la validité des distinctions et des
principes posés de prime abord. Une fois entérinées l'incarnation purement bourgeoise du nom du Père et la vacuité
repérable au niveau de la fonction symbolique, le discours
dérive dans une prolifération de métaphores théâtrales. Et c'est
pourquoi, me semble-t-il, Balzac s'est refusé à produire
d'explicites interférences entre l'étude analytique et, par
exemple, les *Scènes de la vie privée*. Il est vrai que la *Physiologie* contient le paradigme de toutes les luttes balzaciennes, la
bataille entre les partenaires conjugaux représentant le principe
de rapport agonique dans lequel on peut voir, avec
J.-P. Richard, « [la] loi abstraite et [le] motif concret, [la] structure et [le] thème de toute l'architectonique balzacienne »[11].
Mais les médiocres héros des anecdotes que relate la *Physiologie*,
Balzac les fait reparaître dans les *Petites misères de la vie
conjugale,* les coupant ainsi de la recherche du bonheur des
premières *Études de mœurs* où prédominent la dimension
archéologique et le code anthropologique. En outre, il fait
usage de son procédé autoréférentiel à l'intérieur même de la
Physiologie puisque reparaît à la fin du texte l'un des vieux
aristocrates avec lesquels dialogue le jeune célibataire. L'ancien
émigré expose son système de préservation du capital monétaire
et vital – l'une des alternatives de l'énergétique balzacienne.
Puis, doublant aussitôt son allocutaire, le physiologiste sub-
vertit ce discours à la lettre « conservateur » par une mise en
scène de dépossession et de dépense qui fait écho à la tâche de
désagrégation des valeurs à laquelle s'adonne la « puissance

féminine » (sur le mode arachnéen, comme dans *La Cousine Bette*).

On pourrait alors se risquer, dès la *Physiologie*, à reconnaître, après coup et grâce à la place que le texte reçoit dans l'œuvre complète, les caractéristiques qui marquent le roman balzacien postérieur à 1840 et qui vont de pair avec la disparition de l'entreprise archéologique : « une rupture des visées téléologiques, l'effondrement des destinées prométhéennes, l'épuisement des ambitions totalisantes »[12]. Et ce, d'autant plus que l'avant-dernière méditation présente le physiologiste vieilli, usé par une production fantasmatique dont le combat est le noyau thématique et structural, tant au niveau de l'énoncé qu'à celui de l'énonciation. Voici ce que déclare le scripteur enfermé dans son « laboratoire » (p. 1189) :

> Mon esprit a si fraternellement accompagné le Mariage dans toutes les phases de sa vie fantastique, qu'il me semble avoir vieilli avec le ménage que j'ai pris si jeune au commencement de cet ouvrage.
>
> Après avoir éprouvé par la pensée la fougue des premières passions humaines, après avoir crayonné, quelque imparfait qu'en soit le dessin, les événements principaux de la vie conjugale ; après m'être débattu contre tant de femmes qui ne m'appartenaient pas, après m'être usé à combattre tant de caractères évoqués du néant, après avoir assisté à tant de batailles, j'éprouve une lassitude intellectuelle qui étale comme un crêpe sur toutes les choses de la vie. [...] J'échange avec ma femme un regard d'une immense profondeur, et la moindre de nos paroles est un poignard qui traverse notre vie de part en part. (p. 1187)

Ce fragment de poétique présente l'écriture comme une activité érotique et agonistique. « L'identité dramatique [s'y] manifeste [...] comme couple », comme le dit J.-P. Richard [13], et le combat est « douloureux accouplement », selon la formule employée dans *Séraphîta*. Dans le passage qui suit cet extrait, le scripteur contemple alors la négation (faussement) ultime de son énergie vitale. Mais l'épuisement des forces, dernière étape du processus entropique que cherche à compenser le système centralisateur de l'aristocrate, est, dans la méditation finale, miraculeusement transformé en pléthore énergétique. Et cette soudaine renaissance est médiatisée par le jeu de simulation auquel se livre la femme adultère. Dans cette économie spéculative, l'esthétique balzacienne fondée sur le vitalisme se trouve donc doublée par une esthétique du « parasitisme » – j'emploie ce terme même si W. Paulson voit dans ce processus un phénomène tardif[14]. Mais de l'une à l'autre, ce sont les virtualités ludiques du couple comme noyau narratif qui se trouvent actualisées. Ces nouveaux principes d'écriture et de lecture, le fragment poétique que je viens de citer nous en fournit la clé : le scripteur y occupe, au vrai, la position de l'amant dont le texte dévoile, derrière le masque de héros conquérant, le côté parasite. Transgressant de plus la linéarité discursive, le physiologiste aux allures de jouisseur libertin renvoie le lecteur au commencement de son ouvrage, puis clôt celui-ci par une reprise de conte libertin, anecdote spéculaire où le jeu métaphorise la puissance infinie de la représentation. Dans cette mise en abyme, on ne sort pas du système, mais il est tout à coup rendu illimité par ce que Jean Paris nomme « la remise en circuit des *séries* narratives »[15], l'équilibre des forces et la répartition du savoir étant présentés comme essentiellement mobiles. Ce que disait autrement le physiologiste : « de même que l'addition d'un chiffre dans les mises en loterie en centuple les chances, de même une vie, unie à une autre vie, multiplie dans une progression effrayante les hasards déjà si variés de la vie humaine » (p. 1174).

Cette esthétique propose moins un modèle de la réalité qu'une « combinatoire »[16] et invite le récepteur du texte à subvertir la lecture rectiligne pour se lancer dans les multiples trajets que recèle le labyrinthe de la *Physiologie du mariage* ou, plus généralement, de *La Comédie humaine*.

Quant au processus de production du texte même, c'est bien le parasitisme qui en est le principe. Bien que la *Physiologie* se représente comme un « grand livre du monde », et expose le système énergétique balzacienne, en même temps, le physiologiste capte, trie, et ordonne tout un ensemble de discours hétérogènes (et pille sans vergogne *De l'amour*). Il est toutefois évident que nous ne sommes pas encore dans l'esthétique du travail qui repose sur l'artisanat, esthétique qui sera celle des *Parents pauvres*. Mais le conte philosophique par lequel se termine la *Physiologie* présente l'antithèse de l'esthétique fondée sur la destruction du modèle de la femme aimée qui inaugure les *Scènes de la vie privée* dans *La Maison du chat-qui-pelote*. Bien que le modèle thermodynamique emprunté à Serres, en nous montrant dans l'organisme une petite machine qui reçoit de l'énergie et des informations et crée son

ordre à parti du désordre de son environnement, nous
permette de comprendre autrement la conception de la
créativité balzacienne, il ne prend toutefois pas en compte un
aspect du corps que l'écriture balzacienne, pour sa part,
affronte : l'organisme est avant tout un corps sexué. En plaçant
la *Physiologie* à la suite de *Louis Lambert* et de *Séraphîta*,
Balzac nous empêche de faire une lecture « neutre » de son
œuvre et nous rappelle que la représentation est une institution
qui s'articule sur la différence des sexes. Cet impensé que
fictionnalise le texte balzacien travaille – déjà – la version
préoriginale de la *Physiologie* où le scripteur s'écrie : « Hélas !
Platon avait une excellente idée en ne créant que des
androgynes »[17].

Toutefois, dans ce passage des « Mystiques », voués à la
recherche solitaire des « principes » et des causes premières, aux
« Mondains » de la *Physiologie*, animés par la loi d'échange et de
médiation que le dispositif analytique met à jour, il faut aussi
lire une exigence de l'écriture balzacienne en tant que celle-ci
représente une réflexion sur l'ordre (du) symbolique et sur les
structures narratives. C'est pourquoi je dirai que loin d'inscrire
un effet de vieillissement, la *Physiologie*, dans son statut de
propédeutique à *La Comédie humaine* et bien que publiée
avant le tournant de 1830, prend une nouvelle valeur métatextuelle du fait de sa place au sommet du monument et/ou en
fin de série. B. Leuilliot, citant Hugo, écrit : « Quel que soit
son degré d'inachèvement, l'œuvre complète est bien en son
temps la « formule » ou « spécialité » du nouvel écrivain, le
miroir *(speculum)* où trouve à s'interroger la « génération des
écrivains du XIXe siècle qui est venue après Napoléon »[18]. Et il
ajoutait que cette « formule », c'était, ni plus ni moins, « l'unité
de composition », unité paradoxale, « puisqu'elle prétend
contenir les effets d'une sérialité infinie »[19]. Or le régime
d'écriture de 1842-1846, celui du « double codicille » des *Parents
pauvres*, s'annonce déjà dans l'étude analytique, petite cosmo-
gonie sérielle où se réfléchit le fonctionnement de ce qui devait
devenir *La Comédie humaine*. Pour bien comprendre en quoi
la problématique scripturale de la *Physiologie* fait de « l'unité de
composition » le principe de la production littéraire, autant, et
sinon plus, que celui de la création, je ferai appel, pour
conclure, à l'étude sociocritique que M. Van Schendel a
consacrée à la composition de *La Femme de trente ans*. Celui-ci
met en rapport l'unité recherchée dans ce roman par le collage

de fragments avec les stratégies éditoriales auxquelles doit faire
face Balzac dans une période où se met en place l'institution
littéraire.

Rappelons les principaux points du développement
de M. Van Schendel[20]. Il part de la double acception, juridico-
politique et rhétorique, du terme « composer ». La composition apparaît alors comme « négociation » de temporalités et
de formes disparates. Il s'agit de négocier selon *et* avec deux
stratégies discursives distinctes : une « stratégie du temps long
qui règle les effets de discours hypostasiés dans la littérature »
(p. 198), temps lié à des productions idéologiques plus ou
moins stables (mariage, mort, etc.) et qui correspond, sur le
versant littéraire, aux « formes fixes de l'emblématique, du
légendaire, du sentenciel allégorique, du monument » (p. 209) ;
une « stratégie du temps court, conjoncturel, qui commande les
décisions économiques et politiques de la négociation sur
l'écriture » (p. 198). Dans ce temps du rapport de forces
intervient un refus « de la forme fixe : y répond littérairement
une narrativité brève, rebondissante, rompue » (p. 209).
L'écriture balzacienne, qui concilie les anciennes formes, crée
une tactique de la négociation où s'articule la quête d'une
nouvelle unité. Mais cette remise en jeu des anciennes formes
entraîne aussi la constitution d'un « intertexte qui les détruit »
(p. 200). À travers l'étude du collage des divers fragments de *La
Femme de trente ans,* achevé dans l'édition définitive de 1844,
l'auteur montre comment se déploie ce qu'il nomme « l'espace
du roman de la représentation généralisante » (p. 195).

Ce nouvel espace littéraire, le scripteur de la *Physiologie* en
délimite les contours en composant un « texte contre » pour
lequel il compose « avec le discours pour », selon une écriture
paradoxale et divergente qui procède par élimination des
possibles narratifs. Dans ce traité où le temps long est celui du
mariage et de la propriété, le jeune célibataire, agent (double)
institutionnel, quoique sanctionnant d'une part un ensemble
d'aphorismes pratiques et d'énoncés sentenciels, s'emploie à en
annuler la portée ; au demeurant, il produit une véritable
insubordination des formes fictionnelles, peu à peu délestées de
leur statut d'*exemplum*. En se livrant à une flagrante infraction
à l'engagement contracté (et drolatique : montrer à un mari
comment éviter le cocuage), et en promouvant des relations
conflictuelles avec son narrataire-destinataire (et dédicataire dans
l'édition Furne), l'« analyste » des logiques de la désunion

renvoie la productivité textuelle au **rien**. C'est là un geste de défi envers un lectorat qui, bien que reconquis, a trahi ; geste, soulignons-le, bien plus significatif dans les années 1842-1846, où se renforce l'institution littéraire que dans les années d'apprentissage de 1824-1829. Car couronner *La Comédie humaine* par le rire de Sterne et de Rabelais, ces deux grandes références de l'« anti-roman » romantique, c'était aussi tirer les *Œuvres complètes* du côté du « récit excentrique », de l'anti-représentation [21]. J. Neefs propose ici même une lecture positive du programme analytique annoncé dans l'Avant-propos et y voit l'annonce d'une véritable « pulvérisation du narratif ». Qu'ils s'intitulent « monographie », « pathologie » ou « anatomie », les volumes à venir reflètent, comme le dit B. Leuilliot, « le progrès dialectique d'une œuvre qui procède toujours par voie d'écarts »[22], œuvre de principe digressif et agonistique qui ne cesse d'inventer de nouvelle formes de négation de l'Idéologie.

En conclusion, je citerai cette réflexion que nous livre le physiologiste scandalisé par le statut que la société réserve à la femme qui trahit pour un être qui ne le mérite guère, ce philosophe du boudoir et homme supérieur à qui le traité est dédié :

> Mais si l'on vient à songer que l'objet de ces sacrifices est un de nos frères, un gentilhomme auquel nous ne confierions pas notre fortune, si nous en avons une, un homme qui boutonne sa redingote comme nous tous, il y a de quoi faire pousser un rire qui, parti du Luxembourg, passerait sur tout Paris et irait troubler un âne paissant à Montmartre. (p. 1174)

Notes

1. Dans la célèbre lettre à Mme Hanska du 26 octobre 1834, Balzac expose la conception tripartite de son œuvre. La progression, qui place les *Études analytiques* au sommet, se formule en termes philosophiques : après les effets et les causes, écrit Balzac, « doivent se rechercher les *principes* », dans *Lettres à Madame Hanska*, éd. R. Pierrot, « Bouquins », Laffont, 2 vol., t. I, p. 204.

2. Avant-propos de *La Comédie humaine*, « Bibliothèque de la Pléiade », Gallimard, t. I, 1976, p. 15. Les références à la *Physiologie* se rapportent au tome XI de cette édition et sont indiquées après chaque citation.

3. J.-P. Richard, *Études sur le romantisme,* Seuil, 1970, p. 111.

4. Voir l'étude de L. Frappier-Mazur, « Parodie, imitation et circularité : les épigraphes dans les romans de Balzac », dans *Le Roman de Balzac*, études réunies par R. Le Huenen et P. Perron, Didier, 1980, p. 86.

5. Michèle Le Doeuff, *L'Imaginaire philosophique*, Payot, 1980, p. 219, note 81. Cf. cette formule de Condillac citée par Max Andréoli : « En un mot, *analyser*, c'est *décomposer* dans un ordre qui montre les principes et la génération de la chose » (*Le Système balzacien*, Université de Lille III, 1984, p. 75). On consultera cet ouvrage pour tout ce qui concerne les rapports entre analyse et synthèse chez Balzac (chap. I : « Les schèmes organisateurs »).

6. M. Le Doeuff, p. 221. Étudiant la mutation qui s'est produite au niveau des compétences dans le champ de la connaissance, Le Doeuff fait référence à Diderot : « Le philosophe "spécialiste des généralités" reconnaît qu'il "n'a rien " et que son seul pouvoir est de mettre en communication les uns avec les autres des savoirs locaux. Ce retrait de la philosophie hors du lieu d'une compétence générale est lié à la reconnaissance d'un fait, à une épreuve de réalité assez peu agréable, que Diderot décrit dans *L'Interprétation de la nature* : on construit, à force de tête, un édifice, un palais d'idées systématisantes, et puis vient une découverte ponctuelle, "morceau fatal à cette architecture ", et tout croule. Retrait du lieu du général, du "système du monde" donc, parce que ce lieu est inhabitable. Mais la conséquence de cet abandon, par la philosophie, du palais dans les nuées, c'est que la place en est laissée vacante » (*op. cit.*, p. 220).

7. *La Comédie humaine*, Pl. XII, 1981, p. 303.

8. Nicole Mozet, « La femme-auteur comme symptôme », dans *Balzac au pluriel*, « écrivains », PUF, 1990, p. 165-180.

9. Voir « Ironie et fiction dans l'œuvre de Balzac », dans *Balzac : l'invention du roman*, Belfond, 1982, p. 170.

10. Nicole Mozet, « La mission du romancier (ou la place du modèle archéologique dans la formation de l'écriture balzacienne) », *L'Année balzacienne 1985*, p. 216.

11. J.-P. Richard, *op. cit.*, p. 102.

12. André Vanoncini, « La disparition des espaces urbains dans *La Comédie humaine* », dans *Paris et le phénomène des capitales littéraires*. Actes du Congrès international organisé à l'Université Paris IV du 22 au 26 mai 1984. Presses de l'Université de Paris-Sorbonne, 1986, p. 132.

13. *Op. cit.*, p. 102.

14. Voir ses deux articles « Le cousin parasite : Balzac, Serres et le démon de Maxwell », *Stanford French Review*, IX, automne 1985 ; et « De la force vitale au système organisateur : *La Muse du département* et l'esthétique balzacienne », *Romantisme* n° 55, 1987-1.

15. Jean Paris, *Balzac*, coll. « Phares », Balland, 1986, p. 254.

16. J.-C. Fizaine, « Ironie et fiction... », p. 177.

17. *La Physiologie préoriginale*, éd. Maurice Bardèche, Plon, 1940, p. 81.

18. B. Leuilliot, « Œuvres complètes, Œuvres diverses » dans *Balzac, l'invention du roman*. Belfond, 1982, p. 269.

19. *Ibid.*, p. 257.

20. Voir M. Van Schendel, « Analyse d'une composition » dans *Le Roman de Balzac,* p. 195-211. Je donnerai les références directement après chaque citation.

21. Voir à ce sujet l'ouvrage de D. Sangsue, *Le Récit excentrique,* José Corti, 1987.

22. « Œuvres complètes... », p. 278.

Séduite et épousée :
les stéréotypes de la lecture dans *Modeste Mignon*

Joëlle Mertès—Gleize

La thématisation de la lecture et du livre, on l'a souvent remarqué, se fait particulièrement insistante, autour de 1840, dans ce qui devient *La Comédie humaine*. Je prendrai pour hypothèse de travail que ce *moment* de *La Comédie humaine* est celui où le roman balzacien montre une sorte d'acharnement à représenter les conditions de la production et de la réception de l'œuvre littéraire et, par suite, celui où il est le plus près de se représenter lui-même en tant que texte narratif, en tant que livre.

Plusieurs romans ont un écrivain pour personnage principal : Camille Maupin, Lucien de Rubempré, Dinah de la Baudraye, Canalis, Albert Savarus. À plusieurs reprises également, sont prêtées aux personnages, féminins de préférence, des lectures qui décident de leur avenir, sortes de rencontres avec leur destin sous la forme d'un livre. On assiste donc, dans les romans de ces années-là, entre 1839 et 1844, à la mise en fiction des processus de fabrication, édition et diffusion du livre, comme de sa réception. C'est en tant que roman de la lecture et de la lectrice que je m'intéresserai à *Modeste Mignon*, et parce qu'on peut y voir à l'œuvre à la fois la représentation de la réception du texte littéraire et des procédures d'évitement de l'autoreprésentation.

Roman curieux : roman heureux, et par là même différent, voire suspect. Texte écrit en hommage, et dans un bonheur d'écriture marqué, texte dédicacé « à une Polonaise », roman utopique qui se dénoue dans l'euphorie conjugale. « Le poème du souvenir, de l'amour immortel et de la fidélité » pour M. Regard, « le conte de fées de *La Comédie humaine* » pour Nicole Mozet.

Or ce roman, euphorique dans son écriture autant que dans son dénouement, continue[1] cependant le travail de dévoilement des mécanismes sociaux entrepris par *La Comédie humaine* – dévoilement des effets de l'économique sur le domestique, puisque, avec le retour du père, c'est le réalisme commercial qui permet l'accomplissement des rêves d'héritière de Modeste[2] – mais surtout dévoilement des mécanismes de la production littéraire, car c'est dans ce domaine que s'exerce de façon privilégiée la vertu critique du roman.

Cette histoire d'amour entre une lectrice provinciale et un prétendu poète parisien s'attache, au moins autant qu'à représenter les relations auteur-lecteur, à mettre en récit, et pour le mettre en pièces, un discours stéréotypé sur la littérature. Ce sont en effet les mêmes lieux communs qui sous-tendent l'histoire, se monnaient en clichés[3] dans les discours et sont déconstruits par démonstration narrative ou discursive de leur inanité.

Un même *topos* fournit l'argument de *Modeste Mignon* comme celui d'autres romans de ces années 40, celui du *livre corrupteur* qui, plus qu'un simple lieu commun, est une matrice de récits possibles, un scénario imaginaire stéréotypé[4]. Il occupe une place centrale dans l'avant-scène du *Curé de village*, puisque c'est la lecture d'un seul livre, *Paul et Virginie*, qui initie à l'amour la jeune et ignorante Véronique. Lui inculquant le culte de l'idéal, « cette fatale religion humaine », le livre exerce sur son avenir « une horrible influence ». Lieu commun certes, que celui de la lectrice pervertie, jeune fille entraînée dans les mirages de la passion par une première lecture ; mais infléchi de façon à mettre l'accent sur l'interaction livre–lecteur, puisque c'est un livre réputé innocent (au dire même de Balzac), qui produit les effets les plus pernicieux. Ce *topos* se retrouve au centre de l'intrigue d'*Albert Savarus*, où il est également travaillé de façon à mettre l'accent sur l'acte de lecture ; la passion de Rosalie naît des fantasmes qu'elle élabore autour du personnage principal d'une nouvelle autobiographique : *Ambitieux par amour.*

Dans *Modeste Mignon*, il arrive au narrateur de formuler le *topos* de façon très directe et comme une évidence qui surgit au détour d'une comparaison : « Quand il a des filles, un père de famille ne doit pas plus laisser introduire un jeune homme chez lui sans le connaître, que laisser traîner des livres ou des journaux sans les avoir lus. » (Pl. I, p. 492)[5] ; ou encore : « [...] cette jeune fille [..] devait se loger dans le cœur et y causer les mille dégâts des romans qui entrent dans une existence bourgeoise, comme un loup dans une basse-cour » (p. 540). Le recours à la comparaison est recours à un discours social, partagé par tous, lecteurs et narrateur. Le cliché, ici rassure, vraisemblabilise et renforce la lisibilité.

Les personnages montrent davantage de distance : et d'abord Modeste, pour répliquer à son père qui se plaint : « Mon Dieu, quel mal nous font les romans !... — On ne les écrirait pas, mon cher père, nous les ferions, il vaut mieux les lire... » (p. 603) ; et Mme Latournelle elle-même retourne le *topos* de manière semblable (p. 497). Cependant, contrairement à ce qu'elle prétend, Modeste ne s'est pas contentée de lire, elle a *fait* un roman : elle l'a conçu, sur le modèle d'une biographie d'homme de génie où elle joue le rôle de la compagne, puis elle l'a écrit et réalisé dans sa correspondance avec le supposé Canalis.

Mais le scénario stéréotypé du roman corrupteur n'est pas mené à son terme : « [...] la tête seule avait été corrompue, et par ses lectures, et par la longue agonie de sa sœur, et par les dangereuses méditations de la solitude » (p. 525). Son éducation libre et sa solide culture européenne font de Modeste un personnage plus proche des femmes écrivains de *La Comédie humaine*, Camille Maupin ou Dinah de la Baudraye que des jeunes filles au destin bouleversé par un livre comme Rosalie de Watteville ou Véronique. Elle est une lectrice avertie, plus que pervertie, consciente de la délicatesse de sa position, prise entre deux personnages reçus, celui d'une « petite fille qui cultive le parterre enchanté des illusions » (p. 537) et celui du bas-bleu[6]. Ce que sa mère appelle son « innocence instruite » modifie de façon décisive le scénario du *topos*. Non que ses lectures nombreuses la protègent de la passion ; ce retournement simple du lieu

commun, à l'œuvre dans le début de *Béatrix*, n'apparaît pas ici.
Modeste, quoique savante, a gardé des illusions, en particulier
sur le génie et la poésie et peut donc être jetée dans une aventure
romanesque. Elle subit l'épreuve du heurt brutal avec la réalité,
du désenchantement. Et c'est seulement alors qu'est bousculé le
topos : ses lectures et le roman qu'elle en a tiré ne la perdent pas ;
elle accepte la réalité et surmonte sa déception. La fin heureuse
est tout à la fois *happy end* conventionnelle[7] (puisque Modeste
trouve le bonheur conjugal par la médiation des livres), et non
conforme au dénouement attendu du scénario de la lectrice pervertie par ses lectures.

Le Poète « dépoétisé »

Le développement du *topos* du livre corrupteur est en
outre nécessaire à la déconstruction d'un autre lieu commun,
plus important : il faut que la lectrice se laisse prendre aux illusions que les livres lui ont fait concevoir pour que puisse être
déconstruit le *topos* du Poète, ou plutôt l'ensemble de *topoï*
dont la combinaison construit une image stéréotypée du Poète.

Très significativement, le poète est d'abord une image, et
une image publique, un portrait lithographié qui accumule les
traits convenus : la pose « byronienne », les cheveux « en coup
de vent », (comme Lamartine ou Chateaubriand) et le « front
démesuré que tout barde doit avoir » (comme Hugo bien sûr).
Dans cette image « sublime par nécessité mercantile », le poète
n'est pas un être singulier mais une figure de la poésie. Ce dont
s'éprend la lectrice, c'est de cette condensation de traits poétiques, de cette sublimité affichée, redoublée et que le texte
dénonce en même temps qu'il la présente.

L'image se précise plus loin, dans la lettre de l'éditeur de
Canalis, d'un autre prédicat définitionnel obligé : « poète
crotté, flânant sur les quais, triste, rêveur, succombant au travail et remontant dans sa mansarde, chargé de poésie » (p. 512).
Le Poète est celui qui vit en marge de la société, dans et de ses
rêves[8]. Cette représentation stéréotypée est celle que l'éditeur
Dauriat prête à Modeste, et à juste titre ; mais c'est également
celle de l'honnête mais peu cultivé Dumay, qui voit le poète
comme « un drôle sans conséquence, un farceur à refrains, logé
dans une mansarde, vêtu de drap noir blanchi sur toutes ses
coutures [etc.] » (p. 590). Avec cette variante dépréciative du
poète en mansarde se marque l'extension du lieu commun,

partagé par des publics très diversifiés. Le *topos* est ainsi mis à distance ironique : le narrateur le montre à l'œuvre dans les attentes de Dumay se rendant chez Canalis et Dauriat le présuppose chez la lectrice de province qu'est Modeste.

Pour détruire ce poncif, tout est mis en œuvre, les portraits de Canalis tracés par Dauriat, par le narrateur, par La Brière et par Canalis lui-même ; mais aussi les comportements du poète, et le déroulement de l'intrigue. Poète administrateur, pensionné, ambitieux, Canalis est un être social et avide de le rester. Attaché à la Restauration (et à la duchesse de Chaulieu), il en est le produit, et le révélateur caricatural.

Dans l'ensemble de *topoï* décrivant le Poète, deux qualifications ont un statut particulier : sa nature différente et supérieure et ses souffrances de créateur. En tant qu'artiste, « homme supérieur à la foule des hommes » (p. 509), le Poète est le Génie. Cette supériorité s'exprime par une métaphore récurrente dans le discours de Modeste : « les grands sommets de l'Humanité » (p. 510), ou encore « ces pics alpestres, nommés hommes de génie, l'orgueil de l'humanité qu'ils fécondent en y versant les nuages puisés avec leurs têtes dans les cieux » (p. 543). Outre l'enflure de la métaphore, c'est le roman dans son entier qui tourne en dérision le cliché et démasque l'illusoire supériorité du poète, donnant raison aux propos sacrilèges de Canalis lui-même : « Le Dieu peut avoir la pituite ! » (p. 520). De plus, la métaphore du sommet donne des arguments aux discours qui vont à contre-cliché : brillante à distance, la gloire est froide, vue de près ; argument qu'emploient aussi bien le narrateur que La Brière (p. 656 et p. 524).

La figure du génie, dont la supériorité toute intérieure, contraste avec la vie austère, se complète d'une autre qualification, l'auréole du martyr. « Esclaves de leur idée », « martyrs de leurs facultés », les poètes se sacrifient à leur œuvre qui « les tue à son profit ». À ces représentations qu'il attribue à la lectrice, le narrateur oppose sa propre analyse des poèmes de Canalis, dont il dénonce la légèreté et l'agréable insignifiance ; analyse confirmée par le cynisme du poète lui-même répondant à un étonnement naïf de Dumay : « Eh ! si nous éprouvions les misères où les joies que nous chantons, nous serions usés en quelques mois, comme de vieilles bottes !... » (p. 594).

Cependant, s'il est vrai que, dans l'univers fictif, la personne de Canalis constitue une vivante contradiction à la

supériorité quasi divine et au martyr dont Modeste pare le
génie, ces deux qualifications ne sont pas dénoncées par le texte
au même titre que le front du poète ou sa mansarde[9]. Aussi
bien apparaissent-elles non comme clichés mais plutôt comme
fragments d'un mythe, au sens que lui confère Claude
Abastado[10] et qui tient à la fois de l'idéologie et du fantasme
collectif. La figure mythique invoquée par Modeste, figure
sacrée par son isolement, par son labeur, par ses souffrances,
constitue une variante du mythe du poète tel qu'il se formule
avant que ne fusionnent, autour de 1830, les romantismes
conservateur et libéral. Variante laïque en ce que l'inspiration
poétique n'est jamais donnée pour divine. Mais figure
résolument solitaire, sans la mission salvatrice qui sera celle du
Poète Penseur, selon la formule de Paul Bénichou pour
désigner le poète hugolien[11]. La mise en fiction des traits
stéréotypés caractérisant le poète aboutit ainsi à une analyse
critique du mythe du Poète. Le portrait du poète en jongleur
mondain, en charlatan, portrait qui, plus tard, chez Gautier ou
Baudelaire, ironisera sur la condition humaine, dit ici
l'essoufflement du mythe du Poète « romantique » à la veille de
1830, déjà, et plus encore en 1844[12].

Il est enfin une autre composante du mythe du génie créateur dénoncée par ce roman (et d'autres, tel *Illusions perdues*) :
celui de la nature spirituelle de l'œuvre d'art. La procédure de
dénonciation ne change pas, et la « dépoétisation» des poèmes
de Canalis accompagne celle du poète. À la conception idéalisée
de l'œuvre formulée par Modeste s'opposent les descriptions
critiques de La Brière et de Canalis lui-même. Les poèmes sont
«fleurs du travail» et non fruits de la seule inspiration ; ils se
fabriquent, comme les bijoux, dans d' «ignobles ateliers» et
l'odeur des cigares «dépoétise les manuscrits» (p. 523). La lectrice est ainsi rappelée à la réalité triviale du travail poétique au
quotidien. En outre l'effet de lecture de la poésie lyrique est lui
aussi décrit comme une réalité à découvrir sous les faux-sem-
blants. Le narrateur s'emploie, mais pour le seul narrataire cette
fois, à démonter l'effet de séduction de la poésie d'un Canalis
sur les jeunes filles. C'est parce que le poète leur tend un
miroir, et parle leur langage qu'il peut éveiller leur sympathie ;
les lectrices construisent alors une image de l'auteur en
harmonie avec ce langage ingénu et consolant. Le poète se voit
prêter « une âme rêveuse et tendre» parce que ses poèmes savent

« calmer les souffrances vagues » (p. 513). Un lien logique est ainsi tracé entre les *topoï* et ceux-ci apparaissent comme des effets de lecture. La lectrice se retrouve dans le poème et construit le poète à son image (celle du poème et la sienne). La construction d'une image fallacieuse du poète et le renforcement du mythe sont donc présentés comme des effets quasi inévitables de la lecture de ce type de poésie et non pas seulement comme des illusions liées à la personnalité de Canalis et à l'écart très accentué entre l'ingénuité tendre des poèmes et l'ambition égoïste de ce poète.

Le livre, œuvre d'art et marchandise

Entre écriture et lecture décrites comme effets à produire et produits, le livre peut difficilement être donné pour un lien purement spirituel entre deux êtres. Il est objet matériel, fait de pages dont la disposition n'est pas étrangère à l'effet de lecture : les grandes marges laissées par Dauriat dans la dernière édition des poèmes de Canalis accueillent les confidences de Modeste et semblent destinées à cela (p. 513). Objet concret, le livre est objet fabriqué, manufacturé : « sa fabrication suppose l'imprimerie, la papeterie, la fonderie, c'est-à-dire des milliers de bras en action » (p. 646). Encore une fois, la lectrice, pour qui l'épicier est l'antagoniste parfait de l'artiste, s'entend rappeler la dimension matérielle voire économique de la littérature. « L'art est le commerce par excellence, il le sous-entend. Un livre, aujourd'hui, fait empocher à son auteur quelque chose comme dix mille francs » (p. 646). Et ce démenti lui est infligé par Canalis lui-même, lancé dans une démonstration de l'utilité sociale des arts. Là encore, c'est le poète que Balzac charge de dépoétiser la poésie et de décevoir Modeste. Le processus de destruction des *topoï* idéalistes et romantiques sur le poète n'est autre que celui de la perte des illusions de la lectrice, ce que Balzac appelle, dans un titre supprimé en même temps que le découpage en chapitres, son « désenchantement ». *Modeste Mignon* fait écho à *Illusions perdues*, comme les illusions de la lectrice font écho aux illusions du poète, dans ces romans des deux pôles complémentaires de la production littéraire[13].

Le dévoilement des mécanismes de la librairie s'y opère de façon différente et convergente à la fois. Ainsi la description du livre comme marchandise, génératrice de tout l'épisode central de la trilogie d'*Illusions perdues* se retrouve dans notre roman, mais comme simple énoncé et porteur d'une signification sensiblement différente. La soumission de l'œuvre-marchandise aux lois du marché apparaît, dans *Illusions perdues*, comme un processus de dégradation, accompagné et redoublé par la dégradation morale du personnage auteur[14]. Il en est tout autrement ici ; non parce que le processus de réification est évalué positivement par le personnage qui le décrit, mais parce que la loi économique pesant sur l'œuvre d'art n'est pas mise en fiction, n'entraîne aucune blessure, aucune déchéance ; elle est pure constatation d'une réalité jusque-là inaperçue (par Modeste). À l'égal de la description du poème comme fleur du travail, la nature commerciale du livre contribue à la dénonciation du *topos* de la nature spirituelle de l'œuvre. Dans le contexte du roman d'apprentissage de Modeste, elle participe du processus de dévoilement du réel qui provoque la désillusion : elle est *gain de savoir*.

Pour cette raison, et malgré son attribution à un personnage inauthentique, la caractérisation du livre comme marchandise n'est pas, dans *Modeste Mignon*, totalement négative. L'antagonisme entre valeur artistique et valeur marchande, si clairement formulé par Modeste, et qui occupe une position centrale dans *Illusions perdues*, en particulier dans les discours du Cénacle et le personnage de d'Arthez, semble se brouiller dans ce roman de la lectrice désenchantée[15]. Dans *Illusions perdues* déjà, le roman historique de Lucien n'est sauvé du naufrage que lorsqu'il trouve une valeur marchande ; et il n'y parvient qu'au moment où la préface de d'Arthez, lui-même devenu écrivain reconnu, lui confère cette valeur[16]. Ce qui apparaît alors de façon subreptice, hors roman, dans l'au-delà de la diégèse et de l'effet de sens global, c'est la possibilité d'un monde où la loi économique ne serait pas aliénante. Et cela, *Modeste Mignon* le suggère bien plus nettement. Car cette conciliation implicite des valeurs artistiques et des valeurs marchandes s'intègre à un processus de problématisation de l'antagonisme stéréotypé entre le génie et la société.

Cette opposition génie / Société, qui fait l'objet d'un long débat dans le salon des Mignon, est présentée par la fiction comme un *topos* réducteur et très discutable, puisque Canalis, qui s'emploie à le défendre, en vient à soutenir des arguments qui se retournent contre lui. La rencontre de Modeste avec le grand chirurgien Desplein lui donne pour la première fois « des idées justes sur les hommes de génie. Elle entrevit d'énormes différences entre Canalis, homme secondaire, et Desplein, homme plus que supérieur. » (p. 640). C'est le narrateur qui procède à cette réévaluation de la hiérarchie des génies et c'est La Brière qui en énoncera les fondements : « Le génie doit être estimé, surtout, en raison de son utilité. » (p. 642). Or l'origine idéologique et sociale de cet argument est fort claire pour Modeste : « [...] cette opinion est bien capitaine au long cours, épicier, bonnet de coton ! [...] » L'extension de la notion de génie et la réhabilitation de l'utilité de l'art participent à la mise en question de l'image romantique du génie-poète mais aussi recoupent le discours « bourgeois » sur l'art. Dans la fiction, ce conflit idéologique qui oppose partisans et adversaires de l'utile tourne court ; tous en viennent à s'accorder sur ce que Canalis appelle « l'utilité sociale positive » de l'œuvre d'art et qui est sa valeur marchande. C'est dire que les oppositions trop tranchées sont caduques. Évoquer la matérialité du livre ne semble plus être, pour Balzac, à ce moment, invoquer de façon quasi conjuratoire le spectre du livre rebut, du livre redevenu papier. L'utilité comme le génie se retrouvent ainsi de part et d'autre de la barre qui séparait le livre de la marchandise ou le poète du bourgeois et la font trembler. Parmi les oppositions dénoncées comme impuissantes à rendre compte du réel figurent donc aussi des oppositions fondatrices de l'axiologie du roman balzacien. En outre, le fonctionnement du stéréotype apparaît sensiblement différent (par exemple de celui que montre *Eugénie Grandet*[17]) ; certes il continue à étayer la représentation en référant à un discours hors texte, mais la mise au premier plan de la dénonciation ironique de ce discours confère à *Modeste Mignon* une place singulière.

Le roman dans le métadiscours

À lire *Modeste Mignon* comme le roman de la séduction par le livre, où sont longuement narrativisés les effets de la lecture poétique et ses relais idéologiques, mythes, *topoï* et clichés, une constatation étonne : les romans et le discours sur le roman en sont presque absents. Et presque absents d'abord des lectures faites ou supposées telles par les personnages. Certes Modeste a lu les romans importants des littératures anglaise, allemande et française : Walter Scott, *Werther*, *Le Dernier Jour d'un condamné* sont mentionnés. On sait également qu'une Mme Latournelle, la notairesse, leur préfère Ducray-Duminil.

Quelques noms d'auteur, quelques titres attestent donc de la présence du genre dans l'univers diégétique. Mais il est significatif qu'au moment de jeter son dévolu sur une gloire littéraire, entre Canalis et d'Arthez, mis en concurrence par l'actualité, Modeste choisisse le poète. Le prosateur est tenu à l'écart de l'adulation comme de la désillusion.

De même, dans l'hypertexte explicitement désigné comme tel par le roman, le genre romanesque n'est guère représenté. Par une allusion au *Nain noir* de W. Scott (Modeste lui emprunte le surnom de « nain mystérieux » qu'elle donne à Butscha), Balzac affiche les relations de son texte avec celui de Scott : un personnage, le nain, mais aussi une donnée narrative puisque dans le roman anglais, le nain sauve la jeune fille d'un mariage imposé. Cependant une référence est plus insistante encore, celle qui convoque une pièce de théâtre, le *Torquato Tasso* de Goethe, que renforcent les références au personnage du Tasse, et dont on ne peut savoir s'il s'agit de celui de Goethe ou du personnage historique et mythique[18]. Et cette insistance est tardive mais systématique dans la rédaction du roman, puisque trois des références sont ajoutées sur épreuve. Il est d'ailleurs possible que cette relation hypertextuelle soit un effet de relecture, souligné après-coup sur épreuve par Balzac pour faire jouer son texte avec et contre celui de Goethe. Car *Torquato Tasso* met en scène la figure mythique du génie auquel sont dus les honneurs et les cœurs, du poète qui peut exprimer dans ses chants le monde et ses passions. Au Tasse dont apparaissent vite les faiblesses, la mobilité d'humeur et qui revendique sa radicale différence en travaillant à son propre bannissement, Goethe oppose un personnage de courtisan et d'homme d'action qui sera à l'origine de l'exil du poète. Modeste conseille malicieusement à Canalis de relire *Torquato Tasso* en le remerciant de lui avoir joué cette pièce pour elle seule, après avoir vu le poète querellé par la duchesse et assisté à la déchéance morale de celui qui était apparu auréolé de gloire dans son salon provincial. Couronné de lauriers dans la première scène, le Tasse s'exile au dénouement. Reste une différence essentielle. Le personnage de Canalis opère une sorte de condensation entre les figures antagonistes du poète et du courtisan ; il sait reconquérir les faveurs de la duchesse et assurer ainsi sa position politique[19]. Quand Balzac écrit à Mme Hanska, en juillet 1844, à propos de la troisième partie de son roman : « Selon moi, c'est la comédie du *Tasse* de Goethe, ramenée à la vérité pure »[20], il indique clairement l'effet cherché. Il s'agit de convoquer le texte autre pour faire éclater la valeur de vérité, sociologique et morale, du sien. Le poète est compromis dans son siècle et son sacre ne peut être que parodique. Ce faisant, Balzac reproduit d'ailleurs le geste par lequel, en 1843, dans *La Muse du département*, il faisait d'*Adolphe* la lecture de chevet de son héroïne et soulignait l'écart esthétique entre les deux dénouements ainsi rapprochés : celui, dramatique, du roman de Constant, et celui, « horrible mais vrai » de *La Muse du département*[21].

Le genre romanesque est également tenu à l'écart des oppositions axiologiques qui fondent le système des personnages et orientent leur discours comme celui du narrateur. L'opposition la plus évidente se fait entre *poésie et prose*. Elle s'énonce explicitement dans le discours du narrateur, qui, après avoir dénoncé la « poésie vide et sonore » de Canalis, le montre craignant de « se compromettre avec la prose française, dont les exigences sont cruelles à ceux qui contractent l'habitude de prendre quatre alexandrins pour exprimer une idée » (p. 517). Elle oppose, dans la diégèse, les deux rivaux, le vrai et le faux objet amoureux, l'auteur des poèmes et l'auteur des lettres, l'homme poétique et l'homme prosaïque. C'est La Brière lui-même qui décrit Modeste entre la Poésie et le Positif : « J'ai le malheur d'être le Positif. » (p. 621). Mais très vite, dès le portrait du poète et de son secrétaire, les termes de l'opposition s'inversent. De ce dernier et de ses semblables, on nous dit qu'ils « portent dans leurs actions, dans leur vie intime, la poésie que les écrivains expriment. Ils sont poètes par le cœur, par leurs méditations à l'écart, par la tendresse, comme d'autres sont poètes sur le papier » (p. 517). La véritable poésie n'est pas dans les poèmes, mais dans la prose de la correspondance, dans ce qui se présente d'abord comme la « pauvre Réalité » ou le « Positif ». Et l'on voit que ce premier couple antagoniste en rejoint un autre, plus englobant, qui oppose, par-delà la poésie et la correspondance, l'homme des poèmes et celui des lettres, *la littérature et la vie*. Alors que Charles Mignon d'abord, puis sa fille reconnaîtront en La Brière « l'homme de ses lettres », Canalis sera contraint de révéler qu'il n'est pas l'homme de ses poèmes. Dans l'antagonisme entre poésie imprimée et correspondance privée, entre littérature et vécu, l'hypocrisie, le mensonge sont du côté de la poésie et de la poésie « angélique ».

La correspondance, au contraire, qui s'établit pourtant entre des êtres qui se travestissent et jouent avec leur identité sociale, exprime leur personnalité véritable. L'opposition se prolonge dans les effets de lecture de l'une qui cherche à séduire et séduit en trompant, et l'autre qui séduit presque sans le vouloir. La lecture de la poésie est source de malentendu, celle de la correspondance, d'entente des âmes. Et cela précisément alors que (et parce que) le poème mime l'épanchement naïf et la lettre le travestissement.

Le texte opère donc la fusion des deux oppositions poésie/prose et littérature/vie : au mensonge littéraire et poétique s'oppose la vérité de la prose, de la vie, soit la poésie « vraie ». Ce qui apparaît au terme du processus de dévoilement de la figure du poète « poétique » n'est rien d'autre qu'un nouveau stéréotype, qui se trouve dans les propos de deux des amants de Modeste, le duc d'Hérouville et Butscha : « Nous avons dans nos rêves des poèmes plus beaux que l'*Iliade*. »[22] (p. 645). Mais la fiction ne démasque pas la vanité de ce stéréotype-là, sans doute parce qu' il laisse toute liberté pour un nouvel emploi des termes de poème et de poésie.

De ces glissements de part et d'autre de la barre adversative, le mot « roman » est exclu, hors-jeu. On le trouve cependant, mais dans des emplois qui ne permettent pas de lui attribuer une place claire dans ces oppositions. En effet, non seulement il ne désigne que rarement le genre littéraire[23], mais les valeurs sémantiques qui lui sont attachées le tirent à la fois du côté de l'illusion ou du mensonge et du côté du vécu, de la vie. Dans l'emploi qu'en font narrateur et personnages, « roman » signifie, comme c'est souvent le cas dans cette première moitié du siècle, une rêverie romanesque, une affabulation[24]. Ainsi, l'activité imaginaire de Modeste se faisant actrice « dans une vie arrangée comme dans un rêve » et s'identifiant à l'héroïne, relève du roman ou du conte, indifféremment. Du moins lorsque la rêverie est à la mesure de ses idéaux ; car une vision pessimiste de son avenir, elle, n'est pas « roman », c'est-à-dire romanesque, mais « vie réelle », c'est-à-dire réaliste. Après s'être faite « héroïne d'un roman noir », « [la]ssée d'horreurs, elle revenait à la *vie réelle*. Elle se mariait avec un notaire, elle mangeait le pain bis d'une vie honnête, elle se voyait en Mme Latournelle. [...] puis, elle recommençait *les romans* : elle était aimée pour sa beauté ; un fils de pair de France [...] »[25] (p. 506). Illusion ou rêve,

« roman », dans cette acception, équivaut à « poésie », et les deux substantifs apparaissent dans les mêmes contextes. Pour métaphoriser les rêveries de Modeste, et à quelques lignes de distance, on trouve aussi bien « joli roman » que « le poème de sa vie idéale » (p. 509).

Par ailleurs, comme Modeste s'emploie à inscrire dans la réalité le roman ou le poème qu'elle a projeté, et où elle figure la compagne d'un homme supérieur, « roman » en vient à désigner parfois la correspondance qu'échangent la lectrice et son poète et qui est tout à la fois le moyen et le lieu d'effectuation de ce fantasme. De fait, la réalité vécue par Modeste ne diffère guère du roman qu'elle a imaginé :

> [...] un fils de pair de France, jeune homme excentrique, artiste, devinait son cœur et reconnaissait l'étoile que le génie des Staël avait mise à son front. Enfin, son père revenait riche à millions. Autorisée par son expérience, elle soumettait ses amants à des épreuves, où elle gardait son indépendance, elle possédait un magnifique château, des gens, des voitures, tout ce que le luxe a de plus curieux, et elle mystifiait ses prétendus jusqu'à ce qu'elle eût quarante ans, âge auquel elle prenait un parti. Cette édition des *Mille et une Nuits*, tirée à un exemplaire, dura près d'une année [...] (p. 506).

La plus grande partie de la diégèse ne fait rien d'autre que réaliser, à quelques détails près, ce programme de Modeste.

Parmi les romans qu'élabore la jeune fille, ce n'est donc pas le plus vraisemblable mais bien le plus romanesque qui constitue une sorte de résumé prospectif du roman support. On pourrait trouver là argument pour la lecture de ce roman comme conte de fées si le dénouement ne constituait pas aussi le plus plat et le plus prosaïque des dénouements possibles : le mariage :

> Quel dénouement prosaïque allez-vous chercher aux fantaisies enchanteresses de votre jeune enthousiasme ? [...] supposez que je réussisse auprès de vous, nous finissons de la façon la plus vulgaire : un mariage, un ménage, des enfants... (p. 542).

Dans la réalité fictive de *Modeste Mignon*, peuvent venir s'inscrire aussi bien le prosaïque que le romanesque, dont les qualifications respectives s'échangent et se brouillent.

Une utopie du roman

Ces emplois du mot « roman » sont la contrepartie d'un
fait déjà souvent observé par la critique balzacienne : le mot
« roman » n'est pas utilisé pour désigner le texte que nous
lisons. Ainsi plusieurs titres sont mentionnés dans les parenthèses d'une longue intervention métaromanesque justifiant
une peinture impartiale de la noblesse et du clergé. À cette
occasion, *La Comédie humaine,* en tant que « longue histoire
des mœurs » (p. 615) est dite relever des règles propres à la
recherche historique et non de règles d'ordre esthétique. Au
demeurant, la réévaluation critique de la notion de poésie
opérée par le roman montre celle-ci à l'œuvre partout ailleurs
que dans la poésie écrite. On sait que le texte balzacien est riche
en métaphores littéraires, qui opèrent sur le monde un déchiffrement en termes esthétiques[26]. Les deux amants épistolaires
parlent du « drame » ou du « livre » qu'ils ont commencé. « La
rose de son poème » métaphorise le récit que Modeste fait de
ses amours à sa mère. La vie de Charles Mignon est qualifiée par
sa fille de « poésie la plus inutile de ce siècle » (p. 643), pour sa
participation à l'épopée napoléonienne. Bref, la poésie, qui
règne aussi sur le cœur d'un personnage très romanesque
comme Butscha, est partout et l'extension de la métaphore est
d'autant plus remarquable que le poète et sa poésie en semblent
les principaux, sinon les seuls, exclus. De même que le genre
dont relève l'œuvre non écrite de Modeste est incertain, tantôt
roman, tantôt drame ou poème, de même le genre du texte que
nous lisons reste non identifiable. Car il s'agit d'échapper aux
genres existants.
Ce genre « autre » que Balzac s'est employé à inventer
s'impose précisément parce qu'il est absenté de la représentation[27]. L'essentiel du discours métaromanesque peut se lire en
creux, dans l'espace vide laissé par les discours critiques portant
sur ce que n'est pas ce texte que nous lisons. Texte intégrant et
rémunérant le défaut de tous les autres, roman par lettres,
comédie, poèmes, il fait fusionner prose et poésie bien autrement que les quelques auteurs considérés comme les seuls à
avoir pu « réunir la double gloire de prosateur et de poète »
(p. 517). Il ne juxtapose pas œuvres poétiques et œuvres en

prose, il fond dans la prose des contenus « poétiques » en ce qu'ils couvrent toutes les formes du réel, y compris les plus romanesques, les plus « fantaisistes ». Car « la nature sociale, qui est une nature dans la nature » peut se donner « le plaisir de faire l'histoire plus intéressante que le roman, de même que les torrents dessinent des fantaisies interdites aux peintres » (p. 480). La référence à l'histoire justifie la fantaisie, le conte peut donc être aussi une histoire de mœurs, et le roman utopique, du même geste, une utopie du roman.

Dans ce jeu de retournement systématique des couples oppositionnels établis, d'ébranlement des antagonismes trop clairs, il en est un qui prend une importance décisive pour la problématique du roman telle qu'elle se met en place dans ce milieu du siècle : celui de l'opposition entre lyrisme et impersonnalité. Car *Modeste Mignon* ne se contente pas de mettre en scène, par la découverte progressive de la véritable nature de Canalis, une parodie du sacre du poète ; il énonce une critique du lyrisme dans sa prétention à l'expression du moi comme dans les effets de lectures qu'il vise. Le désaccord complet entre les poèmes « câlins, naïfs, pleins de tendresse » et la personne du poète, « un égoïste ambitieux », fournit un exemple auquel le narrateur confère une valeur générale : « Il est extrêmement rare de trouver un accord entre le talent et le caractère. » (p. 518). À la quasi-impossibilité d'un lyrisme authentique et non menteur, s'ajoutent les effets de l'activité imaginaire du lecteur qui élabore une « idée de l'auteur » à partir de l'œuvre, cet auteur impliqué étant forcément différent de l'auteur réel.

La seule œuvre qui ne soit pas mensongère est donc celle où l'auteur se livre le moins : « Le vrai poète, dit La Brière, doit alors rester caché comme Dieu dans le centre de ses mondes, n'être visible que par ses créations... » (p. 520). On voit que ce « vrai poète » dessine une figure de l'auteur qui tient autant du modèle flaubertien que du modèle balzacien. Et la radicalité de cette critique du lyrisme est ici d'autant plus remarquable qu'elle se fonde sur l'analyse des conditions de possibilité de la production et de la réception de la poésie lyrique, et non sur les contenus de celle-ci ; analyse faite par le poète lui-même :

> Elles [les lectrices] ne se disent pas que le poète est un homme assez vaniteux, comme je suis taxé de l'être ; elles n'imaginent jamais ce qu'est un homme mal mené par une espèce

d'agitation fébrile qui le rend désagréable, changeant ; elles le veulent toujours grand, toujours beau ; jamais elles ne pensent que le talent est une maladie. (p. 520).

Cet auteur dont la personne doit être absente s'efface derrière le discours de ses personnages, comme dans un roman par lettres ou une comédie dramatique ; et cela peut expliquer la place prise ici par le modèle théâtral. Et, thématisant dans la fiction la nécessité de son absence, il prête à certains personnages cette caractérisation de l'instance auctoriale. Tels Modeste et La Brière, masqués derrière les personnages signataires-pseudonymes de leur correspondance. Tel Butscha lorsqu'il improvise un roman pour percer le secret des amours de Modeste : il se ferait aimer de loin, par la médiation de l'écrit, pour son âme. « Je resterai caché, comme une cause que les savants cherchent » (p. 571), comme Dieu.

Se trouve ainsi thématisé (mais non réalisé, puisque c'est bien l'auteur qui préside ici au déchiffrement du réel, aux jeux de renversement des stéréotypes) un des fondements de l'écriture dite « réaliste » ; en même temps qu'est narrativisé un enjeu essentiel, souvent masqué, dans les autres romans de Balzac, par la fonction de connaissance, la séduction du lecteur. Séduction paradoxale puisqu'elle ne peut être réelle que dans la mesure où l'auteur ne cherche pas à se peindre directement, dans la mesure où il s'absente ou se dit par détour. Et cette nécessité de l'effacement de l'auteur à la fois se formule ici de manière toute flaubertienne (Flaubert qui écrit précisément, dans ces années-là, une première *Éducation sentimentale* qui met en jeu la même problématique) et s'en écarte par la visée de cet effacement. Car l'auteur ne s'efface que pour mieux plaire ou plutôt pour ne pas plaire illusoirement. Présent dans l'absence même, il *adresse* son livre, cet « appareil à séduire » à son lecteur, à sa lectrice, et ce faisant, il *s'adresse* à lui, à elle, dans une sorte de « parade de l'auteur ». *Modeste Mignon* peut aussi se lire comme la mise en fiction de la « féminité » de toute lecture[28].

Notes

1. Si on prend en compte la place attribuée à *Modeste Mignon* dans l'édition Furne de *La Comédie Humaine*, on peut considérer qu'il contribue à amorcer ce travail critique.

2. Dans *La Ville de province dans l'œuvre de Balzac* (SEDES/CDU, 1982), Nicole Mozet décrit le caractère cosmopolite de l'aventure économique de Charles Mignon, dans un roman où la différence provinciale tend à s'évanouir (p. 264-270).

3. À la suite de Ruth Amossy et Elisheva Rosen, *Les Discours du cliché*, (SEDES/CDU, 1982) et d'Anne Herschberg-Pierrot, « Problématiques du cliché », *Poétique* n° 43, sept. 1980, je réserve le terme de *cliché* à « une figure de style lexicalisée et ressentie comme usée » (R. Amossy et E. Rosen). J'emploierai indifféremment *topos* ou *lieu commun* pour désigner des configurations de contenus stéréotypés, au plan de l'*inventio* (et non de l'*elocutio*).

4. Pour une approche plus générale, je me permets de renvoyer à mon « Lectures romanesques », *Romantisme* n° 47, 1985.

5. Je me réfère à l'édition de la « Bibliothèque de la Pléiade », t. I, 1976, établie, pour *Modeste Mignon,* par Maurice Regard. Désormais les références des citations seront données, entre parenthèses, dans cette édition.

6. « [...] je n'ai point de *petits vers* en porte-feuille et mes bas sont et resteront d'une extrême blancheur. » (p. 536).

7. Relativement à *Une fille d'Ève*, par exemple, où la passion conçue par Marie de Vandenesse pour le génie de Nathan la pousse à une tentative de suicide.

8. Ce portrait pourrait être celui de Raphaël de Valentin ou la version caricaturale de celui de Daniel d'Arthez. Balzac semble ainsi mettre à distance ses propres constructions mythiques.

9. L'argument des souffrances du poète victime de son œuvre se présente comme une réfutation de ce que Modeste considère comme un cliché : le poète égoïste (p. 550) La stéréotypie est sans dehors.

10. Dans *Mythes et rituels de l'écriture*, éd. Complexe, 1979 : « Les mythes sont des fragments d'idéologie particulièrement efficaces en raison de l'investissement affectif qu'ils impliquent, de la richesse de leurs représentations et de la cohérence de leur structure » (p. 23).

11. Dans *Le Sacre de l'écrivain*, José Corti, 1973.

12. Année de la publication en un seul volume de *Jérôme Paturot à la recherche d'une position sociale* de Louis Reybaud, roman satirique dont la première cible est le poète romantique, premier des rôles à la mode essayés par le héros devenu « poète chevelu ».

13. Sur cet aspect d'*Illusions perdues*, voir les articles de J. Neefs : « Nomination et représentation du roman », dans *Le Roman de Balzac*, Didier, Montréal, 1980 et de F. Van Rossum-Guyon, « La marque de l'auteur, l'exemple balzacien d'*Illusions perdues* », *Degrés* n° 49-50, printemps-été 1987.

14. L'opposition est totale entre la communion des deux poètes, David et Lucien, pendant la lecture des poèmes de Chénier, entre cette scène de lecture utopique et décrite comme telle, et les coulisses de la librairie telles qu'elles apparaissent à Lucien, dans l'univers parisien du livre-marchandise.

15 Les analyses de P.-M. de Biasi, « La collection Pons comme figure du problématique », dans *Balzac et les Parents pauvres,*

SEDES/CDU, 1981, et de F. Schuerewegen, « Muséum ou Croutéum », *Romantisme* n° 55, 1987, montrent, à propos du *Cousin Pons* un ébranlement comparable de l'opposition artiste/bourgeois.

16. « Plus tard, en 1824, quand la belle préface de d'Arthez, le mérite du livre et deux articles par Léon Giraud eurent rendu à cette œuvre sa valeur, Barbet vendit ses exemplaires un par un au prix de dix francs. » *Illusions perdues*, Pl. V, p. 542.

17. Fonctionnement analysé par R. Amossy et E. Rosen dans *Les Discours du cliché* , *op. cit.*

18. Je n'insisterai pas ici sur l'importance de Goethe dans ce roman européen, roman par lettres et dont les personnages s'appellent Mignon et Bettina. Les références au personnage du Tasse sont le fait de La Brière et du narrateur, p. 520, 528 et 657, mais c'est explicitement au texte de Goethe que Modeste compare le dernier épisode du roman, p. 705.

19. « Le dernier jour, *La Gazette de France* contenait l'annonce de la nomination de M. le baron de Canalis au grade de commandeur de la Légion d'honneur, et au poste de ministre à Carlsruhe. » (p. 713).

20. *Lettres à Madame Hanska*, «Bouquins », t. I, p. 884.

21. Voir le titre de la quatrième partie de l'édition Souverain : « Commentaires sur l'*Adolphe* de B. Constant » et celui du chapitre LIV : « Un dénouement horrible mais vrai », *La Muse du département*, Pl. IV, p. 774 et 788 (notes).

22. On trouve déjà, dans *La Peau de chagrin* de 1831, cette idée reçue (?) : «Chaque suicide est un poème sublime de mélancolie : où trouverez-vous, dans l'océan des littératures, un livre surnageant qui puisse lutter de génie avec ces trois lignes ? » « Hier à quatre heures, une jeune femme s'est jetée dans la Seine du haut du Pont des Arts », édition P. Barbéris, « Livre de poche», 1984, p. 28.

20. Excepté, par exemple, dans la formule figée : romans noirs.

24. On sait que l'œuvre de Stendhal pourrait aussi fournir des exemples de cet emploi.

25. C'est moi qui souligne.

26. Sur la taxinomie linguistique de Balzac et les variantes auquel est soumis le *topos* du *liber mundi*, voir M. Kanes, « Langage balza-cien: splendeurs et misères de la représentation », dans *Balzac, l'Invention du roman*, Belfond, 1982.

27. Dans *Illusions Perdues*, le roman balzacien décrit à travers l'œuvre de d'Arthez, peut apparaître comme moins riche de possibles.

28. Féminité que soulignait déjà Sartre dans *Situations II* et que commente ainsi C. Grivel : « *Un texte vient pour l'autre sexe* (ou bien : *à son autre sexe*). Du livre comme d'une sorte de parade de l'auteur, comme d'un appareil à séduire, saisir, amener à composition, concupiscence. [...] Fiction d'amour, amour mis dans toute fiction, comme l'ingrédient nécessaire de la fixation séductive : toute lecture, en ce sens, est « féminine », qui lit se rend à l'instigation « mâle » de son histoire.» Cf. « Monomanie de la lecture », *RSH* n° 177, 1980.

Acte III

Le texte dans tous ses éclats
ou la revanche du romanesque

Une insertion problématique : *Le Lys dans la vallée* et les *Scènes de la vie de campagne*

Raymond Mahieu

Une thèse semble prévaloir dans l'érudition balzacienne au sujet de la localisation du *Lys dans la vallée* dans le plan d'ensemble de *La Comédie humaine* : la normalité, voire l'évidence incontestable de l'appartenance de ce roman aux *Scènes de la vie de campagne*, telle que la prescrivait le « Furne corrigé »; et, corrélativement, la nature contingente de la décision qui a déterminé, aussi bien dans le Furne originel que dans des plans ultérieurs, comme celui de 1845, son rattachement aux *Scènes de la vie de province*. C'est ainsi que, dans l'édition de la « Bibliothèque de la Pléiade », la notice de J.-H. Donnard explique, de façon assez concise, qu'« à l'origine, Balzac voulait placer *Le Lys dans la vallée* en tête des *Scènes de la vie de campagne*, mais [que] l'inachèvement du *Député de province* le conduisit à faire passer *Le Lys dans la vallée* dans les *Scènes de la vie de province* »[1]. L'indication du « Furne corrigé » recommandant le retour aux *Scènes de la vie de campagne* apparaît dès lors comme toute naturelle, en ce qu'elle rétablit un ordre perturbé par des circonstances accidentelles. Plus étendues, les considérations de R. Pierrot (sur lesquelles s'appuie d'ailleurs J.-H. Donnard) se fondaient sur les mêmes principes – avec cependant, une insistance plus marquée, un peu comme s'il s'agissait de combattre une hérésie.

En l'occurrence, l'hérésie serait celle commise par les éditions Lévy et du Club de l'honnête homme, qui se conforment à la disposition du Furne originel. Dans les notes de son article sur « Les enseignements du "Furne corrigé" »[2], tout comme dans celles dont il a pourvu ses éditions de la *Correspondance* et des *Lettres à Madame Hanska,* R. Pierrot met régulièrement l'accent sur les raisons purement fortuites qui ont amené l'écrivain, en 1844 seulement (et cette date vaut d'être soulignée), à incorporer *Le Lys* aux *Scènes de la vie de province* : le tome VII de l'édition Furne, où figuraient déjà *La Vieille Fille* et *Le Cabinet des Antiques,* restant incomplet, et Balzac n'arrivant pas à rédiger *Les Ambitieux de province* qui auraient dû l'achever, il se décide, faute de mieux, à y introduire, en substitut provisoire, *Le Lys dans la vallée*. Déplacement contre nature, aux yeux de R. Pierrot, qui observe : « On remarquera que l'action du *Lys* se passe dans un château isolé à la campagne et non dans une petite ville de province, le classement de cette œuvre dans les *Scènes de la vie de campagne* est certainement plus logique. »[3] Dans cette perspective, les corrections apportées en 1847 au plan de 1845, où *Le Lys dans la vallée* venait en tête des *Scènes de la vie de province,* paraissent aller de soi. En écrivant sur une découpure du *Catalogue* de 1845 que « *Le Lys dans la vallée* sera reporté aux *Scènes de la vie de campagne* » tout comme en indiquant à deux reprises dans le « Furne corrigé » que le roman doit être « remplacé dans le groupe où il est actuellement situé »[4], Balzac rétablit une logique ébranlée par une disposition dont la signification (à supposer qu'elle en ait une) est d'autant plus réduite que sa durée d'application aura été brève : les trois ans d'exil du livre dans une série où il n'avait pas sa place n'ont rien qui soit de grande conséquence...

C'est une position tout autre qui sera défendue ici, et, nécessairement, dans une optique très différente de celle des commentateurs cités. À se placer sur le même terrain que ceux-ci, il serait en effet difficile d'alimenter une controverse. Sans doute peut-on relever dans la lettre du 26-28 février 1844 à Mme Hanska une phrase susceptible d'entamer un tant soit peu le monolithisme de la thèse traditionnelle : « Je me décide à finir le tome VII de *La Comédie hum[aine]* avec *Le Lys dans la vallée* qui, certes, peut passer pour une *Scène de la vie de province* » [5] ; mais l'honnêteté oblige à admettre que le ton de concession de ces lignes ne suggère pas une adhésion très enthousiaste à l'économie distributive pratiquée. Il serait possible, aussi, de prendre en considération les variations de Balzac à propos de la place à attribuer au *Lys* dans la série des *Scènes de la vie de campagne* : la première ou la dernière ? Dans une lettre de mars 1835 à la marquise de Castries, le romancier envisage pour le livre qu'il est en train d'écrire une position qui lui conférera le rôle de couronnement d'un ensemble : « Cette œuvre sera la dernière scène des *Études de mœurs* comme *Séraphîta* est la dernière *Étude philosophique*. Au bout de chaque œuvre se dressera la statue d'une image de la perfection sur terre, d'abord, puis dans le ciel [...] » [6]. Cette option ancienne, reprise notamment par la « Pléiade », est cependant en contradiction avec un plan de 1847 pour trois volumes des *Scènes de la vie de campagne*, où *Le Lys* ouvre une série qui se clôture par *Les Paysans.* Faut-il tenir pour indifférentes ces alternances, ou est-il permis de penser que le fait même d'attribuer au roman une fonction tantôt conclusive, tantôt introductive, est au moins l'indice d'un flottement quant à sa valeur comme pièce d'un sous-ensemble ?

Au vrai, ces hésitations encouragent plutôt à déplacer le lieu de l'interrogation, et à décider que, puisque le problème de la situation du *Lys* met en jeu des questions de relations significatives de la partie au tout, celles-ci peuvent être envisagées à partir du texte majeur où s'exprime la pensée balzacienne sur l'organicité de *La Comédie humaine,* à savoir l'Avant-propos de 1842. On posera, ainsi, qu'à la condition, nécessaire mais suffisante, de prendre au sérieux le métadiscours balzacien, la thèse traditionnelle doit être inversée : l'absence du *Lys dans la vallée* dans les *Scènes de la vie de campagne,* telles que les circonscrit l'Avant-propos, n'a rien d'accidentel mais répond au contraire à une logique profonde ; par voie de conséquence, si aberration il y a c'est dans le « Furne corrigé » qu'elle se situe, et c'est en tant qu'aberrant que l'amendement introduit par Balzac doit être interrogé. Cette déclaration de principes commandera tout naturellement l'ordre de notre propos, qui se développera en deux temps : le premier consacré à expliciter la légitimité de l'absence du *Lys* dans les *Scènes de la vie de campagne,* le second tâchant de rendre compte de la signification d'un geste correcteur qui, au moment où il a été accompli, c'est-à-dire une fois bouclé l'ensemble défini par l'Avant-propos, ne pouvait se comprendre comme le simple retour à une visée originelle compromise par les hasards de la production et les contraintes éditoriales.

Pour mettre en lumière ce qui, dans l'économie des *Scènes de la vie de campagne,* rend mal acceptable l'inclusion du *Lys dans la vallée,* on ne considérera ici que deux systèmes, parmi d'autres, qui assurent à la série – moyennant soustraction du texte incriminé ! – une homogénéité particulièrement forte. Mais sans doute est-il nécessaire, avant de désigner et de commenter ces systèmes, de justifier l'importance capitale de l'effet de cohérence qu'on leur reconnaîtra. C'est l'Avant-propos qui encourage à rechercher dans le dernier volet des *Études de mœurs,* en tant qu'il constitue « le soir de cette longue journée » qu'est « le drame social », la représentation la plus décantée, la plus concentrée et, de ce fait, la plus unifiée, des « effets » dont les *Études philosophiques* analyseront ensuite « le moyen ». « Dans ce livre, se trouvent les plus purs caractères et l'application des grands principes d'ordre, de politique, de moralité »[7] : pureté démonstrative, netteté d'exposition de principes qui supposent une évidence exclusive de la dispersion et du foisonnement relatifs des séries précédentes, une régularité structurelle par quoi se perçoivent au mieux les enseignements de ce sous-ensemble conclusif.

Il en va ainsi dans le premier système que l'on examinera, celui de l'organisation spatiale – dont la portée significative ne peut être mise en doute pour peu qu'on se souvienne de l'importance du critère topologique dans la taxinomie qui régit les *Études de mœurs.* Relativement à d'autres séries, où les récits se regroupent de façon plus ou moins rigoureuse par référence à un espace spécifique par ailleurs accessible à l'expérience commune (la sphère de la vie privée, la ville de province, Paris), les *Scènes de la vie de campagne* s'organisent, de façon bien plus déterminante, en fonction du lieu qui les identifie ; et ce lieu, profondément original, situé aux frontières du connaissable, tire lui-même de son étrangeté au moins tendancielle l'aptitude qu'il montre à une inscription de l'utopie inconcevable partout ailleurs dans les *Études de mœurs.* Quel est l'agencement spatial commun au *Médecin de campagne* et au *Curé de village*[8] ? Schématiquement, une aire d'activité et de développement tout ensemble fortement marquée par sa clôture – nécessaire insularité de l'utopie – et désignée (mais avec une grande discrétion dans le travail de représentation) comme reliée à une entité urbaine proche (Grenoble ou Limoges), indispensable aux flux économiques que met en mouvement l'expansion rurale. Le reste du monde est loin, davantage, forclos. Pas d'échanges avec d'autres communautés de statut comparable, ne serait-ce que sous la forme d'une contamination bénéfique : Benassis dit bien qu'« en fait de civilisation [...] rien n'est absolu » et que « les idées qui conviennent à une contrée sont mortelles dans une autre » (p. 431). Pas de relation non plus avec la capitale, par lesquelles pourrait se concevoir une articulation du pouvoir local à un pouvoir central ; à Montégnac, la révolution de Juillet ne sera pour les esprits lucides qui la « jugent » qu'un thème spéculatif de réflexion, et nullement un événement intégré à leur histoire, ou l'intégrant[9] Quant aux *Paysans* qui, quel que soit l'angle sous lequel on les considère, apparaissent comme le texte où s'écrit la déconstruction systématique de l'utopie, le procès destructif qui y est relaté met en lumière, précisément, la perversion et la perte des principes d'insularité et de liaison contrôlée à la ville qui faisaient la force des communautés heureuses. Les murailles des Aigues, affaiblies par les brèches multiples qui s'y ouvrent, ne préservent plus l'autonomie du lieu, et le réseau trop dense des voies de communication, terrestres ou fluviales, qui l'enserre contribue décisivement à l'hémorragie où les pouvoirs politique et économique donnés comme légitimes s'épuiseront : de proche en proche, la substance du domaine, diluée jusqu'à la capitale, finira par se dissoudre totalement. Telle qu'en elle-même elle aurait dû se maintenir, la grande propriété exemplaire exigeait l'étanchéité de ses frontières, et la maîtrise de ses échanges avec l'extérieur : c'est d'avoir fait eau, littéralement, que les Aigues, ce rêve initial décrit dans la lettre de Blondet, meurent dans le cauchemar de la réalité[10].

Il serait bien malaisé de retrouver dans *Le Lys dans la vallée*, en positif ou en négatif, le modèle applicable aux trois romans que nous tenons pour ceux de la campagne. Sans contester l'évidente insertion rurale des châtelains de Clochegourde, il faut bien constater, d'abord, que leur pratique économique, pour judicieuse quelle soit (du fait de l'intelligence d'Henriette), ne s'appuie en rien sur l'idéale clôture qui marquait les lieux de l'utopie – et que, au demeurant, les progrès réels apportés au domaine par une gestion avisée n'ont pas le caractère hyperbolique des expansions qu'impulsent Benassis ou Véronique Graslin. Mais, surtout, la campagne tourangelle ne connaît pas cette coupure d'avec le lieu central de tous les pouvoirs qu'est Paris. Si tant est que l'histoire du roman soit bien celle de l'itinéraire de Félix, il est certain que c'est dans la capitale, au soleil de l'autorité monarchique que le jeune homme est appelé à accomplir la carrière qui l'attend. Dès le début, aux ivresses du jeune homme devant le « paradis » qu'il découvre répond l'avertissement d'un Mortsauf pour une fois lucide : « Églogue ! fit-il d'un ton amer, ici n'est pas la vie d'un homme qui porte votre nom » (p. 1023). Un peu plus tard, Henriette exprimera à sa façon la même pensée : « Mon ami, [...] à voir votre front et vos yeux, qui ne devinerait en vous l'un de ces oiseaux qui doivent habiter les hauteurs ? [...] Allez à Paris. » (p. 1041). Et quand elle lui confiera la lettre où se formule le code de conduite qu'elle lui prescrit [11], il apparaî-tra clairement que la pensée sociale et politique de la comtesse, toute cloîtrée qu'elle se veuille dans sa vallée, se projette bien au delà du refuge qu'elle a élu, et que, si à Montégnac on « juge », de loin, les péripéties des luttes du pouvoir, à Clochegourde on se mêle à ses jeux, fût-ce au nom de l'amour et par personne interposée. Ainsi, réparti sur les deux pôles que constituent le château tourangeau et le monde de la capitale – dualité que redouble la bipartition féminine du roman, Henriette et Arabelle – l'apprentissage de Félix ne peut en rien passer pour lié consubstantiellement à ce que l'espace rural offre de plus spécifique. La campagne n'est pas pour lui le terrain d'une action conquérante, comme celles de Benassis ou de Véronique, ni davantage celui d'une expérience de la perte des valeurs, comme celle dont Montcornet offre l'affligeant spectacle. Le rôle qu'elle joue pour le héros se situe sur un plan autre, où, comme on le dira plus loin, l'investissement affectif personnel l'emporte sur tout le reste : relais et objet tout à la fois du désir, élément d'équilibrage dans le cheminement d'une conscience en quête de son identité, fantasme d'une nature pro-tectrice plus que lieu concret de luttes.

Le secret, deuxième système que l'on convoquera comme révélateur, est autant que le premier étroitement lié à la fonc-tion propre des *Scènes de la vie de campagne* dans les *Études de mœurs*. La situation marginale de l'espace campagnard, posé aux extrémités du domaine d'investigation défini par le romancier, génère comme naturellement une efflorescence de l'énigme ; cette zone du monde social, mal connue, rebelle au déchiffrement, est elle-même énigme en soi, et tout se passe comme si l'effort de sa prise en charge cognitive ne pouvait s'accomplir que par la médiation de structures herméneutiques qui, tout ensemble, redupliquent la résistance de l'inconnu et permettent de la réduire. Toujours est-il que les trois romans que nous tenons pour ceux de la campagne jouent de façon extrêmement appuyée sur les pouvoirs de captation et de révélation que produit dans un récit l'inscription d'une réalité refoulée et d'autant plus agissante.

Dans *Le Médecin de campagne* et *Le Curé de village* se dégage une même relation, aussi forte que relativement simple, entre ce qui apparaît au premier plan de la narration et ce qui est tu. Benassis, initiateur des progrès du bourg dauphinois, se révèle en même temps le dépositaire d'un secret lourd à porter, qui, loin de le paralyser dans son travail réformateur, semble plutôt contribuer à l'efficace du pouvoir en quelque sorte charismatique qu'il exerce. La situation de Véronique à Montégnac manifeste la même corrélation : en prise sur le réel à proportion même du silence qu'elle observe, elle paraît n'être si bien celle qui rend la vie à une communauté moribonde qu'en étant pour celle-ci une mère muette. Le lecteur sait bien, certes, (ou finit par savoir) que, dans l'un et l'autre cas, le mutisme du héros couvre une faute ancienne et dissimule ainsi l'origine d'un repentir dont les effets sociaux positifs seront, eux, parfaitement visibles ; et rien dans la logique de ces procès de rachat n'échappe à la rationalisation. Mais ce qui, en revanche, reste de l'ordre du mystère, et préserve tout la vigueur du thème du secret, c'est la sorte de loi qui veut, apparemment, que le succès des entreprises de progrès soit tributaire du statut de refoulement qui affecte la défaillance originelle : tant que Benassis et Véronique se taisent, le dynamisme de leurs interventions, avec ce qu'elles supposent d'emprise psychologique sur les collectivités, ne connaît pas de défaillance ; à l'inverse, le dévoilement du secret correspond pour l'un comme pour l'autre à l'arrêt du mouvement d'impulsion – que la mort qui en est la cause intervienne par coïncidence peu après l'aveu, comme pour Benassis, ou qu'elle détermine, comme pour Véronique, la confession ultime. C'en est assez pour imaginer, sans trop se hasarder, que la conversion de la culpabilité en énergie réformatrice opératoire ne peut s'obtenir qu'au prix d'une révélation indéfiniment suspendue, et que pour mettre en écriture l'utopie dans ce qu'elle a d'énigmatique, le recours à une énigme médiatrice n'est pas superflu.

C'est encore une énigme qui structure l'action des *Paysans,* même si son mode de déploiement est autre. Le secret s'y révèle aussi agissant que dans les deux premiers romans, mais comme, nécessairement, la positivité de la liaison entre silence et pouvoir d'intervention bénéfique dans une communauté ne peut se retrouver dans un récit qui est celui d'une désagrégation sociale, le lieu de l'occultation sera déplacé à l'extérieur du domaine dont la vie est en jeu. C'est du dehors des Aigues que les agissements de la médiocratie provoquent l'évolution catastrophique qui répond ici aux transformations heureuses du *Médecin de campagne* et du *Curé de village.* Toutefois, cette efficacité destructrice n'est pas moins dépendante de la préservation d'un secret que les ressources créatrices dont jouissaient le médecin et la châtelaine : si les bourgeois mènent avec tant d'autorité le jeu, il semble bien que ce soit en raison de leur aptitude à n'être nulle part tout en étant partout, en vertu de leur capacité paradoxale à saturer invisiblement un espace où ils n'étaient d'ailleurs pas attendus. Cette troisième force surgie imprévisiblement dans un conflit annoncé comme bipolaire, et qui opère pour ainsi dire en dehors des règles du jeu initialement défini, conservera toujours comme condition de sa supériorité effective, quelque chose d'impensable – à tel titre que, comme on le sait, la relation de ses actes résistera à la volonté narratrice de Balzac, provoquant ainsi l'inachèvement du roman.

Mais quel secret coupable chercher dans *Le Lys dans la vallée* ? Tout d'abord, s'il est bien vrai que Mme de Mortsauf vit son amour pour Félix dans une censure perpétuelle qui n'autorise au refoulé que de rares manifestations, il est certain aussi que ce dont elle réprime l'expression n'a rien qui, pour le lecteur, offre un caractère énigmatique. Qui sera véritablement surpris de constater, lors du récit de l'agonie d'Henriette ou à la lecture de sa lettre posthume, que son attachement pour le jeune homme excédait les limites d'une affection maternelle, ou sororale ? Puis, de toute manière, ce qui est tu ici n'est pas une faute réelle pesant du poids de l'irréversible, mais le désir de ce qui aurait pu être ressenti comme faute – ce qui ne revient pas exactement au même. Surtout, rien n'indique que le rôle de bienfaitrice qu'exerce la châtelaine au profit de son entourage soit à corréler avec la détention d'une vérité à taire. Henriette n'a pas attendu Félix pour s'appliquer à la mise en valeur éclairée de son domaine, et l'action du désir qu'elle sera tenue de dissimuler au moins partiellement ne paraîtra pas modifier sensiblement la qualité du pouvoir d'intervention dont elle dispose. L'expansion de Clochegourde, qui, au demeurant, ne relève en rien de l'utopie, reste de la sorte découplée du silence, lui-même relatif, qui y est entretenu.

Ainsi que l'on prenne en compte l'organisation spatiale ou l'action du secret, la même constatation s'impose à propose des *Scènes de la vie de campagne* : d'une part, trois textes formant système, chacun renvoyant avec rigueur au deux autres, la sommation des trois produisant des effets de sens homogènes, et par ailleurs congruents à la mission particulière d'enseignement que Balzac confiait à la série ; d'autre part, un texte, *Le Lys dans la vallée*, fonctionnant selon des règles autonomes, distribuant son espace et agençant ses attitudes comportementales en fonction d'impératifs axiologiques qui, eux-mêmes, montrent quelque divergence par rapport aux principes censés être mis en lumière dans ce sous-ensemble des *Études de mœurs*. À supposer qu'il faille recueillir des leçons fortes dans les *Scènes de la vie de campagne* – ce à quoi engage le discours préfaciel de Balzac – quelles peuvent bien être celles qu'offre *Le Lys dans la vallée* ? Ce récit, pris dans sa singularité, et dont la morale principale, tirée par Natalie de Manerville, est peut-être que le temps d'apprendre est révolu (« Il est trop tard maintenant pour commencer vos études » – p. 1229) est-il vraiment à sa place dans des scènes vouées, dans la cohérence des représentations, à porter instruction ?

Reste maintenant – et ce sera bien sûr la partie la plus aventureuse de notre réflexion – à interroger le sens de l'intégration du *Lys dans la vallée* aux *Scènes de la vie de campagne* prescrite par le « Furne corrigé ». Comme on l'a annoncé plus haut, il est insuffisant de n'y voir que la marque d'une volonté de retour à un ordre premier, en soi indiscutable, perverti par une simple opération opportuniste. Dans la mesure où la série, réduite aux *Paysans*, au *Médecin de campagne* et au *Curé de village*, témoignait d'une conformité aussi entière que possible à la visée définie dans l'Avant-propos de 1842, il est difficile d'imaginer que cette adéquation ait pu échapper tout à fait à la rétrospection critique et n'ait pas contribué à le conforter dans le parti qu'il avait adopté ; on en voudrait seulement pour preuve la caution que le *Catalogue* de 1845, dont tout permet de penser qu'il est le fruit d'une méditation sérieuse, accorde à la disposition du tome VII en maintenant *Le Lys dans la vallée* dans les *Scènes de la vie de campagne.*

Si ce qui convenait en 1845 ne satisfait plus en 1847, c'est, il faut le supposer, que, dans l'intervalle, quelque chose s'est modifiée dans le regard que Balzac portait sur son œuvre. Entendons bien : sur l'ensemble de *La Comédie humaine,* et pas seulement sur ce secteur particulier que constituent les *Scènes de la vie de campagne.* De quoi peut-il s'agir ? Peut-être est-ce de la mise en cause de toute l'entreprise, en tant que placée sous le signe de l'unité et de la complétude, que témoigne cette décision de transfert à première vue mal motivée. Si l'on admet que le cycle des *Études de mœurs* a été conçu, au moment où l'écrivain lui donnait son organisation définitive, comme une totalité posée en face de la totalité du réel, agencée de manière à conduire le lecteur, selon une progressivité pédagogique, jusqu'à la maîtrise cognitive complète d'un univers fictif voulu sans plus de béances que le monde de la réalité, il n'est pas impossible que ce que ce projet avait d'aporétique se soit révélé au moment même où, précisément, il se trouvait au plus près de son accomplissement. Comme si la volonté de tout dire n'avait pu éprouver le déficit qu'inévitablement elle avait à assumer que parvenue au point où la résorption du résiduel paraissait à sa portée. Balzac se serait-il avisé, alors que l'édition Furne arivait à son terme – en 1846, justement –, non seulement que ce qui se clôturait était à recommencer, indéfiniment, mais aussi, et surtout, que son édifice si bien fermé échouait, parce que trop fermé, à réaliser son ambition d'être l'équivalent de la vie, et qu'à s'y retrancher il s'exposait à l'asphyxie ?

Dans ces conditions, une fois reconnu que l'écriture, toujours, laisserait du reste, il n'y avait peut-être plus d'autre recours que de faire la part de ce reste ; qu'à consentir à ce que se fissure ce qu'il s'était si bien appliqué à colmater. Geste conjuratoire, si l'on veut, dont le réaménagement des *Scènes de la vie de campagne* serait l'une des applications les plus remarquables. Dans la mesure où cette série nous apparaît, et devait lui apparaître, comme la plus rigoureusement verrouillée de l'ensemble des *Études de mœurs,* y introduire *Le Lys dans la vallée* en tant qu'élément ressenti comme hétérogène, c'était, exemplairement, subvertir le projet défini en 1842 là où il se montrait le plus accompli. Subversion de la visée historique : par l'accouplement à des textes de la prospective (utopique ou contre-utopique) d'un récit du trop tard tout entier voué à dire l'Histoire comme perte irrémédiable. Subversion dans la conception éthique du sujet fictionnel : voisinerait désormais avec des héros projetés en avant d'eux-mêmes par l'action de leur passé, comme Benassis ou Véronique, ou expulsés de la scène faute d'un passé qui les portât, comme Montcornet, le personnage de Félix, perdu dans les douteuses délices des évocations de fantômes. Par là, l'espace campagnard cesserait d'être celui des certitudes, positives ou négatives, pour s'ouvrir aux errances d'une mémoire à la dérive et, à la limite, s'y défaire.

Tout ce travail de déstabilisation porte sans doute, aussi, la marque d'une vision désabusée. La campagne, dès lors que *Le Lys dans la vallée* en est une des composantes, n'est plus seulement terrain de luttes, lieu et enjeu d'affrontements et de conquêtes, elle devient également (ou redevient, car l'Introduction de Félix Davin, déjà, soutenait cette image[12]) l'endroit du repli, dépositaire d'un « charme consolateur » (p. 1123) pour ceux que l'existence a malmenés. Davantage, elle sera encore moyen de régression narcissique. *Le Médecin de campagne* ou *Le Curé de village,* qui écrivaient l'histoire d'une mise en valeur, *Les Paysans,* qui relataient celle d'une dépossession[13], faisaient de la terre, quoi qu'il en soit, un objet dynamisant à proportion des efforts de maîtrise qu'il suscitait. Dans *Le Lys dans la vallée ,* la terre n'est plus à enfanter[14], elle est destinée, ou rendue, à une fonction maternelle, captant et apaisant le désir d'une conscience en peine de se porter au dehors d'elle-même. Même si l'on se souvient que l'impuissance de Félix à s'affranchir de son passé ne se confond pas avec la difficulté que pouvait éprouver Balzac à gérer ses souvenirs[15], il n'est pas indifférent que l'écrivain, en faisant entrer *Le Lys dans la vallée* dans l'espace de la campagne tel qu'il le redéfinissait vers la fin des années quarante, y ait introduit du même coup cette Touraine dont Nicole Mozet a bien montré qu'elle est pour lui « le lieu originel », qu'elle fournit par excellence « la métaphore spatiale à la figure de la mère »[16]. Qui sait ? Fragiliser de la sorte l'ensemble trop fortement maçonné des *Scènes de la vie de campagne,* c'était peut-être aussi se donner le bénéfice de retrouver ses propres fragilités...

Notes

1. Voir *La Comédie humaine,* éd. P.-G. Castex, «Bibliothèque de la Pléiade », Gallimard, 1978, t. IX, p. 1651. Par la suite, toutes les indications de pagination données sans plus dans le corps du texte ou en note renverront à ce volume.

2. Voir R. Pierrot, « Les enseignements du "Furne corrigé" », *L'Année balzacienne 1965,* p. 291 à 308.

3. *Ibid.,* p. 294 , note 2.

4. *Ibid.,* voir aussi notes 2 et 3.

5. *Lettres à Madame Hanska,* édition R. Pierrot, «Bouquins», Laffont, 2 vol., t. I, p. 816.

6. *Correspondance,* Garnier, t. II, 1962, p. 655-6.

7. Pl. I, éd. citée, 1976, p. 19.

8. Bien entendu, on ne prend ici en compte que la partie rurale du *Curé de village* – sans méconnaître en rien la fonction dans le roman de l'espace limougeaud.

9. Rappelons le titre du chapitre XXIV de l'édition originale (1841) : « La révolution de juillet jugée à Montégnac » (correspondant aux pages 808 à 825 de notre éd. de référence). Voir aussi *Le Médecin de campagne,* p. 428 : « Hélas ! on n'éclaire pas un gouvernement, et, de tous les gouvernements, le moins susceptible d'être éclairé, c'est celui qui croit répandre des lumières. »

10. Cf., ci-après, l'article de Paule Petitier, p. 269.

11. P. 1084 à 1097. Voir aussi les démarches, remarquablement suivies d'effet, d'Henriette auprès de la haute société parisienne, en faveur de Félix.

12. On y trouvera, selon Davin, « les hommes froissés par le monde, par les révolutions, à moitié brisés par les fatigues de la guerre, dégoûtés de la politique ». « Là donc le repos après le mouvement, les paysages après les intérieurs, les douces et uniformes occupations des champs, après le tracas de Paris, les cicatrices après les blessures. » (Pl. I, p. 1148.)

13. Cf. P. Barbéris, Préface aux *Paysans,* Garnier-Flammarion, 1970, p. 24 : « Il existe […] deux séries possibles de *Scènes de la vie de campagne :* celle de la mise en valeur […], et celle de la propriété. » Voir aussi, du même auteur, « Dialectique du Prince et du Marchand », dans *Balzac. L'invention du roman* (Colloque de Cerisy, 1980), Belfond, 1982, p. 181-212.

14. On se souviendra de la réaction de Véronique devant le paysage désolé de Montégnac : « laissant errer ses regards sur cet espace où la nature se montrait marâtre, [elle] ressentit dans son cœur les mouvements maternels qu'elle avait jadis éprouvés en regardant son enfant » (Pl. IX, p. 763).

15. Cf. P. Barbéris, *Balzac et le mal du siècle,* Gallimard, 1970, t. 1, p. 135 : Félix est un « moi archaïque, liquidé, même si toujours ressenti ».

16. Cf. N. Mozet, *La Ville de province dans l'œuvre de Balzac,* SEDES/CDU, 1982, respectivement p. 53 sq., et p. 37.

Transfert d'écriture:
le réemploi de *La Grande Bretèche*
dans *Autre étude de femme*

Chantal Massol-Bedoin

Autre étude de femme est une nouvelle qui date de cette « année-charnière » de la production balzacienne: 1842[1]. Née de cette vaste entreprise de réédition, réécriture, transfert de textes qu'est l'édition Furne, elle en porte, de manière extrêmement nette, la marque.

Il s'agit d'une nouvelle faite de la réunion de fragments, avec ceci de particulier qu'aucun des morceaux qui la composent n'est original[2] : nous avons là un exemple parfait de réemploi des restes, et de la volonté balzacienne d'insérer, sans rien en laisser perdre, les moindres écrits isolés dans la totalité de l'œuvre. Et, justement, le problème du rapport entre le fragment et l'ensemble se pose de manière aiguë dans ce texte, dans la mesure où le phénomène de la « relance d'écriture », le processus dynamique permettant de créer du neuf par incorporation de l'ancien dans une organisation nouvelle, a peu joué. Cette *Scène* se présente comme un ensemble hétéroclite de textes, récits et discours mêlés, le tout de dates et de provenances fort diverses. Les défauts de soudure, entraînant contradictions et invraisemblances, y sont particulièrement nombreux[3].

Tous ces morceaux, développements oraux assumés par différents narrateurs, sont intégrés dans un récit – cadre qui les cimente quelque peu artificiellement : celui d'une conversation dans un salon parisien[4]. Les réactions de l'auditoire aux divers récits, et les discussions qui s'amorcent entre eux, assurent les transitions.

Les jugements portés sur ce texte mal cousu, qui n'arrive pas à masquer ses failles ni ses jointures trop voyantes, vont, en général, dans le même sens : « il relève », selon N. Mozet, « davantage du bricolage que de la création littéraire »[5]. Pour L. Frappier-Mazur, c'est « un texte illisible, parce que disparate et peu motivé »[6].

Or, fait *a priori* curieux, à cette œuvre déjà composite, Balzac a rattaché, quelques années après sa première publication, un texte supplémentaire (le plus connu, au demeurant, de l'ensemble) : celui de *La Grande Bretèche*. Bien que publié séparément dans l'édition Furne (4ᵉ volume de la *Comédie humaine*, tome IV des *Scènes de la vie privée*), il y a déjà pour sous-titre : « (Fin de *Autre étude de femme*) ». L'addition qui permettra de rendre la jonction effective sera rédigée sur le « Furne corrigé ».

Ce conte n'en est pas, à ce moment-là, notons-le, à sa première réutilisation : en mai 1832, il faisait suite, dans les *Scènes de la vie privée*, au *Message*, dans une nouvelle intitulée *Le Conseil*. En 1837, il fut joint, sous le titre de *La Grande Bretèche ou les trois vengeances*, à deux récits issus des *Contes Bruns*, et prit place, alors, dans les *Scènes de la vie privée*[7]. Ce nouveau texte ayant éclaté à son tour en 1843[8], *La Grande Bretèche* proprement dite retourne, en 1845, aux *Scènes de la vie privée*... Il faut signaler que, malgré ses nombreux déplacements et réemplois ce texte a été très peu réécrit : c'est presque intact qu'il est incorporé à son nouveau contexte.

Rappelons-en, brièvement, la teneur : le narrateur raconte une histoire dont il a eu connaissance lors d'un séjour qu'il a fait, jadis, près de Vendôme. Une propriété inhabitée, close, délabrée, le fascine ; elle a pour nom La Grande Bretèche. Le pouvoir de fascination du lieu tient à son « mystère » (p. 711). L'« intérêt » (p. 723) très vif que le narrateur éprouve pour cette « énigme » (p. 711) suscite alors chez lui deux comportements différents ; dans un premier temps, refusant d'apprendre l'histoire de cet endroit étrange, il prend l'habitude d'entrer en cachette dans le parc pour s'y abandonner à des fantasmagories.

Un soir, cependant, un notaire, Me Regnault, vient à son auberge pour lui interdire l'accès au jardin de la demeure, et lui révèle en parti la cause de l'abandon du lieu : La Grande Bretèche tombe en ruines en raison des dernières volontés de sa défunte propriétaire Mme de Merret, dont il est l'exécuteur testamentaire. L'aubergiste, Mme Lepas, vient, après le départ du notaire, lui conter la mystérieuse disparition de l'amant supposé de Mme de Merret, un Espagnol, prisonnier de guerre de l'Empire, et assigné à résider sur parole à Vendôme. Devenu désireux, alors, d'apprendre la vérité tout entière, le narrateur interroge Rosalie, la servante de l'auberge, qui était, au moment des faits, la femme de chambre de Mme de Merret. Celle-ci lui raconte les événements dont elle a été témoin : entré un soir à l'improviste chez sa femme, et entendant un bruit inhabituel dans un cabinet attenant à la chambre de celle-ci, M. de Merret fait murer la porte de la pièce suspecte, sans en avoir inspecté le contenu, attendant que l'épouse avoue, ou que l'amant se trahisse. En vain. Il reste alors auprès de sa femme pendant vingt jours, lui rappelant, à chacune de ses tentatives de libération de l'agonisant, son serment « qu'il n'y avait là personne » (p. 729).

Il s'agit donc, on le voit, d'une histoire « à secret ». Or le secret est l'un des ressorts de la fiction balzacienne, l'un de ses procédés favoris de création de l'intérêt romanesque, dans les premiers récits notamment, et surtout dans les nouvelles (même si on le trouve fréquemment, aussi, dans des œuvres plus tardives, et dans des romans). À cet égard, donc, *La Grande Bretèche* est un texte exemplaire.

On peut insister sur le fait qu'il a toujours été publié (bien qu'il ait été composé isolément) inséré dans un récit-cadre (puisque même en 1845, il est déjà, dans l'esprit de Balzac, la « Fin de *Autre étude de femme* »). Nous avons donc affaire, à chaque nouvelle publication, non pas à la reprise, simplement, d'une histoire à secret, mais à une mise en scène différente de la réception d'une histoire à secret.

Suivre l'histoire de ces réceptions différentes, des différents rapports de *La Grande Bretèche*, comme métarécit, avec ses récits-cadres successifs serait riche, sans doute, d'enseignements sur cette stratégie balzacienne du secret, et sur son éventuelle évolution. Mais, dans le cadre restreint d'un article, nous nous bornerons à examiner la fonction de ce récit à secret dans *Autre étude de femme*.

Dans ce contexte dernier, *La Grande Bretèche* nous paraît jouer essentiellement le rôle d'une mise en abyme. Si l'on se réfère aux catégories élaborées, pour l'étude de ce procédé, par L. Dällenbach[9], on s'aperçoit même rapidement qu'elle en remplit, à l'exception d'une seule, toutes les fonctions. On ne trouve pas, dans ce récit spéculaire, de duplication fictionnelle de l'œuvre (il n'y a pas de fiction proprement dite à résumer dans *Autre étude* !); mais sont présents, en revanche, tous les autres aspects de la mise en abyme : énonciatif, textuel, méta-textuel, transcendantal[10]. C'est-à-dire tous ceux qui servent à la mise en scène d'une production littéraire, dans son procès même. Le geste d'annexion de *La Grande Bretèche* à *Autre étude de femme* participe donc de l'amplification de la réflexion métaromanesque caractéristique de ces années où *La Comédie humaine* est en cours d'édification.

C'est donc comme un magnifique miroir que le conte semble apparaître, en 1845, à son auteur. Si, dans les précédentes utilisations du texte, l'attention était attirée principalement sur les effets de celui-ci, elle se porte davantage, à présent, sur le processus même de production du récit. C'est grâce à cette adjonction d'un scénario autoréflexif, qu'*Autre Étude,* qui traite, en 1842 déjà, de l'activité de conter, peut présenter en 1845, les « rudiments d'une théorie de la composition fragmentaire »[11].

Il va de soi que *La Grande Bretèche*, dans sa diégèse, offre une représentation du producteur du récit, et que l'on assiste à la construction d'une figure auctoriale (c'est la mise en abyme « énonciative ») : dans le récit-cadre, Bianchon rapporte les histoires que l'on a racontées devant lui dans le salon de Mlle des Touches ; dans le métarécit spéculaire, Bianchon, toujours (il n'est nullement indifférent bien sûr qu'il s'agisse du même narrateur)[12] reproduit trois récits qui lui ont été faits, jadis, par trois conteurs différents, à Vendôme. En les rassemblant, il reconstitue l'histoire de La Grande Bretèche... Il nous est donc montré en train de fabriquer le récit : il « colle » ensemble trois histoires, qu'il structure de manière à n'en faire qu'une.

Les deux protagonistes de la situation énonciative, d'ailleurs, sont représentés, puisque le personnage de Bianchon, substitut de l'auteur, est en même temps un reflet du récepteur du récit. Avant d'assumer lui-même la narration, il est, en effet, le narrataire des trois histoires qui lui sont contées à l'auberge.

Récepteur d'un texte fragmentaire, il peut être considéré comme l'image même du lecteur qu'appelle un texte comme *Autre étude* : fortement impliqué dans le processus de réception, participant activement à l'élaboration du récit, il en comble les lacunes, en intègre les fragments dans une histoire unifiée dont il établit la cohérence diégétique. Il est, de ce fait, une sorte de « co-auteur »[13]. On voit donc qu'une mise en abyme du code (« métatextuelle ») accompagne, ainsi, la mise en abyme énonciative : il s'agit de rendre lisible *Autre étude de femme*, en en proposant un « mode d'emploi ».

En outre, en nous faisant le « récit du récit »[14], en retraçant sa propre genèse, *La Grande Bretèche* nous propose une « fiction explicative » de sa venue au monde, la motivant, la légitimant. Comme image réfractée d'un texte qui cache mal son arbitraire, Balzac, par une sorte de volonté compensatrice, en a choisi un autre qui propose au contraire une fable de sa propre origine. Compensation d'autant plus forte que les origines de cette narration particulière qu'est *La Grande Bretèche* permettent de remonter à celles mêmes du sujet de l'énonciation[15] ; *Autre étude de femme* se trouve ainsi finalement pourvue, en appendice, d'un véritable « roman des origines » de l'écriture balzacienne.

Raconter/lire une histoire, selon la représentation qu'en donne *La Grande Bretèche*, c'est donc procéder à sa reconstitution, et faire de morceaux épars une totalité signifiante. Au demeurant, reconstituer une histoire, c'est découvrir un secret : les deux opérations sont données comme strictement équivalentes. L'énigme est le facteur essentiel d'organisation du récit : les trois histoires, formellement indépendantes[16], se trouvent réunies par le fait que la dernière d'entre elles donne potentiellement la réponse à toutes les questions formulées. L'énigme est bien investie de sa fonction habituelle dans les récits de la « formation » du roman balzacien. C'est un dispositif qui vise à la maîtrise du texte : il tient en effet, le récit tout entier suspendu entre une question initiale et sa réponse. Et le « mot » de l'énigme (qui clôt, selon R. Barthes, une « phrase herméneutique » restée ouverte par manque de prédicat), doit permettre, quand il survient, d'effectuer une totalité en suspens.

Parallèlement, au niveau du contenu diégétique, l'aventure de Bianchon se laisse lire, dès le début, comme une quête de la plénitude, de la totalité perdue. Est-ce un hasard si son discret destinateur n'est autre que... Desplein, « patron » du jeune

médecin (p. 711) ? Au point de départ de toute l'histoire, il y a
le désolant spectacle qu'offre le jardin de La Grande Bretèche :
le jeune homme se trouve face au « désordre » *(ibid.)*, aux
« débris » *(ibid.)*, au délabrement d'un bâtiment aux « énormes
lézardes », aux « brèches irrégulières » *(ibid.)*. Une catastrophe a
détruit un édifice autrefois harmonieux. Devant de tels dégâts,
l'on ne peut que supposer « un feu tombé du Ciel », et une
« insulte » faite à « Dieu » *(ibid.)* Ce prologue du conte se prête
merveilleusement à une lecture allégorique : le récit commence
dans un monde « dégradé » *(ibid.)*, un monde d'après un
cataclysme inexplicable, et dont l'ordonnance primitive, divine,
s'est perdue. S'amorce alors, devant cet inquiétant constat, un
mouvement de remontée vers l'origine : la méditation de
Bianchon devant la bâtisse va le conduire à différentes tentatives
de reconstitution de ce monde initial ; il va s'agir pour lui de
partir du vestige pour arriver à l'édifice, du fragment pour
parvenir au Tout, du présent pour aboutir au passé ; de passer
du chaos (le secret) au cosmos (l'élucidation du mystère). Le
mouvement d'accès à la totalité se fait, de la sorte, à rebours :
du monde déchu qui se présente au yeux du narrateur, il y a
remontée vers un univers, pour ainsi dire, matriciel[17].

C'est ici que l'énigme, le secret, jouent tout leur rôle. Le
récit à énigme est, en effet, rétrospectif : on part d'une situation d'arrivée, mystérieuse, pour aboutir à la connaissance de
ses causes. Et le secret est ce autour de quoi s'agencent les
fragments. La mise en abyme se fait, ici, « transcendantale » : elle
propose une « fiction » du « principe » du texte[18]. Une « métaphore d'origine » (en elle-même, à vrai dire, peu originale)
s'offre avec la plus grand insistance dans le récit de *La Grande
Bretèche* : celui-ci se montre fort préoccupé par la notion de
« centre ». Par l'utilisation qu'elle fait du secret, c'est un centre
justement que vise à se donner la fiction balzacienne. Le procédé apparaît ici avec une netteté particulière, comme en témoignent les métaphores qui abondent dans ce court récit :
Bianchon est à la recherche du « nœud »[19] de cette « solennelle
histoire (p. 722). Rosalie, grâce à qui peut s'éclaircir le mystère,
est « au centre de l'intérêt et de la vérité » (p. 723). Mieux
encore : elle est « nouée dans le nœud » *(ibid.)* ! Elle semble au
narrateur « située dans cette histoire romanesque comme la case
qui se trouve au milieu d'un damier » *(ibid.)*. Et les événements
dont l'ignorance empêchait la compréhension de l'histoire se
trouvent finalement placés (autre position médiane) dans

l'ensemble des faits, « aussi exactement que les moyens termes d'une proportion arithmétique le sont entre leurs deux extrêmes » (p. 724).

De ces métaphores, la plus remarquable est, naturellement, la métaphore architecturale qui assimile au secret la bâtisse mystérieuse elle-même : « Cette maison est une immense énigme [...] » (p. 711). Conformément à ce qu'annonce son nom (on n'oubliera pas que « bretèche » signifie « fortification »), son caractère le plus frappant est la clôture : persiennes « toujours closes », porte « condamnée » (*ibid*), le tout protégé encore par un « enclos » (p. 710) dont le franchissement est interdit. Mais ce lieu clos est en même temps fissuré, il y a des « trous » dans la porte et les murs sont « sillonnés d'énormes lézardes » *(ibid.)* : autant de brèches susceptibles de donner accès à un contenu, et sans lesquelles ne sauraient se déclencher l'activité herméneutique[20]. On notera d'ailleurs que l'état dans lequel se trouve l'édifice n'est pas encore celui d'une ruine complète : « cette habitation encore debout, quoique lentement démolie par une main vengeresse, renfermait un secret, une pensée inconnue » (p. 712). Le cosmos n'est pas entièrement devenu chaos, l'état est intermédiaire. Aussi peut-on toujours rêver d'entrer dans l'édifice, de parvenir à sa structure interne (de trouver son secret).

Il est vrai que l'on n'entrera jamais, littéralement parlant, dans la bâtisse. Certes, Bianchon, décidé enfin à trouver la « vérité », déclare : « j'essayai de pénétrer dans cette mystérieuse demeure en y cherchant le nœud de cette solennelle histoire » (p. 722). Mais c'est d'obtenir le dernier récit, celui de Rosalie, qu'il s'agit à ce moment-là. C'est la collecte des récits et la reconstitution de l'histoire qui sont l'équivalent de l'entrée dans la maison. La Grande Bretèche n'est plus simplement, alors une métaphore du secret, mais du texte lui-même[21]. Assimilation que confirme, quelques lignes plus loin, cette affirmation : « Il y avait dans cette fille le *dernier chapitre d'un roman* » (p. 723 – souligné par nous). Belle confusion de l'*ultime* et du *central,* entrer dans le secret, donc, c'est entrer dans le texte ; achever le texte, c'est entrer dans le secret.

Cette volonté obsessionnelle de déterminer, dans le texte, la place (imaginaire) d'un centre se lit dans la topographie même du lieu emblématique[22] : l'enclos protège la maison ; et, à l'intérieur de la maison, le lieu du secret, c'est le cabinet, défendu lui-même par un mur : ce contenant qu'est la bâtisse contient lui-même un autre contenant, plus hermétiquement clos encore. Trois enceintes sont à franchir pour accéder au secret ; il faut parvenir, en somme, à l'*intérieur de l'intérieur.* « Vertige du centre »[23], caractéristique, selon Lucien Dällenbach, des récits dominés par la métaphysique.

Manifestement, donc, le rattachement de *La Grande Bretèche* à *Autre étude* est pour Balzac une tentative de conjurer, rétroactivement, la dislocation de son texte. C'est à une opération de sauvetage de l'unité perdue que nous assistons. Celle d'*Autre étude,* naturellement, en premier lieu ; mais celle, peut-être aussi, de *La Comédie humaine,* dont *Autre étude,* rassemblement de récits épars, peut, à bien des égards, être considérée comme une sorte de miroir. Comme dans *La Muse du département,* l'opération de lecture et de collage des textes qui y sont représentés peut se rapporter, tout autant qu'au roman particulier, à l'entreprise balzacienne dans son ensemble [24]. Mais la démarche, si l'on y regarde de près, est sensiblement différente. Dans *La Muse,* les *Fragmens d'un roman publié sous l'Empire...* sont réutilisés à l'intérieur d'un texte composite, mais dont les modes de suture sont efficaces : l'activité de « montage », la composition fragmentaire, sont réfléchis par le texte « plein ». Dans *Autre étude,* nous avons affaire au procédé inverse : c'est dans le miroir d'un texte disparate et mal assemblé qu'est placé un récit qui prétend à la complétude. Autrement dit, alors que dans *La Muse* le récit spéculaire prend le risque de révéler les failles éventuelles du texte, nous assistons dans *Autre étude de femme* (version 1845) à un geste énergique de dénégation. Comme si, la menace de déperdition, d'éparpillement, s'étant accrue depuis 1843 (date de composition de *La Muse*), le roman balzacien, dans une sorte de panique, se livrait à une régression. La nouvelle de 1842 après tout, se mire dans un récit qui lui est de dix ans antérieur. Les fantasmes de totalité sont présents, toujours, et plus vivaces que jamais, peut-être. Mais cette totalité que l'on veut atteindre, on la cherche désormais (gestion du passé !) derrière soi... Reste, encore, à ne pas se laisser prendre aux pièges du récit, qui ne propose, comme on l'a dit, que des fictions de son propre fonctionnement. Si le « sauvetage » d'*Autre étude* n'est guère réussi, c'est, entre autres, parce que dans le texte de 1832 lui-même, l'unité et la complétude sont déjà, sérieusement en crise[25].

Il est clair, pour commencer, que l'entreprise qui consiste à se rendre maître du secret du texte est vouée à l'échec ; le dernier mur de l'histoire, celui du cabinet, restera, pour finir, debout : le contenu tant cherché se dérobe. Parallèlement à cela, on n'obtiendra pas le mot de l'énigme. La phrase qui se substitue, pour mettre fin au mystère, à la « phrase herméneutique » attendue [25], est cette formule réitérée de M. de Merret, empêchant l'aveu de sa femme : « Vous avez juré sur la croix qu'il n'y avait là *personne* » (p. 729 – souligné par nous) : la recherche du centre débouche, pour ainsi dire, sur la rencontre du vide. Nous en étions avertis, à vrai dire, dès le départ : « Cette maison, *vide* et *déserte* », avait dit le narrateur dans son prologue, « est une immense énigme dont le *mot* n'est connu de *personne* » (p. 711 – souligné par nous). Nous savons ainsi, d'entrée de jeu, qu'il est impossible de parvenir à résoudre, en totalité, l'énigme. De surcroît, par l'utilisation qu'il fait du présent, dans le cadre de cette narration ultérieure, le narrateur s'exclut lui-même de la possession du secret. Le dernier mot de la phrase est « personne » ; ce pronom indéfini fait écho à celui qui termine le conte ; il s'applique à la fois au sujet et à l'objet de la quête herméneutique. Ce n'est qu'une « confuse connaissance » (p. 724) des événements que le récit de Rosalie livrera au narrateur : il est bien difficile de sortir du chaos ! Qu'il n'y ait pas de « mot de l'énigme » va parfaitement de pair avec le fait que le centre se dérobe : dans la confusion de l'ultime et du central qu'a opérée le récit, n'était-ce pas ce mot-là, justement, qui aurait dû se loger, symboliquement, au cœur du texte ?

Hors d'atteinte, le centre de l'édifice-texte est aussi (et la crise, par là, s'aggrave) *in-situable*. À être regardées de plus près, certaines de métaphores textuelles de la nouvelle frappent par leur caractère inadéquat. Ainsi, la « case qui se trouve au milieu d'un damier » (p. 723), est, de toute évidence, inexistante ! Quant à la métaphore mathématique qui accompagne la mise en ordre des récits, elle est elle-même peu convaincante : il est impossible, en effet, de déduire, de la seule connaissance des extrêmes d'une proportion arithmétique, celle des moyens.

En bref, le point central auquel il aurait fallu parvenir est soit à jamais enfoui, soit impossible à fixer, soit, tout bonnement, absent. Voilà que, du même coup, le texte perd l'architecture nettement structurée qu'il devait gagner dans l'aventure. Les lignes se brouillent, l'édifice vacille...

On ne sera pas surpris de constater que la fuite du point central s'accompagne de l'absence de point surplombant (celui qui doit permettre la vision totalisante) : plus précisément, nous assistons, au cours du récit, à la disparition de ce point. C'est d'un lieu surélevé (« Du haut de la montagne [...] » p. 710) que commence la description de la propriété vendômoise. Cette posture dominante est celle, assurément, qui doit permettre une lecture du paysage, lequel livrera ainsi ses secrets[27]. S'amorce, ainsi, un déchiffrement de l'énigme, sur le modèle de l'investigation archéologique[28] : « À l'aspect de ce jardin qui n'est plus, les joies négatives de la vie dont on jouit en province se devinent comme on devine l'existence d'un bon négociant *en lisant l'épitaphe de sa tombe* » (p. 711 – souligné par nous).

Cependant, le « seul endroit d'où l'œil puisse plonger dans cet enclos » *(ibid.)* est lui-même gagné par la destruction générale. Il est malheureusement le site des « ruines du vieux château des ducs de Vendôme » *(ibid.)*. La lecture du « livre du monde » n'y est plus possible : le semblant de déchiffrement opéré de cet endroit est erroné. Le sujet grammatical des phrases, en ce début du texte, n'est d'ailleurs qu'un vague « on ». Quand le « je » y fera son apparition, la vision se sera rétrécie. C'est de plain-pied avec la bâtisse que le narrateur abordera son mystère. Là, l'aventure tournera court : ayant franchi, à grand-peine, la haie d'enceinte, le narrateur aura le sentiment d'avoir affaire à « la paix du cimetière, mais *sans les morts qui vous parlent leur langage épitaphique* » (p. 212 – souligné par nous). Plus de traces. Voilà rendue impossible la tâche de l'épigraphiste annoncée, simplement, une page plus tôt.

Il est bien difficile, dans ces conditions, d'être, dans le déchiffrement des énigmes, un « sémiologue »[29]. C'est pourquoi, si l'entreprise archéologique évoquée au début du conte figure allégoriquement l'activité ultérieure du narrateur (il recolle des morceaux de récits comme l'archéologue rassemble les débris d'un vase), on ne saurait s'étonner que celui-ci s'acquitte si mal de sa fonction : la troisième histoire qu'il recueille, celle de Rosalie, prend place à côté des autres comme une pièce falsifiée, dont il a fallu rogner les contours, pour l'enchâsser dans l'ensemble : « J'abrège » (p. 724). Pour ce faire, en outre il ôte la parole à la servante, après l'avoir laissée aux deux premiers conteurs, et substitue son récit au sien. C'est le moment où il devient écrivain[30] : mais cette figure émerge ici comme une figure de « faussaire ».

Quant à La Grande Bretèche, sous quelque angle qu'on la considère, elle ne peut apparaître que comme un « espace vide »[31]. Mais n'est-ce pas la véritable nature du secret qu'elle révèle ainsi ? Celui-ci ne saurait être, par définition, qu'absence de contenu : son dévoilement, en effet, l'annule immédiatement en tant que secret. Le secret est un leurre : le récit à secret donne précisément l'illusion de renfermer un contenu absent. Et ce leurre sur lequel sont fondés bon nombre de récits balzaciens, celui de *La Grande Bretèche* le montre. D'autres textes des années 30, d'ailleurs, en font autant : sur un mode assurément plus ludique, *Le Chef-d'œuvre inconnu* (1831) révèle, de la même manière, la supercherie sur laquelle il est construit [32]. Signe qu'en ses débuts déjà, le roman balzacien se bâtit sur un jeu d'exhibition/dissimulation des lézardes, des failles, de son « système ».

Il se trouve, donc, que nombre de problèmes posés par le projet totalisateur de la *Comédie humaine* sont déjà contenus en germe, et concentrés, dans le court texte de *La Grande Bretèche*. De sorte que son ajout tardif à *Autre étude de femme* ne permet nullement d'unifier la nouvelle finale des *Scènes de la vie privée*. Bien au contraire : sous l'effet de son nouveau contexte, le récit de *La Grande Bretèche*, qui se voudrait fini, clos, sans restes, éclate, et laisse béer les fissures que son souci était de colmater. Les artifices de la fiction balzacienne, du même coup, s'y trouvent éventés : si les textes des années 1830 peuvent, avec bien des dysfonctionnements, certes, « marcher » au secret, il semble que, désormais, l'édifice ne cessant de craquer, il n'en aille plus de même. Dans le contexte de 1842, la quasi-ruine de 1832 serait-elle devenue une ruine totale ?

Un symptôme existe de ce délabrement accentué : la disparition, dans la dernière version du texte, d'un passage très bref, mais qui contenait une « métaphore textuelle » d'importance : celui où était raconté, par Mme Lepas, l'épisode de la meurtrière de Saint-Pierre-des-Corps[33] :

> Une veuve du faubourg St Pierre des Corps s'est accusée en confession d'avoir tué son mari, elle l'avait, sauf votre respect, salé comme un cochon, et mis dans sa cave, et tous les matins, elle en jetait un morceau à la rivière – finalement, il ne restait plus que la tête – le prêtre l'a dit au procureur du Roi, et elle a été fait mourir ;

quand le juge lui a demandé pourquoi elle n'avait pas jeté la tête à l'eau comme le reste, elle a répondu qu'elle n'avait jamais pu la prendre, qu'elle était trop lourde...

(Notes et variantes, p. 1515-1516.)

Développement de mauvais goût qu'il fallait supprimer ? Son absence, toutefois, est loin d'être insignifiante : ce passage représente la « mise au secret », littéralement, comme un démembrement. C'est donc la métaphore qui fait de la recherche du secret (et, partant, de l'activité de production et de réception du texte) une opération de remembrement qui est ainsi éliminée : l'image du texte-corps (du texte-Osiris), celle qui le figure comme une totalité organique, disparaît. C'est en vain alors, que la tâche du déchiffreur d'énigmes est confiée à Bianchon dont le savoir « médical » qui porte, évidemment, sur le « corps ») n'a peut-être plus grande utilité... De fait, le programme de médecin de Bianchon n'est pas davantage rempli que son programme d'archéologue, et sa lecture, dans *La Grande Bretèche*, n'est qu'une parodie de diagnostic : on est en plein faire-semblant. Voilà une des figures auctoriales favorites de *La Comédie Humaine* prise, elle aussi, dans la débâcle...

Notes

1. Elle est publiée, en septembre, dans le 2ᵉ volume de *La Comédie humaine*, au tome II des *Scènes de la vie privée* (remaniées, enrichies de nouveaux textes).

2. À l'exception d'un bref passage à fonction de colmatage, et de quelques transitions.

3. Ils ont souvent été relevés (se reporter par exemple aux commentaires de N. Mozet dans la « Bibliothèque de la Pléiade », Gallimard, 1976, qui sera notre édition de référence : Pl. III, p. 657-671).

4. Dont le préambule est repris des *Contes Bruns (Conversation entre onze heures et minuit)*, et réécrit. La scène se passe désormais sous la monarchie de Juillet.

5. Pl. III, p. 669.

6. « Lecture d'un texte illisible : *Autre étude de femme* et le modèle de la conversation », *Modern Language Notes*, May 1983, p. 713.

7. Tome VII des *Études de mœurs au XIXᵉ siècle*.

8. *Le Chevalier de Beauvoir* et *Un grand d'Espagne* sont réutilisés dans *la Muse du département*.

9. *Le Récit spéculaire. Essai sur la mise en abyme*, « Poétique », Seuil, 1977.

10. On précisera, à mesure de leur utilisation, le sens de ces termes.

11. L. Frappier-Mazur, art. cité, p. 714.

12. Bianchon est le narrateur de ce conte depuis la version de 1837. Celui du *Conseil* s'appelait M. de Villaines.

13. Franc Schuerewegen, « Le docteur est un bon lecteur : à propos d'*Autre étude de femme* », *Revue belge de philologie et d'histoire (Langues et littératures modernes)*, vol. 61, n° 3, 1983.

14. L. Dällenbach, *op. cit.*, p. 119. Impossible, en effet, de dissocier le récit de l'aventure arrivée à Bianchon de l'aventure du récit.

15. Voir L. Frappier-Mazur, art. cité, p. 724. On sait, en effet, que Balzac avait commencé à donner à l'amant supposé de Mme de Merret, sur le manuscrit original, le nom de Heredia, nom d'un amant espagnol de sa mère, prisonnier en Touraine vers 1805, alors que lui-même justement était interne au collège de Vendôme. Le narrateur de l'histoire est donc bien proche de l'auteur lui-même ! Celui-ci, note P. Citron (*Dans Balzac*, Seuil, 1983) « se donne la satisfaction d'emmurer vivant dans son récit un homme qu'il soupçonnait d'être l'amant de sa mère ». La psychanalyse ne pouvait manquer de s'intéresser à ce texte (Peter Lock, « Text crypt », *MNL*, may 1982) où se révèle et se dissimule à la fois un souvenir enfoui dans la mémoire de Balzac.

16. Me Regnault raconte l'histoire de la « succession de Mme de Merret » (p. 714) – Mme Lepas, celle des « quinze mille francs de l'Espagnol » (p. 720) – Rosalie, celle de sa dot (p. 727).

17. Le secret ne concerne-t-il pas, d'ailleurs, le rapport à la mère (voir P. Lock, art. cité) ?

18. L. Dällenbach, *op. cit.*, p. 132. Ou encore, elle réfléchit « au principe du récit, ce qui tout à la fois l'origine, le finalise, le fonde, l'unifie et en fixe les conditions *a priori* de la possibilité » (p. 131).

19. Terme, d'après le contexte, presque dramaturgique : ce qui est au cœur de l'action.

20. Il ne saurait exister de secret, naturellement, sans la promesse quelconque d'un dévoilement.

21. Ph. Hamon a rappelé récemment qu'architecture et littérature s'utilisent volontiers comme « métalangue », ou comme « métaphore » l'une de l'autre. (« Texte et architecture », *Poétique* n° 73, févr. 1988, p. 6). Nous en avons ici un superbe exemple.

22. Ces métaphores œuvrent à la mise en abyme « textuelle », qui vise à représenter le récit « sous son aspect littéral d'organisation signifiante » (L. Dällenbach, *op. cit.*, p. 123).

23. L'expression s'applique, dans *Le Récit spéculaire*, à Dante. L. Dällenbach rappelle à ce propos, après G. Poulet, que « Dieu est une sphère dont le centre est partout et la circonférence nulle part ». Mais si ce vertige du centre existe chez Balzac, les choses y sont, on va le voir, beaucoup plus problématiques...

24. Voir à ce sujet L. Dällenbach, « Du fragment au cosmos », *Poétique n° 40*, 1979, p. 426.

25. Sur cette crise, dans les années 1830, voir A. Vanoncini, *Figures de la modernité,* José Corti, 1984.

26. On attendrait des énoncés comme celui-ci : « le prisonnier de "La Grande Bretèche" était M. de Feredia »...

27. Ainsi, dans *Le Curé de village,* c'est la position surplombante du palais épiscopal de Limoges qui permet aux prêtres de se rendre maîtres des secrets de la ville.

28. N. Mozet a bien montré (*L'Année balzacienne 1985*) « L a place du modèle archéologique dans la formation de l'écriture balzacienne », repris dans *Balzac au pluriel,* « écrivains », PUF, 1990, p. 47-64.

29. Voir L. Dällenbach, art. cité, p. 424. On voit que s'il est fait appel, dans ce texte des années 30, au modèle archéologique, ce n'est pas sans que celui-ci se révèle (déjà) problématique. Selon N. Mozet (art. cité) c'est vers 1840, période où est conçue, justement *La Comédie humaine,* que l'archéologue, comme modèle, cédera la place au collectionneur.

30. Où s'effectue, en effet, le passage de l'oral à l'écrit (on parle de rédiger des « volumes », p. 724). Voir L. Frappier-Mazur, art. cité. À cet instant, les « contes », les « bruits » (p. 715), le « bavardage » (p. 724) sont censés laisser place à un ordre tout mathématique, et l'écrivain être celui qui fait surgir le sens et la vérité.

31. H.-P. Jeudy, « Les jeux du dévoilement », *Traverses* n° 30-31 mars 1984, Centre G. Pompidou (Diff. Éd. de Minuit), *Le Secret.*

32. Nous nous permettons de renvoyer à notre article paru dans *Romantisme* n° 54, 1986 : « L'artiste ou l'imposture... »

33. Le nom du lieu se passe, comme on va le voir plus loin, de commentaires ! Ces quelques lignes ont été transférées, et développées, dans *La Muse du département* (Pl. IV, p. 697).

Ursule Mirouët ou le test du bâtard

Nicole Mozet

Ursule Mirouët raconte deux histoires en même temps : celle d'une succession qui met en émoi la bourgeoisie d'une petite ville de province et celle d'une aventure scientifique – le magnétisme –, qui cautionne de son autorité ce que l'Église appelle miracle.

Le roman commence en 1829. Ursule a quinze ans et son parrain, le docteur Minoret, plus de quatre-vingts. Elle est la fille légitime du demi-frère bâtard de la femme du Dr Minoret. De ce fait, au regard des lois et des mœurs de l'époque, elle n'est pour lui ni une parente ni une étrangère, et tout testament en sa faveur serait susceptible de faire l'objet d'un procès de la part des neveux et nièces en attente d'héritage. C'est pour éviter cet inconvénient que Minoret cache des titres au porteur d'une valeur considérable dans un livre de sa bibliothèque. Mais un de ses héritiers, le maître de poste Minoret-Levrault, surprend son secret et vole les titres au moment même où le docteur meurt. Ursule est aussitôt chassée de la maison de son parrain. Si Balzac était seulement un romancier réaliste, l'histoire s'arrêterait là, comme c'est le cas du *Curé de Tours* ou du *Colonel Chabert*.

Mais, de par la toute-puissance de l'auteur, il se trouve que le voleur ne supporte pas qu'Ursule, laquelle pourtant ignore tout des spoliations dont elle a été victime, continue à habiter dans la même ville que lui. Il fomente contre elle des persécutions qui rendent dangereusement malade cette jeune fille délicate et émotive. C'est alors que le miracle se produit. Sa sensibilité aiguisée par la maladie, Ursule se met à avoir des rêves qui sont de véritables visions. Son parrain lui apparaît, il lui fait voir comme au spectacle la scène du vol dans toute sa continuité et avec tous les détails. Son hallucination la mène jusque dans la maison du voleur, elle contemple rétrospectivement le maître de poste en train de frotter ses allumettes pour brûler le testament du docteur, exactement comme cela s'est passé dans la réalité. Mais derrière Dieu, il y a la science. Dans *Ursule Mirouët*, le magnétisme, reconnu par l'avant-garde de la science physiologiste et médicale, explique toutes les anomalies de la perception du temps et de l'espace.

C'est pourquoi je propose de lire *Ursule Mirouët* comme un apologue destiné à illustrer le processus cognitif qui mène du préjugé à la vérité. L'image de la conversion religieuse sert de modèle et de point de départ à la réflexion, mais c'est la science qui compte. *Ursule Mirouët* est un roman expérimental qui n'entend rien de moins que prouver l'existence de Dieu en faisant découvrir l'âme au bout du scalpel du chirurgien romancier. C'est pour la plus grande gloire de la Science que le texte égrène son chapelet de miracles devenus expérimentations, expériences et preuves. Une femme assise sur une chaise à Paris qui voit ce que fait Ursule dans sa chambre à Nemours ; un revenant qui sort de sa tombe pour faire respecter ses dispositions testamentaires ; une jeune fille qui a des visions ; un homme qui meurt de la main de Dieu : autant d'impossibilités transmuées en phénomènes naturels. Et surtout n'oublions pas, pour couronner le tout, une vicomtesse bretonne qui donne son consentement au mariage de son fils avec la fille du bâtard ! Dans l'univers balzacien – témoin *La Vendetta* de 1830 –, c'est le miracle des miracles... L'organisation textuelle d'*Ursule Mirouët* met tous ces éléments sur le même plan, dans une visée explicitement démonstrative.

C'est donc le lien entre ces différents motifs qui sera le fil conducteur de mon exposé. Je commencerai par le thème de la bâtardise, en insistant sur la dimension historique du thème plutôt que sur ses aspects autobiographiques. Je suis allée chercher dans le *Dictionnaire de la conversation* l'article du médecin Jules-Joseph Virey sur la bâtardise[1]. Ce texte m'intéresse dans la mesure où l'on y trouve la même antithèse que chez Balzac entre le préjugé et l'observation scientifique. Je reviendrai ensuite au texte balzacien pour retracer le parcours génétique des *Héritiers Boirouge* de 1836 au roman de 1841. C'est une étude du dénouement qui me permettra de poser la question attendue ici : en quoi *Ursule Mirouët* est-il un texte de 1841 ? Qu'est-ce qui permet de parler d'évolution et comment peut-on la définir et la décrire ?

Virey : les embarras du discours médical

La composition rhétorique de l'article de Virey, banale pour l'époque, correspond à la pratique de la *disputatio* pesant alternativement le pour et le contre. Néanmoins, Virey pousse la chose si loin que le résultat nous paraît un peu caricatural, parce que les deux parties de son développement sont franchement contradictoires. Tout pivote autour du « Cependant » qui ouvre la seconde partie : en amont les bâtards sont un danger social, plus bas ils deviennent le rempart contre la dégénérescence de la race, les sauveurs des vieilles familles refermées sur elles-mêmes et finalement du corps social tout entier, dont ils assurent la cohésion : « Les bâtards semblent être ainsi le ciment qui rattache des familles éloignées, et le domestique à son maître. » Autant dire qu'une affirmation de ce genre est en opposition radicale avec le code civil du XIXe siècle, qui traque impitoyablement la bâtardise pour l'écarter du système des successions, ainsi qu'il est très bien expliqué dans *Ursule Mirouët*. Nous avons donc face à face dans le même article le préjugé et son contraire, à savoir une vérité scientifique fondée sur l'observation des faits et énoncée sans aucun souci de contrarier les opinions reçues. C'est la même démarche que dans le roman de Balzac, qui met lui aussi face à face, pour faire ressortir la noirceur des uns et la sagesse de l'autre, les bourgeois de Nemours et leur vieil oncle médecin, un homme de science qui ne croit qu'à l'expérience.

Par-delà la structure rhétorique qui coupe le texte en deux, l'article de Virey – à cause précisément de cette construction dichotomique –, me paraît très révélateur du passage d'une idéologie dominante à une autre. En gros de l'ère de la noblesse à celle de la bourgeoisie, avec tous les décalages et les différences de niveaux que cela suppose. Dans cet article de Virey, la strate idéologique la plus archaïque est celle de l'argument de la pureté du sang, qui n'est d'ailleurs évoqué dans la seconde partie que pour être immédiatement réfuté et limité aux « hautes et grandes familles ». Dès la première partie, on est déjà dans la sphère de l'idéologie bourgeoise, puisque c'est au nom de la mauvaise éducation que la bâtardise est vilipendée et non du point de vue d'une quelconque malédiction pesant sur la naissance : « [...] les enfant abandonnés, manquant le plus souvent de moyens d'existence, sont poussés par le malheur à des actes répréhensibles. » La condamnation demeure bien la même que dans le passé, mais l'on sent dans les propos de Virey qu'elle est en train de se chercher des arguments nouveaux, qui quelquefois retournent les anciens. Ainsi, toujours dans la première partie négative, lorsque Virey aborde la question de la filiation, les bâtards ne sont plus rejetés en tant que mauvais fils mais comme pères insuffisants : « Quelle race doit naître de ces avortons, et combien l'espèce doit-elle perdre de sa vigueur, de la noblesse et de la beauté de ses formes par cette énervation de l'abâtardissement ? » C'est déjà le médecin qui parle quand bien même il ne fait encore que reproduire un *topos* idéologique, le tabou qui pèse sur la bâtardise. C'est l'argument génétique de l'énervation qu'il avance, lequel servira dans la seconde partie la cause inverse de la défense des bâtards. Cette fois, ce ne sont plus eux qui pâtissent d'énervation, mais les familles les plus nobles et les plus riches.

Ce petit article sur la bâtardise, ou plus précisément sur « l'abâtardissement », est une méditation de médecin sur la grande découverte de la science et de l'idéologie bourgeoise du XIXᵉ siècle : l'hérédité. Et cela se termine de façon très inattendue par un hymne à la gloire de la bâtardise que l'on peut comparer à l'apothéose de la belle Ursule à la fin du roman de Balzac. Cette chute n'a plus rien à voir avec les préjugés et les clichés qui avaient servi de point de départ à la réflexion du médecin. L'idée qui s'y fait place sous forme de paradoxe est que la société moderne a désormais besoin de cette force de brassage et de métissage que représente la bâtardise : « Les bâtards semblent être ainsi le ciment qui rattache des familles éloignées, et le domestique à son maître. »

Comme Balzac, Virey s'efforce d'installer sa réflexion dans la relativité de l'Histoire, et d'être un homme de science plutôt qu'un philosophe ou un moraliste. Les perturbations du texte révèlent les difficultés de cette entreprise de mutation épistémologique. Au début de la monarchie de Juillet et au sortir de cette curieuse aventure politique appelée Restauration, il n'est pas facile de penser le déroulement du temps historique et l'évolution des société autrement que sur le mode de la répétition ou de la décadence. Le texte de Virey ne relève pas non plus d'une idéologie révolutionnaire fondée sur l'idée de progrès. Ce qui s'y cherche et qu'on retrouve, me semble-t-il, dans *Ursule Mirouët*, c'est une théorie des transformations. C'est pourquoi la façon dont le texte lui-même évolue est également à prendre en considération et il n'est nullement indifférent, dans cette optique, que nous ayons affaire dans les deux cas à des dénouements heureux. Lesquels sont de surcroît suffisamment rares chez Balzac pour qu'on y prête attention.

Des *Héritiers Boirouge* (1836) à *Ursule Mirouët* (1841)

Mais avant d'arriver à l'interprétation du dénouement, il convient de prendre les choses à leur commencement, c'est-à-dire à partir de l'ébauche inachevée des *Héritiers Boirouge*, laquelle est évidemment dépourvue de dénouement. Le personnage d'*Ursule Mirouët* y figure déjà avec ses caractéristiques essentielles – la pauvreté, la beauté et la pureté –, elle est déjà une orpheline recueillie par charité, mais il y a dès le départ entre l'ébauche et le texte définitif deux différences concernant les personnages qui auront des répercussions importantes sur le déroulement de l'intrigue : dans *Les Héritiers Boirouge*, nulle bâtardise n'entache le lien de parenté entre Ursule et le vieil oncle qui l'a recueillie, et, par ailleurs, celui-ci n'est pas un médecin mais un marchand de vin à la retraite. Il faut signaler en outre que *Les Héritiers Boirouge* se passent à Sancerre dans un milieu protestant peu propice aux spéculations sur le surnaturel. Le point de départ du texte est le tableau généalogique compliqué que l'on retrouve presque intact dans *Ursule Mirouët*, si bien que l'on peut facilement en conclure que l'intrigue concernant la succession est déjà bien en place dans *Les Héritiers Boirouge*, mais sans l'obstacle créé dans *Ursule Mirouët* par la bâtardise du père d'Ursule. Rien non plus n'annonce ni le magnétisme, ni la religion, ni la mésalliance du descendant d'une vieille famille de la noblesse bretonne. Il apparaît donc que le roman d'*Ursule Mirouët* tel que nous le connaissons est le résultat d'une greffe sur un canevas primitif qui ne laissait présager rien d'autre qu'une histoire de succession.

Il s'agit là d'une pratique balzacienne courante qui consiste soit à raconter deux histoires en même temps, comme dans *La Fille aux yeux d'or*, soit à remplacer une histoire par une autre, ainsi qu'il est quelquefois possible de s'en apercevoir lorsque les avant-textes sont parvenus jusqu'à nous et sont suffisamment explicites : c'est ainsi que *Le Curé de Tours* a commencé par être une histoire de jeune prêtre enthousiaste avant de devenir celle d'un vieux curé égoïste ou que *La Vieille Fille* devait être l'histoire mélodramatique d'un débauché engrossant une jeune ouvrière avant que soit inventé le personnage de du Bousquier, le bourgeois impuissant symbolisant le règne de Louis-Philippe. C'est le phénomène de « retournement », selon l'expression de Lovenjoul. Dans le cas d'*Ursule Mirouët*, il semble qu'il y ait eu une métamorphose d'un genre très différent, avec passage du négatif au positif plutôt que l'inverse. Mais comme il n'est pas possible d'aller chercher les réponses du côté de la genèse faute d'une documentation suffisante, je propose maintenant d'interroger directement la structure du roman et plus spécialement le dénouement. En fait le dénouement d'*Ursule Mirouët* forme l'essentiel du roman, toute la partie qui suit la mort du Dr Minoret, c'est-à-dire plus d'un tiers de la totalité du texte.

Un dénouement en forme de démonstration

La première remarque qui s'impose est que le bonheur final d'Ursule a partie liée avec l'affirmation que le magnétisme est vrai. Ursule est une histoire de revenant et de revenus et, sans l'intervention énergique du revenant, les revenus auraient définitivement disparu dans la poche du voleur. La réussite d'Ursule serait donc la conséquence heureuse des propriétés exceptionnelles de l'esprit et de la matière, qui font quelquefois exception aux règles habituelles de la perception. Mais la découverte scientifique à démontrer compte plus que la réussite du personnage. Celle-ci est seconde par rapport au dispositif expérimental auquel il sert de preuve éclatante. C'est la vérité du magnétisme qui compte par-dessus tout. Je serais même tentée de dire que c'est le statut de la vérité qui prévaut en dernière analyse.

Ursule Mirouët est un roman à thèse, mais la thèse à démontrer a moins d'intérêt que la démonstration elle-même.

Il ne faut donc pas être trop surpris de voir Balzac y accumuler imperturbablement, avec une sorte d'innocence superbe, les preuves *physiques* de l'existence de Dieu, tout en attachant visiblement plus d'intérêt au magnétisme qu'à Dieu. Et pour que la démonstration soit la plus complète possible, il est indispensable que le roman finisse bien. Ursule devenue très riche épouse l'homme qu'elle aime et dont elle est aimée. Avec *Modeste Mignon*, c'est là le dénouement le plus heureux de toute *La Comédie humaine*, tout à fait sur le modèle des contes de fées. Même la mort atroce de Désiré Minoret-Levrault, le fils du coupable, découpé en morceaux dans un accident de la circulation, comme Rosalie de Wateville à la fin d'*Albert Savarus*, est très utile pour donner la pleine mesure des dons de prophétie d'Ursule, toujours inspirée par le fantôme de son parrain : « J'ai vu mon parrain à la porte, dit-elle, et il m'a fait signe qu'il n'y avait aucun espoir » (Pl. III, p. 986). En outre, le voleur ne se contente pas de rendre gorge. Il se repent sincèrement, se fait volontairement le régisseur du château qu'il a donné à Ursule et devient un modèle édifiant de charité et de dévotion. Certes, il sort foudroyé de la tragédie qu'il a vécue, comme Ferragus ou Chabert dans des circonstances très différentes, mais il est *converti*, c'est-à-dire qu'il a intériorisé la Vérité. Pour un bourgeois de province imbécile et cupide, il faut dire que c'est un tour de force à peu près inimaginable, un miracle de plus dans ce roman des miraculés. Ouvert sur la conversion du médecin voltairien assistant à la messe pour la première fois depuis son installation à Nemours, *Ursule Mirouët* se clôt sur celle du maître de poste « en cheveux blancs, cassé, maigre, dans qui les anciens du pays ne retrouvent rien de l'imbécile heureux que vous avez vu attendant son fils au commencement de cette histoire » (*ibid.*). *Ursule Mirouët* est le livre de toutes les métamorphoses : l'imbécile se fait saint, l'incrédule croit, le jeune homme endetté devient sérieux et sa vieille mère consent à son mariage avec Ursule par générosité et non par intérêt.

Pour mieux comprendre ce qui se passe dans ce roman déconcertant, il convient surtout de ne pas négliger ces personnages qu'on appelle à tort secondaires et qui sont ici le lieu de métamorphoses peut-être moins spectaculaires mais tout aussi marquantes, comme celle de Goupil et de son patron. Le clerc sale et mauvais garçon s'est en effet mué en notaire respecté, tandis que l'ancien notaire s'est fait élire député. Du même

coup, la femme du nouveau député s'est changée en une caricature de grande dame dont la présence à la cour de Louis-
Philippe transforme la nouvelle royauté en une caricature de
royauté :

> Dionis, son prédécesseur, fleurit à la Chambre des députés
> dont il est un des plus beaux ornements, à la grande satisfaction
> du roi des Français qui voit Mme Dionis à tous ses bals.
> Mme Dionis raconte à toute la ville de Nemours les particularités
> de ses réceptions aux Tuileries et les grandeurs de la cour du roi
> des Français ; elle trône à Nemours, au moyen du trône qui certes
> devient alors populaire. (Pl. III, p. 987)

N'oublions surtout pas Mme Crémière, celle qui dit « Bête
à vent » (p. 871) pour Beethoven, promue écrivain *in extremis*
par la grâce du nouveau notaire, qui se donne la peine de faire
un recueil de ses coq-à-l'âne. C'est le genre de dénouements qui
s'amorcent dans *La Comédie humaine* avec un roman comme
La Vieille Fille (1836), par ailleurs profondément parodique,
entérinant dans ses dernières pages l'épanouissement de du
Bousquier après la révolution de Juillet. Nous sommes déjà
loin des fins tragiques de *La Peau de chagrin*, du *Colonel
Chabert* ou de *La Fille aux yeux d'or*, mais il reste encore beaucoup de nostalgie dans *La Vieille Fille*. Le phénomène s'inten-
sifie à partir de 1840, non sans certains épisodes sanglants,
comme le dénouement de *Pierrette*. Mais il n'y pas que les
rapaces qui prospèrent, quelques honnêtes gens parviennent à
trouver leur place au soleil, comme l'ingénieur Gérard dans *Le
Curé de village*, Ève et David dans *David Séchard* ou les
l'Estorade dans *Mémoires de deux jeunes mariées*.

Certes, l'évolution du roman balzacien est malaisée à
appréhender parce qu'elle est plutôt de l'ordre de la maturation
que de la mutation. Aussi, dans la mesure où elle permet
d'intégrer les récurrences, les résurgences et les retours en
arrière, l'image de la spirale pourrait peut-être nous servir de
métaphore. Il n'y a sûrement pas coupure ni rupture brutale.
Mais on peut observer dans l'histoire de la création balzacienne
plusieurs moments de prise de conscience et 1840 est un de
ceux-là. C'est en particulier le moment où est abandonnée la
problématique archéologique[2] qui est à la fois résurrection du
passé et recherche des causes. Le roman bascule complètement
du côté des conséquences, c'est-à-dire du présent de la monarchie de Juillet. On a souvent fait remarquer combien l'écart

s'est réduit entre le temps de la fiction et le temps de l'écriture. C'est la façon balzacienne de reconnaître le *principe de réalité*, au sens psychanalytique, ce qui revient à admettre l'impossibilité d'une Histoire cyclique. Malgré tous ses miracles, *Ursule Mirouët* est un roman profondément réaliste dans lequel tente de s'écrire une quête difficile des modèles de transformation qui régissent les individus et les sociétés. Comment le maître de poste est-il devenu maigre et charitable ? Comment est-on passé du roi de France au roi des Français ? Ce qui revient à se demander comment on est passé du simple au complexe – à savoir de la « naïveté » des temps anciens à la complexité de la « civilisation » moderne –, de l'âge patriarcal à l'ère de la bourgeoisie, de l'héroïque au banal, des contrastes et des ordres de la société féodale aux mille différences et nuances d'une société de classes. Le symbole de tous ces changements, c'est évidemment le trajet qu'à parcouru Mme Dionis entre l'étude de son mari et la cour du roi. Et c'est pourquoi l'on peut dire qu'une certaine conversion du roman balzacien est inscrite en filigrane dans ce roman de la conversion qui fait de la vérité quelque chose de tangible.

En guise de conclusion, je reviendrai un instant à l'idée de bâtardise d'où je suis partie, dans laquelle Virey voyait l'espoir d'un « ciment » entre des groupes sociaux hétérogènes. C'est effectivement ce qui se passe dans *Ursule Mirouët* avec la métamorphose de l'orpheline en princesse. Ursule est comblée au lieu de perdre ses illusions. Si son bonheur était indispensable au triomphe de la vérité scientifique, il reste à se demander s'il n'a pas une signification plus mystérieuse.

Plagiant Flaubert, je suis tentée de faire dire à Balzac : Ursule Mirouët, c'est moi... En effet, dans la mesure où le roman repose entièrement sur un problème de légitimité, on retrouve dans l'histoire d'Ursule exactement les mêmes ingrédients que dans les textes balzaciens sur la propriété littéraire. En outre, le texte n'a vraiment commencé d'être écrit, on s'en souvient, qu'à partir du moment où le marchand de vins des *Héritiers Boirouge* a été remplacé par un savant, c'est-à-dire par un intellectuel, capable justement de mettre les valeurs morales du cœur et de l'esprit avant les valeurs bourgeoises de la famille et de l'argent. Les livres avant les balles de coton, pour reprendre la comparaison de la *Lettre adressée aux écrivains français du XIXe siècle* en 1834. Parallèlement, la bâtardise devient une composante du personnage de l'héroïne bénéficiaire de la restitution, alors qu'avant *Ursule Mirouët*, toutes les histoires de restitution de *La Comédie humaine*, qu'il s'agisse de *Madame Firmiani*, du *Colonel Chabert* ou de *L'Interdiction*, tendaient à rendre aux héritiers légitimes les biens dont ils avaient été injustement spoliés. Dans le roman de 1841, la véritable légitimité n'est plus du côté du sang. Comme dans l'article de Virey cité plus haut, on est passé d'un système idéologique à un autre, fondé sur la primauté de l'éducation. Il s'agit bien entendu d'une valeur bourgeoise, mais récusée par la bourgeoisie quand elle met en danger ses intérêts de classe. De même que la bourgeoisie du XIXᵉ siècle s'est montrée raciste et sexiste en contradiction absolue avec le principe d'égalité sur lequel elle avait institué sa propre légitimité, de même a-t-elle pourchassé la bâtardise d'une façon phobique et sans raison logique. Lorsqu'il n'y a plus d'aristocratie de naissance, la pureté du sang ne signifie plus rien. Sur ce point, Balzac est finalement très proche de son personnage de vieille vicomtesse bretonne pour laquelle la seule différence véritable est celle qui passe entre la noblesse et la roture. Et c'est pourquoi la reconnaissance de la mort symbolique de la Paternité, consommée en 1830, a entraîné pour lui une restructuration complète de la hiérarchie des valeurs sociales. Qu'on le veuille ou non, l'équation Mirouët = Portenduère est désormais une réalité. Mais en contrepartie, il convient de reconnaître les « capacités ». En écrivant, dans *« L'Historique du procès auquel a donné lieu* Le Lys dans la vallée », qu'il n'était pas « gentilhomme dans l'acception historique et nobiliaire du mot » (Pl. IX, p. 929), Balzac signifiait qu'il n'abandonnait ses prétentions à la noblesse par le sang que pour mieux revendiquer ses droits à la noblesse de l'esprit.

En 1840, en rassemblant son œuvre sous le titre de *La Comédie humaine*, Balzac a osé se proclamer l'égal de Dante. Il s'est sacré prince. *Ursule Mirouët*, conçue et écrite dans le temps de la mise en place du projet de *La Comédie humaine*, est une autre façon de décréter la supériorité de l'intelligence sur la matière et de protester contre l'aliénation dont sont victimes les artistes et les écrivains. Bâtards à leur manière, ils sont privés de la jouissance des fruits de leur travail aussi injustement qu'Ursule chassée de chez elle par la rapacité de la horde des héritiers. C'est de son côté à elle qu'est la véritable légitimité, celle dont se réclame l'auteur de *La Comédie humaine*.

Notes

1. Voir le texte reproduit page ci-dessous.
2. Cf. Nicole Mozet, « La mission du romancier ou la place du modèle archéologique dans la formation de l'écriture balzacienne », dans *Balzac au pluriel,* « écrivains », PUF, 1989.

Dictionnaire de la conversation et de la lecture, t. IV, 1833,
article signé J.-J. Virey.

BATARD et ABATAR-DISSEMENT, autrefois *bastard,* qui signifie une extraction inférieure, ou basse et non avouée. L'*abâtardissement* suppose une génération furtive, ou le produit dégradé d'une de ces erreurs de jeunesse vague et inconstante, triste et informe avorton trop souvent abandonné à la misère, et qui, ne subsistant que des charités publiques, sans éducation et instruction, se trouve condamné à devenir *mauvais sujet.* Tels sont les vices des unions illégitimes et leurs résultats presque inévitables, puisque les enfants abandonnés, manquant le plus souvent de moyens d'existence, sont poussés par le malheur à des actes répréhensibles par la nécessité. Voilà pourquoi la dépravation des mœurs dans les grandes villes, les pays de manufactures, de garnison, où sont rassemblés beaucoup d'hommes non mariés, donne naissance chaque année à des milliers de bâtards, dont la vie ne sera qu'opprobre ou infortune, et dont, heureusement pour eux, la mortalité est plus fréquente que celle des autres personnes. On trouverait surtout aussi dans la population des prisons, des bagnes, ou celle que le crime pousse jusqu'à l'échafaud, un plus grand nombre de bâtards que d'individus nés d'un mariage légitime. — La plupart des êtres nés hors de cette condition, aussi mal nourris que mal élevés, sont donc réduits à une vie faible autant que douloureuse, faute de secours dans leur enfance, car ils ne doivent rien qu'à la pitié. Si l'on ne vend plus à la place Maubert 20 sols tournois les nouveau-nés aux femmes de la campagne, comme au temps qui précéda saint Vincent de Paule, on ne peut guère les soustraire, dans les établissement qui leur sont aujourd'hui consacrés, à tous les besoins de leur misère. Quelle race doit naître de ces avortons, et combien l'espèce doit-elle perdre de sa vigueur, de la noblesse et de la beauté de ses formes par cette énervation de l'abâtardissement ? Joignez-y de plus ce dévergondage d'immoralité sans frein, qui fait que les êtres se livrent à des voluptés désordonnées qui les épuisent bientôt, et vous reconnaîtrez facilement les causes de cette dégénération, remarquée dans l'ignoble population des villes les plus corrompues. — Cependant, quelques faits semblent contredire cette règle générale. Qui ne sait que des enfants *naturels,* fruit d'un amour violent et contrarié par l'empire des lois, sont nés d'autant plus vigoureux qu'ils ne doivent leur existence qu'à une passion insurmontable ? N'y a-t-il pas une foule de bâtards illustres depuis Homère (Mélésigène) et Dunois, et le maréchal de Saxe, et d'Alembert, et Delille, etc., jusqu'à tant d'autres grands hommes que nous pourrions citer ? Et de plus, combien ne faut-il pas de puissance d'esprit et de caractère pour s'élancer hors de cette situation inférieure aux rangs élevés d'une société qui vous repousse ? Car les enfants de l'*amour,* s'ils naissent avec tous ses dons, sont plus ardents, plus spirituels, plus aimables, lorsqu'ils tirent tout de leur propre génie, et sont inspirés par la même puissance qui les produisit. — Et d'ailleurs n'est-ce point par le croisement qu'une race affaiblie se ressuscite dans ces illégitimes liaisons ? S'il est défendu aux hautes et grandes familles de se mésallier, les trop faciles jouissances de la fortune peuvent les énerver. Il convient qu'un sang plus vif, qu'une complexion plus vigoureuse passe dans ces vieilles souches, pour en rajeunir l'énergie par cette transfusion secrète ou dérobée. Ainsi se sont relevées d'illustres maisons. Lycurgue permettait ces alliances ou ces interpolations, dont les pères putatifs s'enorgueillissaient en voyant refleurir une tige menacée de stérilité. — Les bâtards peuvent donc souvent protester contre l'abâtardissement. Ce n'est pas un motif pour faciliter la bâtardise. Plus on a multiplié les asiles pour les enfants trouvés, plus des parents dénaturés en ont abusé pour y déposer les fruits de l'incontinence, de même que l'aumône multiplie les mendiants. Aujourd'hui on recueille à Paris le tiers des naissances dans les hospices des Enfants-Trouvés. S'ensuit-il que le tiers de la population se compose par la suite d'êtres sans nom, sans parents avoués, sans propriété, et même sans patrie, ou qui ne tiennent à rien ? Non, car bientôt tout s'incorpore, et le mélange des consanguinités s'opère pour former une masse homogène. Les bâtards semblent être ainsi le ciment qui rattache des familles éloignées, et le domestique à son maître.

Une étrange gestion du passé :
L'Envers de l'histoire contemporaine

Jeannine Guichardet

Étrange écrit, en vérité, que cet ultime « roman » signé Balzac. Entrepris au moment même de *La Comédie humaine*, en 1842, achevé en 1847 à Wierzchownia, c'est un tout en morceaux : fragments textuels nés en des temps et lieux divers puis laborieusement reliés entre eux, insertion dans la trame romanesque d'un authentique document historique et de morceaux choisis de l'*Imitation de Jésus-Christ*. Au total une espèce de roman archéologique offert au déchiffrement d'un lecteur à la fois intéressé et déconcerté d'y retrouver, comme dans un kaléidoscope, des « choses vues » antérieurement mais brassées de telle façon qu'elles composent à présent un dessin tout différent, sorte de négatif de celui que notre esprit avait composé, son « envers » précisément. Nous sommes confrontés à une inversion des signes qui nous oblige à remettre en question nos « idées reçues » quant au roman balzacien tout comme Balzac lui-même semble le remettre en cause par l'intermédiaire de son héros Godefroid, romancier virtuel qui suscite parfois l'ironie de son créateur même.

Entreprenant d'écrire ce qui deviendra la première partie de *L'Envers de l'histoire contemporaine*, Balzac, de son propre aveu, s'apprête à exécuter un vieux projet enfoui sous d'autres réalisations : celui de consacrer un ouvrage à « la charité dans les grandes villes »[1], sorte de réplique urbaine du *Médecin de campagne*. Le fragment intitulé *Les Précepteurs en Dieu*[2] témoigne de l'ancienneté de ce projet lié au vieil espoir reparaissant d'obtenir le prix Montyon. Lié sans doute aussi, de façon plus subtile, à d'authentiques préoccupations spirituelles : à la même époque (1834-1835) *Séraphîta* semble être parfois une pépinière de sujets développés dans *L'Envers*. « Il est en nous-mêmes de longues luttes dont le terme se trouve être une de nos actions, et qui font comme un envers à l'humanité. Cet envers est à Dieu, l'endroit est aux hommes. »[3] Ou encore :

> Quand il vit dans l'Amour, l'homme a quitté toutes ses passions mauvaises : l'Espérance, la Charité, la Foi, la Prière ont, suivant le mot d'Isaïe, *vanné* son intérieur qui ne doit plus être pollué par aucune des affections terrestres. De là cette grande parole de saint Luc : *Faites-vous un trésor qui ne périsse pas dans les cieux*[4]. (p. 777)

Sans compter que Wilfrid à certains égards, préfigure Godefroid et son initiation.

> [...] ni sa science ni ses actions, ni son vouloir n'avaient de direction. Il avait fui la vie sociale par nécessité, comme le grand coupable cherche le cloître. Le remords, cette vertu des faibles, ne l'atteignait pas. Le Remords est une impuissance [...] Le Repentir seul est une force, il termine tout. (p. 794)

Nous n'insisterons pas ici sur les étapes laborieuses de la création au fil des années[4], nous contentant de les rappeler brièvement : la première partie, *Madame de la Chanterie*, paraît en quatre épisodes, de septembre 1842 à novembre 1844, dans *Le Musée des familles*[5]. La deuxième partie, *L'Initié*, est écrite trois ans plus tard, à l'automne 1847, à Wierzchownia. Quelques jours après le retour de Balzac, en 1848, la révolution éclate et Piquée, directeur du *Musée des familles*, refuse de publier l'ouvrage en raison « des circonstances ». *Le Spectateur républicain* l'accepte, publiant en prime *Madame de la Chanterie*[6] considérée comme une introduction à *L'Initié* :

mais le journal disparaît dans la tourmente dès le 7 septembre 1848. C'est seulement en 1854, quatre ans après la mort de l'écrivain, que *L'Initié* sera publié en volume.

Au total, histoire mouvementée d'un texte intimement lié à l'Histoire, même dans la péripétie de sa publication. Histoire du présent, Histoire du passé qui, superposées, nous invitent à déchiffrer ces vivantes inscriptions dans le Temps que sont les personnages archéologiques de la rue Chanoinesse. Personnages *produits* par l'Histoire. Plusieurs expressions sont révélatrices à cet égard : « Chacun de vos noms, Messieurs, est toute une histoire, leur dit-il [Godefroid] respectueusement »   en apprenant les noms de famille de Messieurs Nicolas (marquis de Montauran) et Joseph (Lecamus), et ce dernier de répondre : « L'histoire de notre temps [...], des *ruines* ! »

Tous deux ne sont en effet que « deux *débris* des deux plus grandes choses de *la monarchie écroulée,* la Noblesse et la Robe » (p. 241). Mme de la Chanterie elle-même le confirme à Godefroid : « vous êtes au milieu des *débris* d'une grande tempête » (p. 243) et son ennemi Bourlac constate à propos du médecin polonais Halpersohn et d'autres grands réfugiés (Mickievicz, Chopin) : « Les grandes commotions nationales produisent toujours des espèces de *géants tronqués* » (p. 385) – sans parler des têtes coupées ! (p. 373). Vanda n'est plus qu'un « *reste* de femme », le « mince *débris* d'une jolie femme ». (p. 371)

Oui, décidément l'Histoire est un grand archéologue qui nous lègue des fragments. L'écriture a pour mission de les relier, de donner à voir l'« histoire double, celle d'autrefois, celle d'aujourd'hui »[8].

L'envers et l'endroit

« J'ai vu, depuis vingt ans, le monde par son envers. »[9] Depuis longtemps déjà Balzac, comme Vautrin, voit « le monde par son envers » et semble habité par l'idée qu'une même pâte humaine peut lever différemment suivant les circonstances historiques qui la pétrissent[10]. L'ultime lettre que Lucien adresse à Carlos Herrera dans *Splendeurs et Misères des courtisanes* mérite, à cet égard, d'être rappelée :

Il y a la postérité de Caïn et celle d'Abel, comme vous disiez quelquefois [...]. Quand Dieu le veut, ces êtres mystérieux sont Moïse, Attila, Charlemagne, Robespierre ou Napoléon. Mais quand il laisse rouiller au fond de l'océan d'une génération ces instruments gigantesques, ils ne sont plus que Pugatcheff, Fouché, Louvel, et l'abbé Carlos Herrera.[11]

L'Envers de l'histoire contemporaine montre ce que « la Providence », a fait de Mme de la Chanterie et de ses commensaux. Elle, c'est l'envers de ce qu'elle était dans l'acte d'accusation : la conspiratrice chouanne est devenue une sainte femme. Montauran et Lecamus ne sont plus que les doublures en coulisse des grands acteurs qu'ils furent sur la scène de l'Histoire, pâles fantômes d'eux-mêmes. Le tout-puissant Bourlac précipité dans la misère est réduit à jouer une comédie – sublime, certes – pour sa fille Vanda, tant il est vrai – autre idée exprimée par Vautrin et qui trouve ici son illustration – que « toute mauvaise action est rattrapée par une vengeance quelconque »[12]. Mais où est donc la mauvaise action ? En considérant avec Balzac « l'envers » de l'histoire contemporaine on peut s'interroger : après tout Bourlac n'a peut-être fait que son devoir de magistrat en cette époque de troubles où l'unité nationale semblait en péril ? Vérité en deçà d'une ligne de démarcation tracée par l'histoire, erreur au-delà. Tout est double et bien des éléments qui composaient pour le lecteur le paysage familier de *La Comédie humaine* sont ici « retournés », nous invitant à une sorte de remise en ordre des valeurs. L'argent circule mais en sens inverse de celui auquel nous sommes habitués. Nous contemplons « la sacro-sainte pièce de cent sous »[13] au sens propre du terme, sans ironie puisque cet argent est sanctifié par son utilisation. Le banquier Mongenod est bien l'envers « d'un Nucingen qui a été Jacques Collin légalement et dans le monde des écus »[14]. La philanthropie, vertu sociale ostentatoire[15], fait place à son envers secret, la Charité, sublime vertu théologale. Le paraître s'efface au profit de l'Être... Ni superflu ni ostentation. Les personnages perdent volontairement jusqu'à leur identité sociale en renonçant à leur nom, alors que tant de héros de *La Comédie humaine* n'aspirent qu'à l'élévation mondaine par l'extension du leur, de Lucien de Rubempré à Crevel de Presles. Peut-être

sommes-nous au plus près, ici, d'une *Divine Comédie*...
L'espace parisien lui-même s'est mué en espace provincial
resserré autour d'une cathédrale qui évoque celle de Tours, et le
temps humain n'est plus vectorisé vers un avenir à conquérir.
C'est un temps clos, circulaire, immobile. Celui des expiations
pour les bourreaux et de la « communion des saints » pour les
victimes. Les nombreuses « études de femmes » frivoles et
coquettes qui jalonnent les romans antérieurs font place à une
étude de sainte femme et le roman d'amour avorté, entrevu un
instant par le néophyte Godefroid se transforme en histoire
d'une âme. Quant à Godefroid : il est sans nul doute l'exemple
privilégié sur lequel il faut un instant s'attarder car il est le
double négatif (ou positif selon le point de vue qu'on adopte)
de Rastignac, son exact envers.

À la fin du *Père Goriot* le jeune ambitieux au nom rapace
se mesurait à Paris au terme d'une initiation à rebours[16]. Au
début de l'*Envers de l'Histoire contemporaine* Godefroid au
nom de croisé « rêve ». Paris, le « contemple » là où le temps
s'est fait espace depuis les Romains jusqu'à Louis-Philippe,
accoudé au parapet d'un pont d'où l'on peut voir la Seine en
amont et en aval. Vision horizontale pour un Paris du passé
jalonné de vestiges. « Tableau » merveilleux pour un destin sta-
tique à l'ombre non de la colonne Vendôme, symbole de victoire, mais à celle de Notre-Dame, « lieu désert » propice à la
méditation, au retour sur soi.

Godefroid, le promeneur solitaire, reste là, « en proie à une
double contemplation : Paris et lui ! ». (p. 218). Et à la veille de
son ,initiation, il s'écrie : « le monde des malheureux va
m'appartenir », écho inversé du fameux « À nous deux [Paris] »
où c'est le monde des riches qui est convoité, celui où brillent
l'or et la lumière. C'est, de son propre aveu, en s'annulant que
l'ex-dandy Godefroid a trouvé « ce pouvoir tant désiré depuis
si longtemps » (p. 329).

Nous pourrions nous amuser[18] à suivre notre héros de case
en case sur le Jeu de l'oie de la Bienfaisance, car, dans cet espace,
parisien de la Charité hérité du bon juge Popinot, toutes les
misères des quartiers sont « chiffrées, casées dans un livre où
chaque malheur a son compte comme chez un marchand les
débiteurs divers »[19]. Toutes les figures traditionnelles du Jeu y

sont représentées : les *ponts* et la *rivière* dès la première page ; le *hasard* et ses coups de *dés* qui président aux destinées des personnages, à leurs rencontres ; le *labyrinthe* : labyrinthe des « vieilles rues, vieilles cours, vieilles murailles » qui gardent la maison de la rue Chanoinesse « cœur du silence », labyrinthe textuel de l'acte d'accusation où l'imagination de Godefroid se perd avec délice car « les récits contenus, concis, sont pour certains esprits des textes où ils s'enfoncent en en parcourant les mystérieuses profondeurs » (p. 306); l'*hôtellerie,* doublement présente grâce au « petit logement » loué à notre héros par « Madame » d'abord, à celui de Madame Vauthier ensuite dont « les misérables chambres d'étudiants » et le jardinet sont comme des doubles dégradés de la pension Vauquer où Rastignac fut naguère initié par Vautrin et où « l'Initié » d'aujourd'hui trouve refuge pour mieux épier son voisin Bourlac, Christ de la paternité à sa manière ; quant à la *prison* et à la *mort* elles sont omniprésentes, depuis les prisons du passé chouan et la guillotine réservée aux comploteurs jusqu'à l'évocation finale de l'Échafaud de Louis XVI. Avant d'être « acquis à l'ordre des Frères de la Consolation », case suprême, Godefroid s'est arrêté par pensée ou par action sur toutes les autres, qui forment comme un envers au Paris de Rastignac.

Mais une question se pose : tous ces éléments, ces fragments juxtaposés, retournés, superposés composent-ils un « roman balzacien » digne de ceux qui, depuis *La Peau de chagrin,* ont progressivement conquis leurs lettres de noblesse jusqu'au « moment de *La Comédie humaine* » ?

L'impossible roman

Il semble bien que Balzac, consciemment ou non, mette dans cet ultime ouvrage le roman en question, ne fût-ce qu'en le plaçant tour à tour sous les signes inverses du virtuel et du déjà fait.

Godefroid qui, dans sa jeunesse, a tenté « d'arriver à la célébrité par un livre » (p. 220) partage les dons de son créateur ; comme lui il examine avec acuité « les aîtres, les personnes et les choses » (p. 230) et s'efforce suivant en ceci l'Avant-propos de 1842 de « surprendre le sens caché dans cet immense assemblage de passions de figures et d'événements ». Mais là comme ailleurs (sauf en bienfaisance) il demeure l'éternel vélléitaire. Il « rêve tout éveillé » rue Chanoinesse y reconnaissant « le monde fantastique des romans qu'il avait lus dans ses heures de désœuvrement » (p. 229) – romans déjà faits qui projettent leur lueur sur la réalité. Il « entrev[oit] un roman dans son séjour auprès de Madame de la Chanterie » et à partir du document authentique qu'est l'Acte d'accusation il envisage le « livre à faire ». Seulement voilà, le livre est déjà fait ! Dans le canevas qu'il propose nous reconnaissons… *Les Chouans.* Qu'on en juge :

> Il entrevit les paysages où le drame s'était accompli [...] il développa le roman de la passion d'une jeune fille [...] aimant un jeune chef en révolte contre l'Empereur, donnant, comme Diana Vernon, à plein collier dans une conspiration, s'exaltant et, une fois lancée sur cette pente dangereuse, ne s'arrêtant plus ! [...] Godefroid apercevait tout un monde. Il errait sous les bocages normands [...] Il devinait le concours presque général d'une contrée où vivait le souvenir des expéditions du fameux Marche-à-terre, des comtes de Bauvan, de Longuy, du massacre de la Vivetière, de la mort du marquis de Montauran *dont les exploits lui avaient été déjà racontés par madame de la Chanterie.* (p. 306-307)

Mise en abyme de l'Histoire abîmée ; noble matière première romanesque dans *Les Chouans,* elle n'est plus ici que matière à contes, document de seconde voix, la voix de Madame égrenant ses mémoires d'outre-tombe n'étant que l'écho affaibli de celle du romancier.

Encore l'Histoire est-elle traitée ici sur un mode semi-épique (non sans quelque ironie). Il arrive qu'elle ne soit plus qu'une sorte de méchant chromo verbal :

> Il rêva du dernier supplice [...]. À travers les chaudes vapeurs d'un cauchemar, il entrevit une jeune femme, belle, exaltée, subissant les derniers apprêts et traînée dans une charrette, montant sur l'échafaud, et criant « Vive le roi ! » (p. 311-312).

la situation se dégrade encore quand notre « voyant » au petit pied « reconstrui[t] *comme ferait un auteur moderne,* ce

drame en plusieurs volumes » (p. 312). Sorte de roman-fleuve
d'une « Histoire de France pittoresque » sur « fond ténébreux
de Chouans » où se détachent

> [...] les radieuses figures de la mère et de la fille ; de la fille abu-
> sant sa mère, de la fille victime d'un monstre, [...] un de ces
> hommes hardis que plus tard on qualifia de héros, et à qui
> l'imagination de Godefroid prêtait des ressemblances avec les
> Charette, les Georges Cadoudal, avec les géants de cette lutte
> entre la République et la Monarchie. *(Ibid)*

En soulignant ainsi les péripéties, en creusant l'écart entre
le document brut (dont le lecteur a pris connaissance) et ce que
l'imagination romanesque – puissance trompeuse – peut en
faire, Balzac ne nous invite-t-il pas à réfléchir sur le roman historique et ses limites, sur le « comment on écrit l'Histoire »
quand un tel genre littéraire est en vogue ? Genre dont il se
démarque en prenant ses distances d'ironie.

Les géants de la lutte ne peuvent, ne doivent plus être au
moment de *La Comédie humaine* des héros de romans à la
mode. Ils sont appelés à un plus haut destin par l'historien
d'une société tout entière. Société inscrite dans une Histoire en
marche qui doit être considérée en amont et en aval des événements ponctuels. *Les Chouans* ne prennent leur pleine signification qu'au sein d'un ensemble, rattachés (tant bien que mal
ici) à un cycle. Le destin du commandant Hulot, républicain
intègre, ne peut vraiment se comprendre que si nous le suivons
des hauteurs de la Pélerine au sommet du Montparnasse[20]
quand, devenu maréchal, il rassemble tout le peuple à son
convoi, aux côtés précisément du marquis de Montauran, *alias*
Monsieur Nicolas.

Monsieur Alain a raison de mettre Godefroid en garde :
« Vous voyez dans nos occupations une similitude avec celles
des califes des *Mille et Une Nuits* et vous éprouvez par avance
une sorte de satisfaction à jouer le rôle d'un bon génie dans les
romans de bienfaisance que vous vous plaisez à inventer !...»
(p. 322).

Peut-être est-ce précisément parce que beaucoup de ces histoires qui contribuent à faire l'Histoire lui sont *contées.*

Avec ce livre étrange nous sommes souvent plus proches du conte que du roman et si la voix y occupe une telle place c'est que tous les protagonistes, leur tour venu, racontent leur histoire, liée à la grande.

Un livre, des voix

— *La « simple histoire » de Godefroid* est celle d'un enfant du siècle « vieilli au contact d'une société aussi remuante que remuée » (p. 222). Être velléitaire « ayant le sentiment des facultés supérieures, mais sans le vouloir qui les met en action » (p. 223); son histoire préfigure à certains égards celle de Frédéric Moreau. Le désenchanté de 1830 annonce celui de 1848. Cette histoire, il la raconte lui-même « en peu de mots » à Madame de La Chanterie puis à Mongenod avant d'en développer les détails lorsqu'il connaît mieux son hôtesse ; il lui raconte alors « les déceptions de sa vie ».

— *L'histoire du bonhomme Alain,* née de la curiosité de Godefroid est une sorte de conte à la Diderot[21] sur l'amitié et la reconnaissance. Elle est ponctuée de tous les signes de l'oralité : « points d'orgue », « pauses », « Écoutez-moi », « autant qu'il m'en souvient », etc. Même le confort du destinataire est assuré par un coussin avancé sous ses pieds ! Conte édifiant des *Deux Amis.* Récit des « méchancetés d'un Saint »[22] où déjà apparaît en sourdine le thème de la vengeance divine poursuivant le crime que nous retrouverons, orchestré, dans la double histoire de la victime et du bourreau.

— *L'histoire de « Madame »* est racontée cette fois encore à Godefroid par le bon Alain, dans sa chambre, « comme ils y étaient lorsque le vieillard avait dit son histoire au jeune homme ». C'est une « histoire compliquée » ; après une pause le conteur expose ses scrupules : « je ne sais pas, dit le bon vieillard, si j'aurai le talent qu'exige une vie si cruellement éprouvée pour être racontée dignement » (p. 282). Il s'agit d'une longue histoire ponctuée là encore de « pauses nécessaires dans les longs récits » (p. 291); elle est étayée par le fameux acte d'accusation où « la plume officielle » prend le relais « *narr[ant]* » à l'encre rouge les détails principaux de l'affaire » (p. 306) qui – nous l'avons vu – donne pâture à la riche imagination du futur Initié. Histoire dans l'histoire, d'où émerge une allégorie :

« C'est une vivante image de la Charité ! s'écria Godefroid
enthousiasmé » (p. 319). Le conteur Alain a donc pleinement
réussi, mais il n'est ici que simple délégué :

> Ah ! mon bon monsieur Alain ! Vous avez éveillé par votre
> éloquence une...
>   – Ce n'est pas moi, mon enfant, qui parle bien, c'est les
> choses qui sont éloquentes... (p. 323).

Choses de la vie et de la mort agencées par la Providence
qui mène un jour Godefroid vers la suite inattendue de cette
même histoire.

La maladie de Vanda est une *Histoire sans nom*[23] racontée
par « la bouche éloquente et sérieuse » (p. 336) de son infortuné
père : « Moi qui n'ai jamais proféré de plaintes je vais vous parler de cette maladie. » Il s'agit de la plique polonaise et de ses
causes visibles, mais sans doute en est-il d'autres, pressenties
par Vanda : « Il y a des moments, mon père, où les idées de
Monsieur de Maistre me travaillent, et je crois que j'expie
quelque chose. » (p. 372). Ce quelque chose c'est le crime
« passé » de son père : la fille de « Madame » décapitée. Or la fille
de Bourlac par une sorte de réversibilité tragique n'est plus
qu'une tête posée sur un oreiller ! Le narrateur Balzac (car c'est
lui, ici, le conteur) met tant d'insistance à l'évoquer que ce ne
peut être un hasard. L'évocation va crescendo : « Ce n'était plus
qu'un visage d'un teint très blanc bruni par la souffrance
autour des yeux [...] et qui pour principal ornement, offrait
une magnifique chevelure noire. »[24] Telle est la première
apparition de Vanda à Godefroid. Lors de sa seconde visite :

> Vanda fit un mouvement de tête pour répondre au salut
> profond de Godefroid ; et, à la manière dont le *cou se plia, se
> replia*, Godefroid vit bien que toute la vie de la malade *résidait
> dans la tête*. Les bras amaigris les mains molles, reposaient sur le
> drap blanc et fin, comme deux choses étrangères à ce corps, qui
> paraissait ne point tenir de place dans le lit. (p. 367)

Selon l'aveu même de la malade c'est « une âme maintenant
à peu près *sans corps* » et « *cette tête souffrante*, plongée dans cet
oreiller de batiste garni de dentelles, *était toute une personne* ».
Bref, ce n'est plus qu'un reste de femme, quasi folle à certains

moments comme pour mieux revivre la « passion » de l'autre
jeune femme sacrifiée jadis par le Père coupable ; ce Père
aujourd'hui capable pour l'endormir d'« inventer [...] des histoires admirables », car elle aime non seulement lire des romans
mais encore et surtout écouter le récit des « choses du monde »
(p. 370) ce monde où Bourlac ne pénètre jamais pour cause
d'affreuse misère – suprême héroïsme – mais qu'il sait
« dépeindre » en conteur chevronné :

« Oh ! cher papa ! quel homme vous êtes ! Si vous mettiez
par écrit tout ce que nous vous entendons dire, seulement
pour m'amuser, vous feriez une fortune... » (p. 385). Mot terrible à entendre pour celui qui s'exténue secrètement sur
L'Esprit des lois nouvelles, titre de son grand ouvrage. S'il faut
donner un nom à cette histoire-là, à ce tableau plein
d'enseignement, nul doute : c'est la « Vengeance poursuivant le
Crime ».

Ce conte cruel va pourtant s'achever en conte de fée. Le
bon génie Godefroid a en effet le don (et les moyens !) de
métamorphoser la vie du vieillard sur qui tous les bienfaits
pleuvent à la fois : comme par enchantement le pain et les
fleurs sont payés, le bois livré, l'accordéon envoyé, un célèbre
médecin consulté... Que de choses, là encore, « à raconter » !

> Pour mon début j'ai trouvé la plus extraordinaire de toutes
> les infortunes, un sauvage accouplement de la misère et du luxe ;
> puis des figures d'une sublimité qui dépasse toutes les inventions
> de nos romanciers les plus en vogue. (p. 379)

Le néophyte, sur la demande de « Madame », lui
« raconta » « tout dans les plus petits détails » et il « eut un
grand succès, car la douce et calme Madame de La Chanterie
pleura [...] » (p. 380).

Mais la vérité sur l'identité de Bourlac ayant éclaté
comme la foudre, le châtiment divin s'abat de nouveau pour
un temps, silencieusement, sur le coupable jusqu'à l'apothéose
finale. La vengeance étant aux mains d'un ange (« Les anges se
vengent ainsi », p. 413), voilà Bourlac restauré, Auguste
pardonné, Vanda guérie. Dans le cloître solitaire et glacé un
spectre peut alors évoquer les grands ombres du passé et

absoudre le « fils de la Révolution » (p. 339) du crime inaugural et de son propre crime.

> Par Louis XVI et Marie-Antoinette que je vois sur leur échafaud, par madame Élisabeth, par ma fille, par la vôtre, par Jésus, je vous pardonne... (p. 412)

Au *Génie du Christianisme* revient donc le dernier mot – un grand mot – de ce « drame sans un seul loup dans la bergerie » sinon peut-être cette Histoire contemporaine qui se plaît à battre les cartes des destins individuels à sa propre mesure.

En tout ceci le dernier roman de Balzac appartient certes à *La Comédie humaine.* Mais le miroir promené tout au long des bons et des mauvais chemins du grand œuvre semble avoir ici volé en éclats, reflétant des fragments étrangement inversés. Que serait-il advenu au-delà de ce récit-puzzle, de ce récit-limite ? Nul ne peut le dire en dépit des projets.

Ce roman aux marges de *La Comédie humaine,* en marge des « grands romans » comme *Les Parents pauvres*[59] écrits à la même époque, semble être le lien d'une remise en perspective, voire d'une remise en question des valeurs instaurées par les précédents écrits. L'appel au pardon de cet étrange Balzac enveloppé dans son « sac charitable » n'est pas seulement l'écho d'un appel plus vaste à la Réconciliation nationale. Il est aussi le signe d'une lassitude personnelle, proche du renoncement ou peut-être simplement d'un désir de conclure ?

Notes

1. Il devait s'intituler *Les Frères de la consolation.*
2. Sans doute rédigé entre 1832 et 1835.
3. Voir *Séraphîta* dans *La Comédie humaine,* « Bibliothèque de La Pléiade », 1976-1981, t. XI, 1980, p. 797. Toutes les notes ultérieures renverront à cette édition.
4. Pour la genèse précise du texte voir notre édition dans Pl. VIII, 1977, p. 1323-1332.
5. La première livraison, en septembre 1842, intitulée « Les Méchancetés d'un Saint », ne correspond pas au début du roman que nous connaissons ; c'est la confession du bonhomme Alain.

6 Entrée, entre-temps (en 1846) dans le volume XII de *La Comédie humaine* sous un nouveau titre, *L'Envers de l'histoire contemporaine* (1er épisode), afin d'étoffer les « scènes de la vie politique ».

7. *Éd/ citée*, t. VIII, p. 241. Ici, et par la suite, c'est nous qui soulignons.

8. Voir *Séraphîta*, t. VI, p. 793, à propos de Wilfrid.

9. *Splendeurs et misères des courtisanes*, Pl. VI, p. 922.

10. Consulter à cet égard notre article intitulé « Doublures historiques en scène parisienne » dans *L'Année balzacienne 1984*.

11. *Splendeurs et misères des courtisanes*, Pl. VI, p. 820.

12. *Ibid.*, p. 923.

13. L'expression figure dans *La Cousine Bette*.

14. *Splendeurs et misères des courtisanes*, Pl. VI, p. 923.

15. Balzac s'est toujours méfié de cette philanthropie libérale à laquelle il oppose, dès *Le Médecin de campagne*, la bienfaisance.

16. Dont nous avons étudié naguère les étapes : voir notre article intitulé « Un jeu de l'oie maléfique : l'espace parisien du *Père Goriot* », dans *L'Année balzacienne 1986*.

17. Il se présentera lui-même plaisamment à Bourlac comme « Godefroid de Bouillon ». (p. 363).

18. Comme nous l'avons fait pour Rastignac dans l'article précédemment cité.

19. Voir *L'Interdiction*.

20. Voir *La Cousine Bette*.

21. Ainsi que l'a fait remarquer M. Regard : voir sa préface dans l'édition « Classiques » Garnier ,1959.

22. Cf. *Les Crimes d'un mouton*, ou mieux ceux d'un *agneau pascal* (p. 259).

23. Référence à la nouvelle de Barbey d'Aurevilly qui porte ce titre.

24. P. 366-367. Rappelons que la fille de Madame avait, elle aussi, les « plus beaux cheveux noirs qu'on puisse admirer ».

Mélodrame et feuilleton:
la revendication théâtrale dans *Ursule Mirouët*

Anne-Marie Baron

Le genre mélodramatique, dont Peter Brooks a analysé l'incroyable essor au début du XIXe siècle comme seul capable de combler la nostalgie d'une plénitude sentimentale et éthique[1], a souvent tenté Balzac. André Vanoncini a montré, dans un article important[2], les nombreuses et importantes modifications qu'il fait subir au modèle canonique dès ses premières pièces et de plus en plus dans sa production tardive, et il a mis en parallèle l'évolution de cette création théâtrale et l'infléchissement de la technique romanesque. Nombreux sont en effet les romans dans lesquels on peut retrouver la thématique et les procédés du mélodrame. On l'a vu avec *Pierrette*, Elisheva Rosen l'avait montré avec *La Cousine Bette*, Pierrette Jeoffroy avec *La Vendetta*[3].

En cette année 1842, qui est celle des *Ressources de Quinola*, la revendication théâtrale s'affirme plus fortement que jamais dans le métatexte d'*Ursule Mirouët*. Et l'étude de genèse montre bien que, du manuscrit à l'édition originale, Balzac ajoute des confidences techniques qui viennent souligner la parenté du roman avec une pièce de théâtre et ponctuent les différentes parties de ce petit drame, tandis que la mise en scène prend le pas sur le récit avec l'introduction de nouvelles scènes et surtout de dialogues qui font vivre l'intrigue au lieu de la raconter.

Faut-il voir cependant dans cette insistance une coquetterie d'auteur, un artifice purement rhétorique ou une volonté de mettre en évidence les codes dramatiques qui sous-tendent réellement la masse romanesque ?

De la comédie au mélodrame

« Ce qui arrive dans une famille par une succession à partager.» : Balzac a noté très tôt dans son album (*Pensées, sujets, fragmens*) l'intérêt de ce thème du théâtre bourgeois, présent dès les ébauches que constituent *Le Grand Propriétaire* et *Les Héritiers Boirouge*. Pourtant, le drame bourgeois prend plutôt ici des allures de mélodrame puisqu'il est centré sur une héroïne féminine, qui donne son nom à l'œuvre dans la plus pure tradition mélodramatique, et qui présente tous les caractères requis : elle est vierge, soumise à l'autorité d'un père, adoptif il est vrai, destinée à devenir riche par héritage, et entourée de gens qui veulent la dépouiller et conspirent à sa perte. On trouve bien dans *Ursule Mirouët* cette dialectique de la faiblesse et de la force, du bien et du mal qui se termine toujours par le triomphe de la vertu innocente et persécutée. D'ailleurs la critique ne s'y est pas trompée, qui a raillé impitoyablement le dénouement trop attendu de ce roman « dont la morale, empruntée au mélodrame des *Deux Forçats*, est celle-ci : la vertu, tant plus qu'on la tourmente, tant plus qu'elle doit dormir tranquille »[4]. Mais regardons-y d'un peu plus près.

La première partie du roman, que Balzac appelle « l'exposition », commence en fait comme une comédie. À l'entrée de Nemours, puis sur la Grand-Rue de la ville, apparaissent un à un tous les héritiers et chacun d'eux lance au passage une information qui intéresse au premier chef la collectivité, concernant les activités et les intentions supposées du Dr Minoret. Tous les rôles comiques traditionnels sont représentés, fripons, bouffons, sots et mégères dont les jeux de scène sont soigneusement réglés et les mots distillés avec art. Il suffit de voir Mme Massin faire marcher son gros cousin aussi promptement qu'elle malgré son embonpoint et d'entendre les « capsulinguettes » de Mme Crémière pour être aussitôt dans le mouvement de cette exposition, menée aussi rondement que celle de *Tartuffe*, avec en prime une Mme Pernelle dédoublée. Aussitôt se met en place le discours comique de l'opinion publique, véhiculé par un acteur collectif divisé en autant de personnages qu'il y a d'héritiers. Comme dans Tartuffe, l'entrée en scène des personnages principaux est retardée et annoncée par tout ce qui est dit d'eux par les comparses. Enfin le dernier élément imputable à la comédie est la naissance d'un amour entre les deux jeunes premiers, amour qui va, bien entendu, se heurter à l'interdiction d'un parent, choqué par la disparité des familles respectives. Balzac lui-même souligne le caractère conventionnel de ce « ressort usé ».

Mais dès la deuxième partie du roman, la comédie fait place au drame, tel que Balzac le définit dans la page liminaire du *Père Goriot* :

> En quelque discrédit que soit tombé le mot drame par la manière abusive et tortionnaire dont il a été prodigué dans ces temps de douloureuse littérature, il est nécessaire de l'employer ici : non que cette histoire soit dramatique dans le sens vrai du mot ; mais, l'œuvre accomplie, peut-être aura-t-on versé quelques larmes *intra muros et extra*.[5]

Dans *Les Secrets de la Princesse de Cadignan*, il précise encore qu'un drame est « une suite d'actions, de discours, de mouvements qui se précipitent vers une catastrophe », ou encore « une catastrophe en action ». Le mot est employé à plusieurs reprises dans *Ursule Mirouët*, mais plutôt au sens d'action, d'intrigue, d'histoire. Pourtant, il ne fait pas de doute que Balzac veut émouvoir ses lecteurs par le spectacle de souffrances exemplaires. C'est ainsi que les bouffons et les sots se transforment peu à peu en espions et en criminels et que le commérage se met à jouer un rôle déterminant en favorisant, comme l'a bien montré Juliette Frølich[6], l'accomplissement de l'action criminelle et en devenant le plus efficace instrument d'extermination : « Il se commet un assassinat par des moyens que la Loi n'a point prévus, et sur une orpheline que le Code vous donne pour pupille [...] » (Pl. III, p. 947).

D'ailleurs tous les rôles du mélodrame sont ici présents : le père noble, la pure jeune fille persécutée, le traître, le niais, le jeune héros, à cette différence près qu'ils sont le plus souvent placés en perspective, subvertis, recodés ; ainsi c'est en prison que débute la carrière du jeune Savinien et le père – adoptif – n'est noble que de caractère. Cependant, le rôle du traître est démultiplié ; avec son physique contrefait et son apparence

diabolique, Goupil se présente bien comme le type parfait du
« mauvais génie des familles », dont les menées sont souterraines
et la haine redoutable. Son nom, largement commenté, s'inscrit
dans cette tradition caricaturale des premiers patronymes balzaciens, mais illustre surtout « le rôle fondamental tenu dans le
mélodrame et dans toute littérature populaire par l'anthropo-
nymie et l'onomastique en général »[7]. Les autres traîtres sont
moins intelligents, quoique tout aussi malfaisants : Mmes
Massin, Crémière et Minoret sont les « femmes-traîtres » ;
quant à François Minoret, il est « le traître-qui-se-rachète-en-
finissant-par-aider-le-héros »[8]. Ne décide-t-il pas de faire don à
Ursule de sa terre du Rouvre ? Si l'on voulait pousser le
parallèle encore plus loin, on verrait dans l'abondance des
métaphores animales appliquées aux personnages du roman une
trace de ce goût du mélodrame pour l'utilisation des animaux
sur scène, destinée à mieux créer l'épouvante. Goupil, Ursule et
cet « éléphant sans trompe » de Minoret-Levrault transforment
le personnel d'*Ursule Mirouët* en une véritable ménagerie. Mais
Balzac enrichit et diversifie le comportement de ces rôles
stéréotypés en les insérant solidement dans la société
bourgeoise de Nemours, dont le maître de poste est un
échantillon particulièrement pittoresque.

C'est enfin peut-être par le choix de son décor que ce
roman s'apparente le plus au théâtre. Il se joue en effet sur
l'opposition de deux lieux principaux, espace ouvert de la ville
– place, Grand-Rue – où se rencontrent les héritiers et qui est
par excellence le lieu de l'opinion publique, et espace clos du
salon du docteur Minoret, interdit aux héritiers et objet d'un
code strict d'entrées et de sorties. Toute la syntaxe narrative du
roman pourrait être comprise comme l'investissement du décor
clos, la maison de Minoret, par les héritiers auxquels elle est
interdite. C'est bien ce fonctionnement binaire de deux dramatiques et le passage de l'une à l'autre qui, pour Anne Ubersfeld,
définit la plupart des textes dramatiques[9]. Objet de toutes les
convoitises, la maison du docteur a été décorée sous nos yeux
de meubles cossus et en particulier d'une nombreuse bibliothèque, destinée à assumer une fonction déterminante dans
l'intrigue.
    Tout est donc en place pour la mise en œuvre de ces deux
grandes clés du fonctionnement mélodramatique, les événements et les émotions. Les rebondissements ne manquent pas,

ou plutôt les péripéties, c'est-à-dire les « changements subits de situation », les « événements imprévus » *(petit Robert)* qui reçoivent sur la scène le nom de « coups de théâtre ». À l'intérieur de la construction définie par Ginisty « le premier acte consacré à l'amour, le second au malheur, le troisième au triomphe de la vertu »[10], le thème des malheurs de l'amour et de la vertu est développé en une « cascade de séquences événementielles » où l'imagination sadique de Balzac se donne libre cours, venant rompre plus d'une fois la rigidité de situations convenues. Ainsi, pas de méprise sur l'identité de l'héroïne, définie d'emblée comme bâtarde ; mais c'est cette bâtardise même qui la fait entrer en concurrence avec les héritiers légitimes, causant ainsi tous ses malheurs. Tout en alternant le plaisir et la crainte, le romancier nous fait traverser des rebondissements aussi spectaculaires que la conversion miraculeuse du docteur, le retour de Savinien le jour des dix-sept ans d'Ursule, la mort chrétienne du docteur, le vol du testament, la curée, le complot contre l'orpheline, les lettres anonymes et l'atroce punition des coupables enfin démasqués.

Cependant le ressort spécifique d'*Ursule Mirouët* est l'intervention du magnétisme, qui remplit dans le roman une double fonction mélodramatique. Il représente la forme de cette divine Providence sans laquelle le mérite et l'innocence de l'héroïne ne pourraient triompher, le coup de pouce déterminant grâce auquel le crime est châtié et la vertu récompensée. Il est la morale en action, et permet l'indispensable dénouement euphorique. Ajoutons que, de par son étymologie même, le mélodrame est avant tout un mixte de paroles, de gestes et d'effets spéciaux, c'est-à-dire un spectacle. Or quoi de plus spectaculaire et de plus frappant pour l'esprit que la scène de somnambulisme à laquelle assiste le docteur Minoret dans le salon de son confrère parisien ? Et quoi de plus impressionnant que les rêves successifs d'Ursule, par lesquels son parrain va lui faire connaître la vérité ? Balzac montre bien par de tels effets une parfaite maîtrise de l'esthétique mélodramatique. On retrouvera d'ailleurs le magnétisme à plusieurs reprises sur la scène du boulevard du crime, par exemple dans *La Croix de Saint Jacques* de Bouchardy en 1849, ou dans *L'Homme aux figures de cire* de Montépin en 1865.

Quant au *pathos*, Balzac est trop friand du roman noir pour le ménager. Revenants et apparitions ressortissent aussi aux habitudes de ce genre très codé. Il n'épargnera donc aucune vicissitude à son héroïne, mais, comme l'a bien montré Arlette Michel, le pathétique balzacien implique une philosophie générale, une morale, une méditation sur le sacré et anime une esthétique romanesque : « Aussi le pathétique balzacien relève-t-il très largement du sublime. Il prend sa source dans le malheur des sentiments élevés. »[11] Ursule est toute grâce, toute pureté. Belle et grave, elle est « la pieuse et mystique jeune fille dont le caractère fut toujours au-dessus des événements, et dont le cœur domina toute adversité » (Pl. III, p. 817). Son désespoir à la mort de son parrain est décrit de manière à inspirer cette compassion qui est le vrai sentiment chrétien, puisque la pitié implique une distance qui interdit la sympathie absolue :

> Assise sur une petite causeuse, à demi évanouie, la tête renversée, ses nattes défaites, Ursule laissait échapper un sanglot de temps en temps. Ses yeux étaient troubles, elle avait les paupières enflées, enfin elle se trouvait en proie à une prostration morale et physique qui eût attendri les êtres les plus féroces, excepté des héritiers. (Pl. III, p. 919)

Mais elle n'est qu'au début de ses peines. L'horrible Goupil lui fera traverser les affres de la jalousie et tentera même de la déshonorer aux yeux de toute la ville, portant ainsi gravement atteinte à la santé de la frêle jeune fille. Ursule semble bien alors toucher à la souffrance absolue qui est celle de la déréliction, de l'abandon. Seule la Providence divine pourra la sauver[12]. *Ursule Mirouët* affiche donc la structure d'un mélodrame. On y retrouve le couple père adoptif/nièce de *Coelina ou l'enfant du mystère* de Pixérécourt (1800), le thème de l'héritage contesté, du chantage et du faux testament comme dans *Thérèse ou l'orpheline de Genève* de Ducange. Les personnages correspondent aux emplois stéréotypés du mélodrame, mais sont l'objet d'une exploration sociologique et psychologique qui leur donne un relief évident. Habile à peindre les sentiments sublimes qui provoquent la crainte et la pitié, Balzac pratique cette esthétique de l'absolu propre au genre mélodramatique. Pourtant, comme l'a bien montré Jacques Neefs[13], s'il joue de l'efficacité du mélodrame, il transcende la simplicité fondamentale de toute action mélodramatique car son invention s'applique au champ d'action que, depuis ses œuvres de jeunesse, il assigne au roman, l'espace complexe « des intérêts concurrents, des histoires imbriquées ».

Il lui donne de la profondeur en le situant non seulement dans le microcosme des relations familiales, « ce kaléidoscope domestique à quatre éléments », mais dans le tissu même de la société en train de se faire.

Un théâtre à quatre murs

C'est que le théâtre est bidimensionnel, limité au cadre de scène. Balzac a beau emprunter au mélodrame sa construction dramatique, et sa dynamique, fondée sur une longue montée du pathétique, scandée par des scènes fortes et une chute brutale de tension qui s'opère au dénouement, il se meut d'emblée dans un autre espace. C'est peut-être Eisenstein qui l'a vu le plus clairement :

> Les œuvres de Dostoïevski et de Balzac m'apparaissent comme des drames tridimensionnels relevant d'un « théâtre à quatre murs » [...].. Leur structure rappelle celle d'un théâtre libre de toute triviale « théâtralité ».[14]

Ce théâtre à quatre murs, c'est celui que préconisait Stanislavski et celui dont rêvait déjà Diderot quand il disait, dans son *Entretien sur* « Le Fils naturel » : « Imaginez-vous avoir devant vous un haut mur vous séparant du spectateur et comportez-vous comme si jamais le rideau ne se levait. »[15] Prescience aiguë d'un spectacle capable de surprendre à l'improviste des moments de la vie authentique. Cette intuition me semble particulièrement présente dans le roman balzacien qui sait mettre en perspective le schéma simpliste du mélodrame par une peinture en action de la vie quotidienne sur laquelle il se greffe. C'est ce que je voudrais montrer dans *Ursule Mirouët*, en y analysant successivement le découpage, le point de vue, la mise en scène et l'organisation du temps.

Le découpage

L'évolution du mélodrame au cours du XIXᵉ siècle le conduit vers une construction élargie, où les actes, souvent portés au nombre de cinq, se fragmentent en nombreux tableaux que les progrès techniques permettent de changer très rapidement. De plus en plus, ces tableaux sont découpés dans les intrigues du roman-feuilleton, et ces deux genres populaires deviennent très dépendants l'un de l'autre. Tributaire des deux, Balzac pratique un découpage bien plus complexe que ne le laissent supposer ses déclarations métatextuelles. Ainsi, à la fin de la première partie du roman, il exhibe ses ficelles en ces termes : « S'il faut appliquer les lois de la Scène au Récit, l'arrivée de Savinien, en introduisant à Nemours le seul personnage qui manquât encore à ceux qui doivent être en présence dans ce petit drame, termine ici l'exposition » (Pl. III, p. 883). Mais son exposition est elle-même composée de nombreux éléments, que l'on pourrait énumérer ainsi :

1 – Assis sur le pont, Minoret-Levrault guette l'arrivée de la diligence qui amène son fils à Nemours.

2 – Il remonte la Grand-Rue avec Mme Massin.

3 – Sur la place, il voit de loin Ursule et le docteur Minoret, et parle avec Crémière, Goupil, Massin-Levrault junior, Mme Crémière.

4 – Inventaire de l'arbre généalogique des bourgeois de Nemours.

5 – La rencontre inattendue de Minoret et de sa famille en 1813, au cours d'un passage du docteur à Nemours. Achat de la maison.

6 – La maison est louée au notaire. Suppositions des héritiers.

7 – Installation du docteur à Nemours en janvier 1815, et refus de recevoir sa famille.

8 – Les réunions du petit cercle de Minoret.

9 – Conversations des héritiers.

10 – Retour sur la place de Nemours. Portrait du docteur. Arrivée de la diligence. Portrait d'Ursule, conversation des héritiers avec le docteur et la jeune fille.

11 – Récit de l'adoption d'Ursule et de son éducation.

12 – Lettre de Bouvard au docteur Minoret.

13 – Voyage du docteur à Paris, scène de somnambulisme qui ramène l'action à Nemours.

14 – Vérification des visions de la somnambule.

15 – Conversation du docteur avec l'abbé Chaperon sur le magnétisme et conversion du docteur.

16 – Déjeuner chez les Minoret Levrault et « complot » des héritiers.

17 – A la sortie des vêpres, conversation des héritiers avec le docteur et Ursule.

18 – Dîner d'Ursule et de son parrain. Arrivée de Bongrand et du notaire. Malaise d'Ursule.

19 – Ursule avoue à son parrain son amour pour Savinien.

20 – Conversation de Mme de Portenduère avec l'abbé Chaperon.

21 – La vie de Savinien à Paris. Les conseils de ses amis.

22 – Lettres d'Émilie de Kergarouët et du comte de Portenduère à Mme de Portenduère.

23 – Visite du docteur à Mme de Portenduère.

24 – Voyage d'Ursule et de son oncle à Paris.

25 – Voyage de retour avec Savinien dans la diligence.

26 – Retrouvailles de Savinien et de sa mère.

On trouve donc dans cette exposition 26 segments auto-nomes, 26 unités dramatiques, souvent composées elles-mêmes d'éléments qui ont pour point commun de se situer dans un même décor[16].

On objectera à ce découpage qu'il concerne la diégèse, considérée dans sa narrativité, et indépendamment du véhicule qui la prend en charge. Mais je voudrais essayer de montrer qu'il est indissociable d'une volonté certaine de développer en images les principaux moments de l'intrigue.

Point de vue et organisation de l'espace

Dès le début d'*Ursule Mirouët*, Balzac instaure un rapport de dépendance entre le narrateur et son narrataire dont il va diriger fermement la vision. Faisant appel à son expérience, à ses souvenirs, ou à son bon sens, il l'intègre dans le récit par un « on » ou un « vous » et en fait le spectateur privilégié de sa description liminaire. Cette description est d'ailleurs justifiée par le regard d'un observateur, délégué par le narrateur, et par rapport auquel s'oriente l'espace. Assis sur le pont, le maître de poste fixe la longue route droite qui se déroule à perte de vue devant lui (profondeur de champ) et regarde tantôt à droite les prairies, tantôt à gauche les bois qui couvrent la colline ; les marques spatiales rendent compte de la vision de ce personnage, vision panoramique par excellence puisque sa tête décrit un arc de cercle latéral. Les notations sonores ne sont pas absentes (galop des chevaux, claquement des fouets). Objectivant alors sa démarche, le narrateur dirige le regard du lecteur sur le personnage lui-même et transforme l'observateur en objet observé. Il en épuise les caractéristiques physiques par un gros plan du visage, puis par un plan moyen qui souligne le grotesque de cette silhouette comparée à une « cariatide », à un « Atlas sans monde » et enfin à un « taureau relevé sur ses deux pattes de derrière ». Après quelques explications, nécessaires à la compréhension de l'intrigue à venir, Balzac déplace son personnage, à qui il fait remonter la Grand-Rue avec sa cousine, réalisant ainsi (si je puis dire) un « travelling avant » jusqu'à l'entrée de Nemours. C'est alors qu'apparaissent en contre-plongée, et découvertes successivement par un zoom qui traduit l'approche progressive de Minoret, la colline dominant la ville, l'église, noircie par le temps, et la tête blanche du docteur, « comme un sommet couronné de neige ». Insistant sur son angle de vision, Balzac ajoute : « Pour les monuments comme pour les hommes, la position fait tout » (Pl. III, p. 777). C'est ainsi que, d'une manière purement visuelle, Balzac met en place la position respective de ses personnages dans l'échelle sociale, psychologique et morale et le code chromatique fortement connoté qui les accompagnera tout le long du roman. Ursule, toujours vêtue d'un blanc virginal, et le docteur, dont les « cheveux d'argent [...] se boucl[ent] en légers flocons sur son habit noir » (*ibid.*, p. 805) formeront toujours un contraste visuel frappant avec la cohorte des héritiers, conduite par Goupil le diabolique, dont les couleurs dominantes sont bien entendu le noir et le rouge.

Comment parler de réalisme quand on voit Balzac créer de toutes pièces un paysage qui « ressemble à une décoration d'opéra, tant les effets y sont étudiés » (*ibid.*, p. 786) et y orienter son lecteur avec autorité, ne ménageant ni indications déictiques, ni références picturales (Paul Potter, Raphaël, Hobbema), passant du paysage au tableau de genre avec « les groupes de paysans et de paysannes armés de leurs parapluies rouges, tous vêtus de ces couleurs éclatantes qui les rendent si pittoresques les jours de fête à travers les chemins » (*ibid.*, p. 780), puis à la caricature avec la silhouette monstrueuse de Minoret-Levrault.

L'organisation du temps

Elle est très complexe dans le roman ; je me bornerai à en donner une idée pour cette première partie qui m'a servi de référence pour toute cette analyse. Le présent du texte, c'est ce mois de septembre 1829 qui voit l'arrivée de Désiré à Nemours, l' « honnête complot » des héritiers à la table de Minoret-Levrault, l'aveu de l'amour d'Ursule pour Savinien et le voyage à Paris de la jeune fille et de son parrain pour délivrer le jeune homme.

Mais le récit comporte de très nombreux décrochements temporels que l'on peut identifier (selon la typologie que j'ai établie[17]) On y trouve en effet la simple analepse explicative du narrateur omniscient : par exemple l'inventaire des croisements des familles de Nemours ; et des retours en arrière de la narration du même narrateur (c'est-à-dire des analepses avec mise en scène des personnages : par exemple, l'étonnante conversation du docteur Minoret en 1813 avec Minoret-Levrault, quand sa chaise de poste s'arrête en haut de la Grand-Rue. C'est là qu'il apprend l'existence de ses nombreux héritiers, fait le tour de Nemours et décide d'acheter la maison.)

Particulièrement intéressant est le *flash-back* sur la scène de somnambulisme à laquelle assiste le docteur Minoret à Paris. Il est de portée et d'amplitude très réduites puisqu'il remonte au début de l'année 1829, soit huit mois avant le début de l'intrigue et ne dure qu'une soirée. Mais sa mise en scène très soignée et l'importance du dialogue qu'il contient méritent toute notre attention. Il s'agit en effet pour l'auteur de décrire minutieusement dans leur durée réelle, les moindres gestes d'Ursule, tels qu'ils sont enregistrés au fur et à mesure par la somnambule, qui n'est après tout qu'une observatrice objective à distance. Ce microrécit, greffé sur l'intrigue principale à titre démonstratif, est isolé et grossi comme par une loupe pour servir de preuve irréfutable aux pouvoirs du magnétisme, qui assume une fonction essentielle dans l'intrigue, et introduit pour la première fois un objet déterminant : le livre des *Pandectes* de Justinien entre les pages duquel sont cachés les billets.

De plus, la scène donnera lieu à deux « variantes », elle sera reprise deux fois avec des différences qui, pour importantes qu'elles soient, laissent reconnaître sa structure originelle : la première fois lorsque le docteur vérifie les faits en regardant le livre et en faisant répéter à Ursule ses moindres paroles, et la deuxième fois lorsque Ursule rêvera elle-même que Minoret-Levrault a pris l'argent dans le livre en question. Ces variantes font évidemment avancer l'intrigue, mais, par leur mise en scène chaque fois différente, elles témoignent aussi du souci dramatique et visuel de Balzac. En fait, que voit la somnambule ? Elle voit les gestes d'Ursule, mais, plus omnisciente encore que le narrateur, dont elle constitue un double hautement symbolique, elle voit dans le cœur d'Ursule ; et qu'y voit-elle ? Essentiellement deux choses, son amour pour son parrain et son amour naissant pour Savinien, annoncé comme unique et très fort. La scène de somnambulisme met donc en abyme toute l'intrigue du roman en prédisant à la fois l'amour d'Ursule et les souffrances qu'elle endurera[18]. Mais surtout cette scène réalise, de façon fantasmatique et symbolique, le vieux rêve exprimé par *Le Diable boiteux* de Lesage, par les *Entretiens sur* Le Fils naturel, de Diderot, et par le jeune Théâtre d'Art de Stanislavski, le rêve de permettre l'intrusion du regard et de l'ouïe sur la vie réelle. Ce rêve du passe-muraille, que seul le cinéma a vraiment rendu possible, Balzac s'offre ici, grâce au magnétisme, le luxe de le réaliser, faisant partager l'omniscience de son narrateur à un voyeur délégué et au lecteur, rendu spectateur par cette opération.

On voit donc bien que Balzac dépasse infiniment l'utilisation purement mélodramatique du magnétisme pour en faire un facteur déterminant de la visualisation de l'intrigue. On aurait beau jeu de faire la même démonstration pour les rêves d'Ursule dans la troisième partie du roman, qui sont aussi des variantes de scènes déjà jouées, à ce détail près qu'elles ont le caractère de ces « images-rêve » qui, d'après Deleuze, doivent se distinguer par une texture particulière qui permette « d'attribuer le rêve à un rêveur et la conscience du rêve au spectateur »[19]. La pâleur, les « lèvres décolorées » du docteur, l'écriture qui éblouit Ursule et le spectre resplendissant présentent bien ces caractères. Une construction capable de maîtriser avec une telle virtuosité le temps du roman et de jouer même, avec une si étonnante modernité, de la répétitivité, relève à coup sûr d'un montage. Qui a vu les manuscrits de Balzac sait ce que ce mot signifie pour lui ; par son travail continuel de coupe et de refonte,

> [...] ce ne sont pas les détails qui s'additionnent mais d'innombrables représentations mentales émergeant de ces détails [...] Ce ne sera pas la somme de cinq détails assemblés en un tout. Ce seront cinq *touts* considérés chacun sous un angle différent.[20]

En faisant alterner le récit du narrateur et l'illustration de ce récit par une véritable mise en images, Balzac choisit une forme d'écriture hybride dans la mesure où elle se fait tour à tour *diegesis* et *mimesis*. Or, c'est l'épopée qui représente le mieux cette narration-monstration. Découpé en épisodes et tributaire du mélodrame, auquel il emprunte sa division en tableaux et ses effets spectaculaires, le roman-feuilleton aspire à l'ordre cyclique de l'épopée. *La Comédie humaine*, en intégrant et en dépassant les procédés du mélodrame et du roman-feuilleton, est bien cette « moderne épopée bourgeoise » dont parle Hegel, c'est-à-dire une œuvre essentiellement fondée sur le désir de communication, une forme populaire au sens le plus noble du terme, qui croit aux vertus de la mise en scène et qui est capable de transporter ses lecteurs dans l'espace et dans le temps. *Ursule Mirouët* me paraît illustrer parfaitement cette évolution de Balzac vers un découpage qui multiplie les points de vue et qui, au lieu de juxtaposer des tableaux, crée des relations signifiantes entre des séquences, parvenant ainsi à créer cette « illusion de réalité » commune à l'épopée et au cinéma[21].

Notes

1. *The Melodramatic Imagination*, Yale University Press, 1976.
2. «Le théâtre de Balzac : triomphe et crise d'une esthétique de l'identification», *Œuvres et critiques* XI, 3, 1986.
3. «Pathétique et grotesque dans *La Cousine Bette*» dans *Balzac et Les Parents pauvres*, CDU/SEDES, 1981 et «De Paoli à La Vendetta», *AB 1975*.
4. *La Mode*, 28 octobre 1841, cité par Madeleine Ambrière dans son Introduction à l'édition de *Ursule Mirouët* dans *La Comédie humaine*, «Bibliothèque de la Pléiade», Gallimard, t. III, 1976, p. 736. Les références à *Ursule Mirouët* seront désormais données dans cette édition, entre parenthèses.
5. *Le Père Goriot*, Pl. III, p. 49-50. *Les Secrets de la princesse de Cadignan*, Pl. VI, p. 991.
6. «Balzac dramaturge du commérage», *AB 1986*, p. 139-154.
7. Jean-Marie Thomasseau, *Le Mélodrame*, «Que sais-je ?», PUF, p. 38.
8. *Ibid.*, p. 34.
9. Anne Ubersfeld, *Lire le théâtre*, Éditions sociales, 1978, p. 187.
10. Paul Ginesty, *Le Mélodrame*, Michaud, 1910.
11. «Le pathétique balzacien dans *La Peau de chagrin*, *Histoire des treize* et *Le Père Goriot*», *AB 1985*, p. 229.
12. Voir sur ce point Arlette Michel, art. cité, p. 238 : «Représenter les passions c'est donc les proposer à la compassion d'un lecteur dont l'âme est assez élevée et généreuse pour accepter la contagion des grandes souffrances et cette douleur inconsolable qu'alimente la contemplation mystérieuse du mal. Nous sommes bien loin des sommaires et ambigus plaisirs du mélodrame : le romancier invite son lecteur à une communication privilégiée qui appartient à l'ordre de l'amour. »
13. «*Annette et le criminel*: crime, mort et réconciliation », *AB 1986*.

14. « Diderot a parlé de cinéma », dans Eisenstein, *Le Mouvement de l'Art*, texte établi par François Albera et Naoum Kleiman, Klincksieck, 1986, p. 91.

15. Diderot, *Entretien sur* Le Fils naturel, dans *Œuvres*, « Bibiothèque de la Pléiade », 1946, p. 1232.

16. Une analyse un peu plus approfondie de certaines de ces séquences montrerait qu'on est bien loin des simples tableaux du mélodrame le plus tardif, et plutôt du côté de la séquence cinématographique – si l'on peut risquer cette analogie – et des différents plans qui la composent, depuis le *plan autonome*, « plan unique qui expose à lui seul un "épisode" de l'intrigue », comme les inserts explicatifs sur les différentes lettres envoyées par les personnages, jusqu'à la *séquence par épisodes*, ce qui est le cas de la séquence sur la vie de Savinien à Paris. Voir Christian Metz, *Essais sur la signification au cinéma*, Klincksieck, 1978, t. I, p. 121 sq.

17. Anne-Marie Baron, « La technique du flash-back chez Balzac », *AB 1986*, p. 363 sq.

18. Il faut ajouter que le magnétisme joue également un rôle métaphorique dans le roman, puisque, comme le dit Balzac au moment où Savinien contemple Ursule jouant du piano, « les sentiments vrais ont leur magnétisme ».

19. Gilles Deleuze, *L'Image-temps*, Les Éditions de Minuit, 1985, p. 75.

20. Eisenstein, *op. cit.*, p. 35.

21. Faut-il s'étonner qu'*Ursule Mirouët* soit avec *Pierrette* le seul roman de Balzac à figurer dans la section littéraire pour adultes de la Bibliothèque des chemins de fer créée par Louis Hachette en 1854 ? Pour une collection qui se proposait « d'amuser honnêtement » et de puiser parmi les « meilleurs auteurs » le livre de Balzac alliait (pour une fois) la morale aux vertus du roman-feuilleton. Ou bien Hachette avait-il jugé que ce roman était particulièrement adapté, par sa facture « théâtrale » et son découpage scénique, à la nouvelle clientèle des voyageurs, à la fois peu familière du livre littéraire et distincte du lectorat populaire (Voir Elisabeth Parinet, « Les bibliothèques de gare : un nouveau réseau pour le livre », *Romantisme*, n° 80, 1993) ? Quoi qu'il en soit, très tôt comme on le voit, le marché littéraire puise dans la somme balzacienne sans se soucier de l'ensemble (Ndlr).

Pierrette et la rénovation du code mélodramatique

André Vanoncini

Une étude des aspects mélodramatiques dans l'écriture balzacienne nous contraint d'abord à réfléchir sur le contenu et le domaine d'application de la notion du « mélodramatique ». Si l'on s'en tient à une interprétation restrictive de cette dernière, on tracera les limites d'un genre théâtral spécifique qui a connu un bref moment de gloire pendant les années comprises entre la fin de la Révolution et le début de la Restauration. Anne Ubersfeld note à ce sujet :

> On peut situer la naissance pure du mélodrame dans les dernières années du Directoire [...]. Non que le mélodrame soit né de rien et que ses structures fondamentales ne soient déjà indiquées chez Sébastien Mercier ; le lien du drame bourgeois et du mélodrame est visible. Mais c'est bien vers 1797 que le mélodrame prend sa forme définitive [...]. On peut dire que le mélodrame meurt (ou plutôt qu'il se survit adultéré), après 1820 [...][1]

Dans une perspective transtextuelle, en revanche, on peut étudier la migration à travers les œuvres les plus diverses et pendant une période relativement longue de certains thèmes considérés comme mélodramatiques. La rapide mise au point de C. Prendergast[2] ainsi que les développements plus amples de K. Maurer[3] nous montrent que des thèmes comme l'excès de passions ou la méprise relative à l'identité, même quand ils connaissent une représentation scénique, ne sont pas issus de la seule souche dramatique mais résultent d'un jeu complexe d'interactions entre plusieurs genres et traditions littéraires profondément enracinés dans le XVIIIᵉ siècle.

Enfin, il nous semble nécessaire de parler du « mélodramatique » tout court comme modalité particulière de l'imagination romanesque[4]. Il est essentiel de savoir qu'au début du XIXᵉ siècle la théâtralisation des données communicationnelles régit de manière décisive la production de messages esthétiques, politiques et autres[5]. On n'est donc pas surpris de voir les créateurs recourir aux techniques d'une mise en scène mélodramatique, certains pour augmenter la valeur persuasive de leur discours, d'autres pour donner profondeur et relief à l'univers fictif qu'ils inventent. P. Brooks écrit à juste titre qu'au début du XIXᵉ siècle, « le modèle d'une action humaine significative ne pouvait se repérer dans "la vie elle-même", mais dans le théâtre, essentiellement dans le mélodrame [et qu'on trouvait précisément là] un répertoire complet de situations, gestes, tropes, susceptibles de conférer un sens accru à la vie et à en rendre la mimésis une opération signifiante et révélatrice »[6].

Disons-le tout d'abord, Balzac est tributaire, de la manière la plus directe, de la vague du roman d'horreur et du mélodrame. En témoignent d'un côté certains de ses romans de jeunesse, de l'autre côté une production dramatique inaugurée par *Le Nègre : mélodrame en trois actes* (1822), auquel viendront s'ajouter un certain nombre de pièces dont aucune ne reniera complètement ses origines[7]. Or, les figures, thèmes et structures élaborés dans ces œuvres marginales ont largement débordé sur les romans de *La Comédie humaine*, à un tel point, d'ailleurs, que M. Bardèche les qualifie de « boue » et de « toxines » que Balzac n'arriverait pas à éliminer « quand il est pressé par le temps ou diminué par la maladie »[8].

Dans *Pierrette*[9], nous trouvons la gamme complète de ces procédés qui, loin de se réduire à de simples dérapages et solutions de facilité, constituent, en partie, la base fondatrice de l'architecture romanesque. À commencer par l'agencement des grandes masses le long d'une ligne de tension ascendant selon un rythme lent et descendant abruptement : il s'agit de la célèbre formule « tragique » composée d'une exposition très longue, entrecoupée d'un retour en arrière (Pl. IV, p. 32-106), auxquels s'ajoutent un nœud (p. 106-136) et un dénouement (p. 136-163) assez rapides[10].

Par son dynamisme et son intensité, c'est sans doute le nœud qui tient le plus nettement de la stridence mélodramatique. Dans une scène courte de deux pages (Pl. IV, p. 136-138), Balzac peint l'affrontement final entre Pierrette et Sylvie, en substituant à l'échange de paroles l'expressivité antithétique des corps et des gestes[11] greffée sur le combat moral entre la vertu et le vice. On lit, en effet, que Sylvie empoigne « dans ses pattes de homard, la délicate, la blanche main de Pierrette » que « l'infâme [...] attente à la pensée, seul trésor que Dieu [...] garde comme un lien secret entre les malheureux et lui », que des deux femmes, l'une est « mourante et l'autre pleine de vigueur », que Pierrette lance à « son bourreau » un « regard [de] Templier » auquel Sylvie répond par « des éclairs sinistres », et ainsi de suite, la vieille fille finissant par sauter sur sa cousine « comme un tigre sur sa proie ». L'émotion atteint son comble quand la veuve Lorrain, flanquée de Brigaut, fait une intervention miraculeuse dans le plus pur style rocambolesque pour arracher Pierrette à son tortionnaire : « Le grand fantôme desséché prit Pierrette dans ses bras comme les bonnes prennent les enfants, et sortit suivie de Brigaut sans dire un seul mot à Sylvie, à laquelle elle lança la plus majestueuse accusation par un regard tragique » (p. 137-138)[12].

Mis à part de tels passages entièrement théâtralisés, on observe dans *Pierrette* l'emploi assez fréquent d'un commentaire métalinguistique nourri d'un vocabulaire dramatique[13]. Balzac assigne aux mots de la sphère théâtrale deux fonctions complémentaires.

D'un côté, il leur fait désigner le lieu scénique, comme dans les exemples suivants : « leur salon allait devenir le centre d'intérêts qui cherchaient un théâtre (p. 69) ; « le vicaire, quoique loin du théâtre de la guerre, y devinait tout » (p. 121). De l'autre côté, il les utilise comme synonymes de l'intrigue psychosociale qui engage les acteurs de *Pierrette* : « aussi, cette circonstance allait-elle donner carrière à de graves suppositions, ouvrir un de ces drames obscurs qui se passe en famille et qui, pour demeurer secrets, n'en sont pas moins terribles, si vous permettez toutefois d'appliquer le mot de drame à cette scène d'intérieur » (p. 134) ; « avant d'entrer dans le drame domestique que la venue de Brigaut détermina dans la maison Rogron il est nécessaire [...] car il fut en quelque sorte un personnage muet de cette scène » (Pl. IV, p. 98 ; « le drame fatal alors commencé n'aurait pas eu lieu » (p. 106) ; « le bavardage d'un amant au désespoir éclaira ce drame domestique » (p. 141) ; « ce drame horrible, réduit aux proportions judiciaires » (p. 152).

Il apparaît que le « drame », au sens de la seconde fonction, se vide quelque peu de son prestige parce qu'il se déroule sur le théâtre étriqué (au sens de la première fonction) d'une ville de province. Aussi Balzac affirme-t-il à la fin de *Pierrette*, dans un passage habilement organisé autour d'un vocabulaire métacritique qui implique les deux fonctions évoquées :

> Pour donner à ceci d'immenses proportions, il suffit de rappeler qu'en transportant la scène au Moyen Âge et à Rome sur ce vaste théâtre, une jeune fille sublime, Béatrix Cenci, fut conduite au supplice par des raisons et par des intrigues presque analogues à celles qui menèrent Pierrette au tombeau (p. 162).

De telles mises au point nous montrent éloquemment que Balzac n'importe pas dans ses textes, en postulant naïvement une homologie des genres, les techniques et le vocabulaire de la représentation dramatique. Il soumet, au contraire, ces derniers à une critique relativisante, par le biais de laquelle, comme le dit K. Maurer, il empêche ses romans d'apparaître comme les pendants des drames de Pixérécourt [14]. Il suffit de rappeler, à ce propos, l'obstination avec laquelle Balzac, après avoir semblé assurer le triomphe du bien, grâce à quelque retournement miraculeux, conclut sur un échec final et la dissolution de l'histoire sous le régime du non-lieu [15].

Le manichéisme moral n'est souvent chez Balzac qu'une caisse de résonance où se répercutent les voix multiples de drames psychiques et sociaux autrement complexes. R. Warning affirme pertinemment : « Balzac fait appel au "mélodramatique" afin de suggérer par le biais d'un schématisme paradigmatique racoleur un champ de référence moral sur fond duquel même le scandale est encore susceptible de poésie. » [16] Warning donne ici une prolongation d'ordre théorique au commentaire admiratif que Baudelaire avait consacré au procédé de dramatisation balzacien :

> Mais qui [d'autre que Balzac] peut se vanter d'être aussi heureusement doué, et de pouvoir appliquer une méthode qui lui permette de revêtir, à coup sûr, de lumière et de pourpre la pure trivialité ? [17]

Or l'exploitation balzacienne des ressources du mélodrame, telle que nous avons tenté de la décrire, est plus ou
moins constante dans les œuvres de *La Comédie humaine*. Il
n'en demeure pas moins que, par un affinement de l'analyse,
on parvient à observer dans l'emploi de ces moyens certaines
modifications, voire innovations, que Balzac introduit au fil
des ans. À notre sens, *Pierrette* représente une étape importante
dans cette évolution. Il est frappant, en effet,de voir que, dans
ce texte, la véritable préoccupation de Balzac n'est pas de savoir
nouer un drame, par exemple une histoire d'amour entre
Pierrette et Brigaut, qui aurait certes été la clef de voûte d'une
Scène de la vie privée (première série), ni de décrire la trajectoire dramatique d'un protagoniste : il est impossible d'y
déterminer un axe du désir le long duquel évolueraient un ou,
au maximum, deux personnages principaux comme dans *Le
Père Goriot, Eugénie Grandet, La Recherche de l'Absolu,
César Birotteau*.

Nicole Mozet écrit à juste titre :

> On ne saurait traiter du Provins de *Pierrette* sans signaler
> au préalable que ce texte est le lieu d'un certain bouleversement
> des valeurs romanesques, qui procure à la ville un relief tout à fait
> nouveau. Alors que des romans comme *Le Cabinet des Antiques*
> ou *Illusions perdues*, surtout dans sa première partie, reposent sur
> une répartition très traditionnelle des rôles principaux et des rôles
> secondaires, qui relègue dans l'ombre l'entourage des héros,
> l'origine modeste des deux petits Bretons de *Pierrette* permet à
> l'auteur de minimiser son histoire d'amour, sans trop choquer. La
> place ainsi libérée est envahie par les figurants. [18]

Ces « figurants » sont extrêmemement nombreux. À côté de
Pierrette et de Sylvie, les deux rivales (par méprise !) qui
occupent le devant de la scène, nous voyons évoluer le clan
Tiphaine (surtout le Président et son épouse), les docteurs
Martener et Néraud, M. et Mlle Habert, Jérôme-Denis Rogron,
Mathilde de Chargebœuf, Gouraud, Vinet, Mme Lorrain,
Brigaut et d'autres. Il y a donc ici une véritable mise à nu de la
société provinoise, ce qui, comme le dit Bardèche, conduit à la
suppression de l'histoire individuelle verticale, c'est-à-dire à la
disparition de la profondeur archéologique d'où émergeaient
des personnages comme le père Grandet ou l'abbé Birotteau [19].
On observe, au contraire, dans *Pierrette*, une « inscription collective de l'histoire, horizontale si l'on veut, entraînant la for-

mation d'une sorte de tissu biologique du pouvoir et de la fortune [...] »[20].

La nouvelle ne se résume pas, cependant, à une étude de type sociologique comme Balzac avait commencé à la pratiquer en 1837, avec *Les Employés*. En fait, *Pierrette* témoigne de la maîtrise par Balzac d'une machine dramatique complexe où s'imbriquent un syndrome familial (Sylvie et Jérôme, ainsi que Pierrette et d'autres personnages très secondaires, appartiennent au même complexe de parenté, d'ailleurs longuement et ennuyeusement exposé au début de la nouvelle), un syndrome passionnel (qui concerne Pierrette et Brigaut, Sylvie et Gouraud, Jérôme et Mathilde ainsi que Mlle Habert), un syndrome politique et social (la lutte pour le pouvoir par la gestion d'affaires matrimoniales et la manipulation de l'opinion publique).

Le tissu formé par ces trois figures est extrêmement dense. Et ce tissu nous permet aussi de mieux comprendre la part que Balzac réserve à Pierrette. Cette dernière, nous l'avons vu, n'est au centre de l'intérêt que sur un tiers des pages du roman[21]. Elle n'est certainement pas un élément suffisamment dynamique pour propulser à elle seule l'intrigue. En témoigne le fait, qu'une fois les Rogron interdits de séjour au salon Tiphaine et la jeune Bretonne installée chez ses cousins à Provins, l'histoire pourrait s'arrêter ; il n'y aurait aucune nécessité dramatique pour lui trouver une suite si Gouraud et Vinet n'avaient déjà mis sur pied, *avant* l'arrivée de Pierrette, un plan visant à acquérir le pouvoir dans Provins par la maison Rogron interposée (p. 69-72). Ce sont eux et leurs acolytes, les véritables catalyseurs de l'action romanesque, déclenchant une série d'événements « [... qui vont] retomber comme une froide avalanche sur Pierrette » (p. 101)[22].

Aucun des personnages de *Pierrette* ne possède à lui seul la plénitude idéologique, morale, affective et dramatique des grands « monomaniaques » du roman balzacien de la première moitié des années trente. C'est que toutes ces passions et doctrines sont ici diluées, injectées dans les circuits d'une machine dramatique multidimensionnelle et plurivoque. L'action romanesque, déterminée par plusieurs personnages à la fois, se ramifie et se libère du coup d'une logique de la progression monocausale, particulièrement révélatrice des facilités d'une mise en scène mélodramatique.

Selon M. Bardèche, cette rénovation des techniques de dramatisation n'est pleinement achevée que dans *La Cousine Bette* :

> Le génie de Balzac est d'y avoir assourdi [la violence mélo-dramatique], de l'avoir transformée en haine familiale, d'avoir déguisé les machinations en faits divers de la vie bourgeoise, d'avoir convoqué les représentants typiques de la société louis-philipparde pour en faire les figurants du drame brutal et simple dont il n'a qu'à suivre les racines depuis longtemps connues [...]. Cette métamorphose du mélodrame en étude sociale, c'est toute une partie de l'art du roman chez Balzac. [23]

Or si *La Cousine Bette*, tout comme *Le Cousin Pons* et *Les Paysans*, témoignent d'un subtil dosage de l'élément mélo-dramatique[24] pour mieux faire ressortir l'analyse psychosociale, *Pierrette* pratique encore une répartition plus « sectorisée» de ces composantes romanesques. Il nous paraît évident, en effet, que le personnage de Pierrette incarne dans toute sa splendeur mélodramatique, la constance du « bien» luttant contre les forces du « mal». Son portrait physique et moral demeure monocorde, souvent redondant, offert à une acceptation immédiate et passive de la part du lecteur[25]. Tout au long du texte elle se rattache à des modèles littéraires ou picturaux connotés édifiants, vertueux ou nobles : elle est comparée, à deux reprises, à la Virginie de Bernardin de Saint-Pierre (p. 77 et p. 98)[26], puis, au paroxysme de son humiliation, Balzac la qualifie de Cendrillon, enfin, au moment de sa lutte héroïque avec Sylvie, elle rappelle, nous l'avons vu, le « Templier recevant dans la poitrine des coups de balancier en présence de Philippe-le-Bel» (p. 137). De même la parole de Pierrette proclame sans relâche le même système de valeurs par le biais d'une constante affirmation de sa propre vertu.

Si la pureté morale de Pierrette semble absolue et inva-riable, sa santé physique fait l'objet d'une altération progres-sive, et c'est par l'offrande du corps virginal aux ravages de la maladie que Balzac situe ce martyre dans la dimension de l'horrible[27].

Pierrette se présente donc sous le régime de la stabilité morale et de l'altération physique, contrairement à tous les autres personnages, caractérisés par l'instabilité morale et l'alié-nation définitive du corps[28]. Il s'agit là d'êtres implantés dans un contexte géographique, politique, social et familial marqué au sceau d'une vraisemblance contraignante. Pierrette, quant à elle, est parachutée à Provins depuis la Bretagne, hors-lieu utopique par excellence dans *La Comédie humaine*[29]. Elle se trouve jetée en pâture aux appétits féroces d'une peuplade mue par d'insatiables désirs de pouvoir. Faite pour être consommée, elle doit mettre au jour par son sacrifice les rouages d'une machine destructrice de la cohésion sociale et de l'équilibre psychique : le corps pur de Pierrette est progressivement envahi et pourri par le corps social qui l'environne, jusqu'à ce que ce dernier l'ait digérée. On voit que, bien plus qu'un élément de la nomenclature sociale provinoise, Pierrette est une fonction à fabriquer des phantasmes, aussi bien dans la tête de certains Provinois que dans le cœur du lecteur.

Il est vrai que la tentative de réaliser une union idéale, souvent assimilée chez Balzac à une quête par les protagonistes de la pierre philosophale[30], est assignée, dans Pierrette, à des immigrés venus d'un paradis exotique. Pierrette et Brigaut, en effet, sont les seuls personnages à partager un amour vrai, mais totalement utopique. Pour tous les autres acteurs, l'investissement pulsionnel se résume soit à un amour sans objet, comme celui de Sylvie et de Jérôme Rogron qui aiment des partenaires qui les méprisent, soit à un désir canalisé vers des objets de pouvoir tel que l'argent et la charge politique [31]. De toute évidence, la satisfaction du désir non aliéné n'existe pas dans *Pierrette*. Toutes les démarches de personnages ayant pour motif des sentiments amoureux ou philanthropiques, vrais ou feints, sont en porte à faux parce que entreprises par des victimes d'une tricherie généralisée, mus par une croyance hallucinée en une détermination affective et éthique qu'ils ont perdue.

Aussi Balzac, dans les pages finales de *Pierrette*, porte-t-il sur cette société un jugement d'un cynisme glacial aux accents très flaubertiens : on y voit Rogron déployant son imbécillité rutilante en qualité de receveur général (« Louis-Philippe ne sera vraiment roi que quand il pourra faire des nobles ! » [Pl. IV, p. 161]), Vinet promu procureur général et demandant « très proprement des têtes » (p. 161), Gouraud nommé pair de France après avoir pris l'église Saint-Merry, « heureux de *taper sur les péquins* qui [l']avaient vexé pendant quinze ans » (p. 161), comme le fera Sénécal sur les marches de Tortoni.

L'ascension sociale de ces personnages est à la fois si dérisoire et si monstrueuse que leur implication dans un (mélo)-drame destructeur de la pureté idéale n'apparaît que comme une transition nécessaire pour mieux faire comprendre au lecteur la quotidienneté de leurs agissements pitoyables. Aussi le roman de Pierrette marque-t-il bien le moment dans la création balzacienne où le drame de la quête de l'absolu a fait place à la quête du drame de l'insignifiance[32]. Nous sommes loin de *La Peau de chagrin* et du *Père Goriot* mais très proches des *Petits Bourgeois*, des *Parents pauvres* et du *Faiseur*.

Notes

1. « Les Bons et le méchant », *RSH* n° 162, 1976, 2, p. 193-194.
2. *Balzac. Fiction and melodrama*, Edward Arnold, 1978, p. 5-6.
3. « Das Schreckliche im Roman und die Tragödie », *Honoré de Balzac*, Fink, « UTB », 1980.
4. À ce sujet, cf. Prendergast, *op. cit.*, p. 6-7.
5. Nous nous permettons de renvoyer, à ce sujet, à notre article « Le théâtre de Balzac : triomphe et crise d'une esthétique de l'identification », *Œuvres et critiques*, XI, 3, 1986.
6. P. Brooks, *The Melodramatic Imagination*, New Haven and London, Yale Univ. Press, 1976.
7. Cf. notre article sur le théâtre de Balzac cité ci-dessus.
8. *Balzac*, coll. « Les Vivants », Julliard, 1980, p. 91 et 531.
9. Toutes les citations renvoient à la « Bibliothèque de La Pléiade », Gallimard, 1976, t. IV, édition établie par J.-L. Tritter. Désormais Pl. IV.
10. Cf. à ce sujet M. Bardèche, *op. cit.*, p. 280 sq.
11. P. Brooks note à ce sujet : « Gesture may be, where all else falls silent, the final vehicle of expressivity, the irreductible indicator of signification », *op. cit.*, p. 146. (« Le geste, là où tous les autres moyens sombrent dans le silence, peut devenir le véhicule ultime de l'expressivité, l'indice irréductible de la signification. » C'est nous qui traduisons.
12. Cf. aussi la page 140-141 où Balzac continue à présenter la veuve à travers le vocabulaire de la stridence mélodramatique.
13. Cf. à ce sujet : P. Laubriet, *L'Intelligence de l'art chez Balzac*, Didier, 1961 ; L. Frappier-Mazur, *L'Expression métaphorique dans La Comédie humaine*, Klincksieck, 1976, p. 102-129 ; F. Van Rossum-Guyon, « Redondances et discordances : Métadiscours et auto-représentation dans *Les Parents pauvres* », *Balzac et Les Parents pauvres*, SEDES/CDU, 1981, p. 149-150 et 155-157.
14. Art. cité, p. 244.
15. Ce qui est, bien sûr, le cas de *Pierrette*. La jeune Bretonne ne sera pas sauvée, malgré l'intervention de Brigaut et de la veuve Lorrain, alors que les coupables ne seront pas châtiés. On consultera aussi à ce sujet J. Küpper, *Balzac und der effet de réel*, Amsterdam, B.R. Grüner, p. 65.

16. « Chaos und Kosmos. Kontingenzbewältigung in der *Comédie humaine* », Honoré de Balzac, (dité par Grumbrecht, Stierle, Warning, Fink, « UTB », 1980, p. 28. « Die Melodramatik wird gebraucht, um wenigstens über ihre plakative Paradigmatik einen moralischen Bezugsrahmen zu suggerieren, innerhalb dessen sich noch dem Skandalon der Reiz des Poetischen abgewinnen lässt. » (C'est nous qui traduisons.)

17. « Réflexions sur quelques-uns de mes contemporains. Théophile Gautier », *Œuvres complètes*, t. 3, Club français du livre, p. 558. Ajoutons à ceci les réflexions de R. Balibar propres à signaler les insuffisances d'une démarche critique qui se borne à mesurer le « style » de *La Comédie humaine* à l'aune d'une esthétique monolinguistique : « Le génie littéraire de Balzac, avant Victor Hugo, plus que lui et sans doute mieux que tous les autres écrivains de la révolution culturelle bourgeoise, a créé les nouvelles profondeurs artistiques de la langue française fondée par la Première République. Il a substitué à l'ancien Art poétique qui vivait de l'observance stricte de multiples règles connotées par le colinguisme, aboutissant à des chefs-d'œuvre épurés des pratiques non admises par l'aristocratie des lettres, *un art basé sur la nouvelle grammaire élémentaire du simple français*, c'est-à-dire sur une pratique de la langue de l'État *non discriminatoire*, n'accordant par principe aucun privilège ni au latin ni à l'écriture d'une élite, et sur cette base donnant le statut de la *couleur*, c'est-à-dire des mots évocateurs des différents rôles sociaux, à des locutions très variables qui ne peuvent être isolées, caractérisées, interprétées que dans leur contexte. » *L'Institution du Français*, « Pratiques théoriques », PUF, 1985, p. 295.

18. *Balzac et la ville de province*, SEDES/ CDU, 1982, p. 212. C'est nous qui soulignons.

19. Nicole Mozet a bien montré que ce « boulversement des valeurs romanesques » tient en fait à une réorganisation de certains thèmes clef de *La Comédie humaine* autour de 1840 : évanouissement du socle archéologique des romans provinciaux (accompli sous la forme d'un « meurtre archéologique » dans *Pierrette*), disparition des figures paternelles, inversion du mouvement ascensionnel province-Paris et épuisement du thème de l'apprentissage (cf. en particulier p. 211). Dans *Pierrette*, l'instance paternelle est radicalement absente. À sa place intervient une grand-mère pathétique et mythifiée, symbole mélodramatique de la droiture et du dévouement.

20. M. Bardèche, *op. cit.*, p. 455.

21. Il s'agit des passages consacrés à l'histoire de sa dégradation (p. 190-225 et 129-138) ainsi qu'à sa lutte avec Sylvie (p. 239-282).

22. N. Mozet écrit à ce propos : « Pierrette n'est pas la victime de deux individus (les Rogron), mais d'un système », *op. cit.*, p. 214.

23. M. Bardèche, *op. cit.*, p. 575-576.

24. F. Van Rossum-Guyon a bien mis en évidence l'incessante dialectisation que Balzac fait subir aussi bien au métalangage de type dramatique qu'aux contenus théâtralisés de *La Cousine Bette*. Cf. art. cité.

25. Cf. A. Ubersfeld, art. cité.

26. N. Mozet écrit à ce propos : « *Pierrette*, c'est l'anti-*Paul et Virginie*, la revanche brutale du social sur la nature », *op. cit.*, p. 212.

27. Citons, cependant, l'attitude équivoque de Pierrette lors d'une partie de whist au salon Rogron (p. 262) : apparemment favorablement impressionnée par la soudaine douceur que Gouraud observe à son égard, elle conseille à celui-ci de jouer cœur, au détriment de Sylvie. Elle n'hésite pas, par ailleurs, à nier sa participation à un jeu de tromperie, que Balzac met bien en évidence par une exploitation des contenus polysémiques de certains mots (*jeu, cœur, voir*).

28. Cf. surtout Sylvie Rogron qui se saisit à travers les images de la déviance (dysharmonie, dessèchement, durcissement, artifice et monstrueux...). Si Pierrette incarne le « bien », Sylvie représente sans doute le « mal » (cf. ci-dessus le combat entre Sylvie et Pierrette.) Il faut souligner, cependant, que Balzac n'a pas créé en ce personnage une simple allégorie de la méchanceté humaine mais plutôt une illustration des dévoiements qui conduisent leurs victimes à une vie psychique et physique de type pathologique (cf. J.-L. Tritter, Préface à *Pierrette*, éd. citée, et Nicole Mozet, *op. cit.*, p. 133).

29. *Cf.* Nicole Mozet, *op. cit.*

30. Nous étudions cette problématique dans notre ouvrage *Figures de la modernité*, José Corti, 1984, chapitre « La Peau de chagrin ».

31. Cf. J. Küpper qui écrit : « L'amour-passion romantique a été supplanté, dans *La Comédie humaine*, par une pulsion réduite à son substrat physiologique, à une dépense des énergies vitales disponibles, qui se fixent de manière monomaniaque, sur presque n'importe quel objet. » « Der romantische amour-passion ist in der *Comédie humaine* einer Leidenschaft gewichen, die auf ihr physiologisches Substrat reduziert ist, auf eine Verausgabung der zur Verfügung stehenden Lebensenergien in der monomanischen Fixierung auf ein fast beliebiges Objekt. » *Op. cit.*, p. 70-71. C'est nous qui traduisons.

32. Concernant ces questions, cf. aussi notre article « La disparition des espaces urbains dans *La Comédie humaine* », *Paris et le phénomène des capitales littéraires*, Université de Paris-Sorbonne, t. I, 1984. Sur la nouvelle bourgeoisie provinciale et le règne de la « médiocratie », cf. Pierre Macherey, « Histoire et roman dans *Les Paysans* de Balzac », dans *Sociocritique*, textes présentés par Claude Duchet, Paris, Nathan-Université, 1979.

Les Paysans, une anamorphose de La Comédie humaine

Paule Petitier

Les Paysans, esquissés en 1833 et 1835, repris en 1838-1839, puis en 1844, sans être achevés, correspondent au *moment* de *La Comédie humaine*. L'ampleur du projet conduit souvent à comparer cette œuvre à *La Comédie humaine* : pour Thierry Bodin, dans son introduction de l'édition de «La Bibliothèque de La Pléiade», *Les Paysans* sont «un microcosme social et régional, une comédie humaine à l'intérieur de [l']œuvre»[1]. Pour Pierre Macherey, *Les Paysans* ne sont pas seulement «un texte disparate» mais il voit dans leur disparité la clef de tout réalisme balzacien. On est ainsi tenté de regarder *Les Paysans*, que Balzac considérait comme le livre «le plus considérable de ceux qu'[il avait] résolu d'écrire»[2], comme une tentative de sommation parallèle à la constitution de *La Comédie humaine*. Mais, à travers son inachèvement, l'œuvre singulière avouerait justement son échec à faire somme.

Éclatement de la totalité autarcique

À l'intérieur des *Scènes de la vie de campagne*, *Les Paysans* donnent en quelque sorte le négatif des trois autres romans. En particulier, *Les Paysans* apparaissent nettement comme l'anti-*Curé de village*, car ils présentent l'inversion de la plupart des syntagmes narratifs de ce roman. *Le Curé de village* raconte la constitution d'un grand domaine, *Les Paysans*, sa mise en pièces. Dans *Le Curé*, les parents de Véronique Graslin ont acquis leur fortune en participant aux spéculations de la Bande noire, la construction de Montégnac est autant réparation de cette tache originelle qu'expiation du crime de Véronique et de son amant. Tandis que le domaine de Montégnac naît de la volonté de racheter un crime, l'appropriation des Aigues par les bourgeois qui veulent le dépecer passe nécessairement par l'assassinat du garde Michaud.

Si le *Curé* était le roman du domaine-organisme, de la cohésion, d'un espace organisé en fonction de son foyer (Véronique), d'une totalité autarcique, *Les Paysans* offrent au contraire l'image de l'écartèlement. Le château des Aigues, rapidement décrit, ne prend pas de véritable existence textuelle ; en revanche, la présentation de Blondet au début du roman insiste sur les quatre portes du parc qui affichent à l'avance l'éclatement du domaine dans l'espace. Les Aigues s'inscrivent de plus dans une structure géographique elle-même polycentrique, constituée de deux villes (La Ville-aux-Fayes et Soulanges) et de trois villages (Couches, Cerneux et Blangy).

Les Paysans travaillent donc *Le Curé de village* comme un hypotexte, et s'attaquent à l'idée d'autarcie spatiale que ce roman mettait en place. Si l'on admet que l'espace *dans* la fiction est métaphorique de l'espace *de* la fiction, on peut avancer l'hypothèse que *Les Paysans* témoignent du travail de déconstruction qui a paradoxalement accompagné la constitution de *La Comédie humaine*. Réunir les œuvres, c'était relativiser l'autarcie de chacune d'elles, créer les conditions de son ouverture. Par leur caractère inachevé, *Les Paysans* marquent en quelque sorte l'abandon de l'impératif de clôture. De 1833 à 1844 s'inscrirait dans l'élaboration douloureuse de ce roman le long travail de deuil de la totalité féodale et maternelle et la mise au point d'une nouvelle conception de la totalité réclamée par la constitution de l'œuvre en série.

Les Paysans ne discréditent pas la totalité autarcique au nom d'un devenir. La remise en cause est plus grave. Le roman ne montre pas l'évolution historique qui conduit à la disparition des grandes propriétés. Ce n'est pas un roman de la transformation, mais du dévoilement, de la démystification. En effet, dès le début le démembrement est joué, les lignes de partage tracées, la temporalité du roman n'est que délai, attente. Le domaine a été mis en vente une première fois à la mort de Mlle Laguerre, et le capital partagé entre ses onze héritiers, « onze familles de pauvres cultivateurs aux environs d'Amiens » (Pl. IX, p. 60). Le roman commence par une lettre de Blondet qui décrit longuement la magnificence du château et de son parc, et se termine par la description du même lieu, sous le regard sinon sous la plume de Blondet, mais complètement transformé par le dépeçage du domaine et sa mise en culture :

> Les bois mystérieux, les avenues du parc, tout avait été défriché ; la campagne ressemblait à la carte d'échantillons d'un tailleur. Le paysan avait pris possession de la terre en vainqueur et en conquérant. Elle était divisée en plus de mille lots, et la population avait triplé entre Couches et Blangy. La mise en culture de ce beau parc, si soigné, si voluptueux naguère, avait dégagé le pavillon du Rendez-vous, devenu la villa *Il Buen-Retiro,* de dame Isaure Gaubertin ; c'était le seul bâtiment resté debout, et qui dominait le paysage, ou, pour mieux dire, la petite culture remplaçant le paysage. (p. 347)

À première vue, le roman s'inscrit entre deux paysages antithétiques – en fait un paysage et un non-paysage – séparés, semble-t-il, par une révolution. Mais paradoxalement, au sein de la première description est mise en place une perspective littéralement contre-révolutionnaire en ce qu'elle dénie aux révolutions leur effet modificateur. Les bouleversements ne font que mettre au jour ce qui existait déjà :

> Quand le globe se retournera comme un malade qui rêve, et que les mers deviendront des continents, les Français de ce temps-là trouveront au fond de notre Océan actuel des rails, une machine à vapeur, un canon, un journal et une charte, enveloppés dans un bloc de corail. (p. 62)

Ainsi la fin du roman ne fait-elle que révéler ce qui était présent mais dissimulé au début. Dès la première description du parc, le quadrillage est à l'œuvre et structure l'espace. Quadrillage qu'instaurent les multiples barrières, signifiants de la propriété :

> ... deux petits pavillons en brique rouge, réunis ou séparés par une barrière peinte en vert (p. 50)
> ... avant d'arriver à cette barrière (p. 51)

... enjambe la barrière (p. 52)
... bientôt l'avenue se transforme en une allée d'acacias qui
mène à une grille (p. 52)

Le paysage est véritablement organisé par cette logique de
la hachure et du découpage : le soleil « zèbre » l'allée de ses
« rayons obliques », la vue est « barrée », « la longue avenue est
coupée », « nous sommes dans un carrefour », nous voyons
« un moulin et son barrage » (p. 52).

Enfin l'espace est encore découpé par le réseau invisible des
regards paysans qui d'ores et déjà l'ont investi : « En quelque
endroit que vous soyez à la campagne, et quand vous vous y
croyez seul, vous êtes le point de mire de deux yeux couverts
d'un bonnet de coton » (p. 52).

Mais la grille est recouverte par l'arabesque qui fait obstacle à sa perception : « De chaque côté des pavillons, serpente
une haie vive d'où s'échappent des ronces semblables à des cheveux follets » (p. 51). L'arabesque envahit d'ailleurs tellement la
description qu'elle apparaît, sous la plume de Blondet, comme
une réaction de défense, un recours, esthétique mais un peu
dérisoire, devant l'invasion du quadrillage. Bon exemple de
cette négation fantasmatique, la grille du parc se transforme en
arabesque : « L'or des arabesques a rougi, la rouille y a mêlé ses
teintes ; mais cette porte, dite de l'Avenue, et qui révèle la main
du Grand Dauphin à qui les Aigues la doivent, ne m'en a paru
que plus belle » (p. 52-53).

Si l'on compare la description initiale et le tableau final,
on se rend compte que ce dernier fait apparaître la grille que la
première cherchait à enfouir sous le leurre esthétique des arabesques. Le parc, le château, cette nature féerique, ne sont donc
qu'une sorte de décor d'opéra[3], une illusion. Par ce parti pris de
description qui inscrit la grille dans le paysage, l'espace organique et autarcique du grand domaine est dénoncé comme fiction. Comme *Les Paysans* seront placés en tête des *Scènes de la
vie de campagne*, c'est donc insister sur le caractère fictif des
restaurations que proposeront les trois autres romans. À
l'espace autarcique du roman, discrédité par son aspect fictif, se
substituerait donc l'espace polynucléaire et relativement plus
réaliste de l'œuvre série.

Deux grilles pour un roman

Le dépeçage du grand domaine ne reflète pas du tout une disparition des structures spatiales. Au contraire, l'espace des *Paysans* est saturé par le découpage et l'organisation politiques hérités de la Révolution et du Consulat. Les cinq localités qui entourent les Aigues s'ordonnent selon la hiérarchie administrative du département : trois communes (Cerneux, Couches, Blangy), un chef-lieu de canton (Soulanges), une sous-préfecture (La-Ville-aux-Fayes). Les voies de communication respectent cette organisation hiérarchisée : Blondet arrive par la route royale (p. 50), mais une route cantonale (p. 78) relie les cinq localités. Enfin les cours d'eau se plaisent à souligner aussi cette disposition : les ruisseaux du parc des Aigues se déversent dans la Thune et dans l'Avonne, la Thune se jette dans l'Avonne (p. 255), elle-même tributaire d'«un des plus considérables affluents de la Seine [l'Yonne]» (p. 67). Réseau urbain et réseau fluvial se recoupent idéalement : La-Ville-aux-Fayes se trouve au confluent de l'Avonne et de l'Yonne, Soulanges au confluent de la Thune et de l'Avonne. Le cadre spatial du roman offre donc une sorte d'exemple idéal de l'organisation géopolitique de la France postrévolutionnaire.

Dans ce quadrillage parfait, les Aigues apparaissent comme un corps étranger : «Quelque vulgaire que soit cette comparaison, le parc ressemblait, ainsi posé au fond de cette vallée, à un immense poisson...» (p. 67-68).

Avant même d'être une proie, le domaine dérange parce qu'il est une enclave, une lacune dans le tissu administratif.

Il est à noter que cette grille administrative est présentée au départ comme productrice. C'est la circonscription par départements qui a créé La-Ville-aux-Fayes, auparavant simple bourg, en l'investissant des fonctions de sous-préfecture. Elle est également productrice sur le plan narratif. Le complot bourgeois réunit les puissances financières des trois échelons administratifs : la commune avec Rigou, le chef-lieu de canton avec Soudry, la sous-préfecture avec Gaubertin. Ce sont les déplacements sur la grille hiérarchique de Rigou, à Soulanges, puis à La-Ville-aux-Fayes, qui sonnent l'hallali sur le domaine et signent la mort de Michaud.

On peut se demander si cette grille politique et administrative figure la conception de la totalité consécutive au projet
de sommation de l'œuvre balzacienne. Est-ce un nouveau mode
d'investissement de l'espace qui représente pour Balzac le
modèle de l'espace du texte ? La structure de *La Comédie
humaine* relève d'une logique qui n'est pas sans rappeler
l'organisation administrative de la France. Les romans sont
regroupés dans les scènes, elles-mêmes rattachées à une partie,
les parties formant une pyramide de trois niveaux de réflexion
(description des effets sociaux, recherche des causes, puis des
principes). Dans *Les Paysans,* Balzac rapproche la figure de
l'écrivain de celle de l'administrateur à travers le destin de
Blondet qui d'écrivain politique et journaliste au début devient
préfet dans les dernières lignes du roman. Si le rapprochement
induit au moins une parenté des deux fonctions, il est cependant placé sous le signe de l'aliénation et de l'abdication : « Et
moi je suis attelé à la machine sociale qui fonctionne ainsi... »
(p. 347).

C'est d'ailleurs après être mort comme écrivain, ses
déboires l'ayant conduit bien près du suicide, que Blondet
devient préfet. En effet, la grille hiérarchisée de l'administration
n'offre pas un modèle fiable de structuration de l'espace, ni
surtout un modèle de sommation. Le roman en donne une
image tronquée, réduite aux échelons inférieurs, Paris et la pré-
fecture ne sont pas représentés, et ce manque dénonce justement l'inefficacité de leur pouvoir centralisateur. « Aussi, dans
la moitié de la France environ, rencontre-t-on une force d'iner-
tie qui déjoue toute action légale, administrative et gouverne-
mentale » (p. 179). Ainsi l'organisation politico-administrative
ne suffit-elle pas à rendre compte des forces qui découpent
l'espace des *Paysans.* Deux grilles différentes jouent en fait sur
cet espace : la structure hiérarchisée de l'administration, et le
quadrillage plan de la propriété. Ce dernier existe d'abord sous
la forme du réseau invisible du complot contre les Aigues, puis
le filet, projeté sur l'espace, apparaît de façon spectaculaire à la
fin du roman, transformant le paysage en « carte d'échantillons
[de] tailleur » p. 347).

Contrairement à la grille administrative à la fois plane et
hiérarchisée, le quadrillage de la propriété est pure horizontalité
et pure contiguïté. En détruisant le paysage, il détruit l'unité,
puisque, selon Georg Simmel, « regarder un morceau de sol avec
ce qu'il y a dessus comme un paysage, c'est considérer un

extrait de la nature, à son tour, comme unité »[4]. Si la grille administrative structure et unifie, le quadrillage de la propriété tend à aplatir de plus en plus l'étagement hiérarchique. Du château des Aigues ne subsiste qu'un bâtiment, la porte du Rendez-vous, qui ne maintient qu'une caricature de hiérarchie : « Cette construction ressemblait à un château, tant étaient misérables les maisonnettes bâties tout autour, comme bâtissent les paysans. » Enfin cet aplatissement menace même tout l'édifice politico-administratif : « Mais que deviendront, avec cet état de choses, les nations elles-mêmes dans cinquante ans ? » (p. 347).

Les Paysans montre donc deux types de découpage de l'espace : une division plutôt constructrice, celle de la circonscription administrative, dominée par le principe hiérarchique, et un morcellement destructeur, le quadrillage de la propriété, dominé par la loi de la contiguïté et du cloisonnement. Cependant, entre les deux grilles la contamination est inévitable. D'une part la « médiocratie » utilise la structure administrative au service du quadrillage de la propriété, comme une stratégie d'appropriation. En retour, la structure administrative est inéluctablement aplatie par ce détournement.

La grille administrative offrait un modèle possible pour *La Comédie humaine*, mais elle n'est pas une structure idéale, comme elle est partie prenante du réel, elle est engagée dans le jeu des intérêts et fatalement contaminée par le quadrillage de la propriété. Elle a donc un effet contradictoire, indissociablement créateur et destructeur. En fait, une structure ancrée dans le réel ne peut servir de modèle à l'espace de la fiction car le romancier réaliste en met forcément en lumière les lacunes et les contradictions. Ainsi les deux grilles combinées qui structurent l'espace des *Paysans* apparaissent-elles comme des processus dévorateurs et réducteurs qui effacent l'espace autarcique de l'œuvre individuelle au lieu de l'intégrer à une totalité supérieure. *Les Paysans* prouvent *a contrario* la nécessité pour le romancier réaliste de choisir un modèle de totalisation en dehors de ceux qui sont actualisés par la société. Corrélativement, le roman montre que la structure de totalisation ne peut être intégrée à l'œuvre comme élément de fiction car la fiction balzacienne « réalise » les matériaux qu'elle utilise, en en montrant la complexité et les contradictions. C'est pourquoi le roman ne peut faire somme, la structure de sommation doit être externe aux romans, d'où *La Comédie humaine*, dont l'unité est à la fois de l'ordre de la fiction (retour des personnages) et d'un ordre qui échappe à la fiction, celui qu'instaurent les subdivisions de son plan.

Anamorphose et perspective hiérarchisée

La référence unificatrice du peintre de la société ne pouvant fonctionner que si elle n'appartient pas au contexte social, on comprend que Balzac mette en avant le modèle naturaliste pour justifier l'unité de *La Comédie humaine* dans son Avant-propos. Le « système de la nature », échappant aux contradictions de la réalité sociale, peut offrir un principe unificateur stable au tableau de la société. Dans le chapitre IV de *Mythes balzaciens*, Pierre Barbéris expose la nécessité pour Balzac de passer à un ordre supérieur pour penser l'unité[5]. Cet ordre supérieur est celui de la création romanesque, « seule unité possible ». Les naturalistes que cite Balzac dans l'Avant-propos (en particulier Buffon et Geoffroy Saint-Hilaire) veulent rendre compte de la nature, en donner une vision cohérente, unifiée, sinon unitaire. Pour cela, ils opèrent un déplacement, et cherchent l'intelligibilité de la nature dans l'ordre de sa création. La référence aux naturalistes légitime donc analogiquement le passage à l'ordre de la création littéraire pour assurer l'unité de l'œuvre romanesque.

On ne peut s'empêcher de noter que le « système de la nature » avec ses embranchements, ses classes et ses espèces, présente le même type d'organisation hiérarchisée que la structure politico-administrative qui est au centre des *Paysans*. On peut donc dire à la fois que la grille naturaliste est une transposition hors du social de la structure administrative dans le but d'assurer la cohésion de l'œuvre série et que la structure administrative transpose dans la fiction la grille naturaliste – métaphore de l'architecture de *La Comédie humaine* – pour en donner une représentation réaliste et critique.

Mais ce n'est pas sur le mode du décalque mécanique qu'il faut envisager l'analogie de la grille naturaliste et de *La Comédie humaine*, la parenté est à la fois plus diffuse et plus profonde. Selon Patrick Tort, ce qui fonde la différence de la méthode de Geoffroy et de Lamarck par rapport à celle de Cuvier, c'est la volonté de dépasser la description de la nature et la classification des espèces dans une « philosophie naturelle ».

La *philosophie* de la science naturelle, chez Geoffroy, comme chez Lamarck, est un acte réflexif impliquant la formulation d'une *hypothèse* sur les *causes* de la *liaison* entre les phénomènes, cette hypothèse étant appelée par un besoin corrélatif de *liaison* entre les connaissances [...] il s'agit de transcender le fait d'observation et la « descente analytique » (Lamarck) c'est-à-dire de passer du phénomène au rapport, et du rapport à la théorie, à la généralité de la loi. [6]

Cette méthode qui s'organise en plusieurs niveaux de réflexion : observation, recherche des ressemblances et des causes, formulation de lois et d'hypothèses qui guident en retour l'observation, rappelle l'explication que donne Balzac de la construction de *La Comédie humaine* dans une lettre à Mme Hanska, en 1834, et qui repose elle aussi sur un étagement des points de vue :

– *Études de mœurs* : représentation des effets sociaux,
– *Études philosophiques* : recherche des causes,
– *Études analytiques* : recherche des principes.

Dans les deux cas, on a affaire à un processus intellectuel qui parie sur la mise en perspective hiérarchique contre l'aplatissement taxinomique. L'idée d'unité de plan de composition, qui semble avoir particulièrement retenu Balzac, postule l'existence d'une structure unique du vivant, actualisée de façon différente suivant les classes et les espèces. Chaque être incarne une variante de ce plan de composition, chaque être contient donc de façon immanente le principe de l'unité. À travers ce postulat, transposé dans le domaine littéraire, c'est l'existence, l'autonomie de l'œuvre singulière qui est affirmée autant que sa liaison avec les autres œuvres de la série.

Mais la « philosophie naturelle » de Geoffroy propose aussi une explication de la diversité des incarnations du plan de composition. Les différentes espèces animales correspondent en fait aux divers stades de développement de l'être unique qui accomplirait parfaitement le plan de composition. De ce fait, deux espèces contiguës dans la classification zoologique entretiennent forcément une relation verticale puisque leur différence n'est due qu'à un arrêt de développement plus précoce ou plus tardif. Les théories de Geoffroy permettent donc de penser la contiguïté dans une constante référence à la hiérarchie. Dans son système, la contiguïté pure n'existe pas, la grille plane est subordonnée en chacun de ses points à l'échelle. On échappe ainsi au danger du cloisonnement, de la collection, dénoncé dans *Les Paysans* à travers le Muséum Gourdon comme la négation de la science et de toute entreprise de synthèse. Le Muséum Gourdon, avec ses armoires vitrées, ses buffets à tiroirs et ses étiquettes, est l'analogue dans le domaine de la science du paysage-« carte d'échantillons » dans celui de l'esthé-tique. Inversement, tout véritable paysage reflète l'ordre de la création et ne peut apparaître que lorsque le quadrillage de la propriété est subordonné à la structure hiérarchique.

> Entre ces deux pilastres, une grille somptueuse dans le genre de celle forgée par Buffon pour le Jardin des Plantes, s'ouvrait sur un bout de pavé conduisant à la route cantonale, jadis entretenue soigneusement par les Aigues, par la maison de Soulanges, et qui relie Couches, Cerneux, Blangy, Soulanges à La-Ville-aux-Fayes, comme par une guirlande, tant cette route est fleurie d'héritages entourés de haies et parsemée de maisonnettes à rosiers. (p. 78)

À peine mentionnée, la grille s'ouvre, le cloisonnement est dépassé. Le quadrillage de la propriété (« héritages entourés de haies ») s'ordonne en une procession rigoureusement hiérarchi-sée (« Couches, Cerneux, Blangy, Soulanges, La-Ville-aux-Fayes ») mais qui devient arabesque (« comme par une guir-lande ») et ouvre la perspective nécessaire au paysage.

Mais la construction du paysage est sous-tendue par une allusion transparente à la création des naturalistes qui, seule, la rend possible dans le contexte défavorable des *Paysans*. La grille, dont les pilastres dessinent un cadre pour ce paysage, est comparée à celle du Jardin des Plantes. Regarder ce paysage, c'est donc un peu faire une visite au Jardin des Plantes. Ainsi le pay-sage authentique est-il implicitement comparé à la nature expo-sée dans l'ordre de sa création, telle qu'on peut la voir dans les galeries du Muséum d'histoire naturelle.

Mais ce paysage n'est qu'une échappée dans le roman, un Paradis perdu que l'on regarde à travers la grille, une sorte de représentation témoin par rapport à l'image finale qui en cons-titue la reproduction écrasée, anamorphotique. Contre les for-ces bourgeoises d'aplatissement et de cloisonnement à l'œuvre dans *Les Paysans*, la fiction singulière ne peut rien. La perspec-tive hiérarchique n'est réaffirmée qu'à l'échelle de l'univers romanesque dans le mouvement par lequel la composition s'arrache à la fiction. *La Comédie humaine* est la seule restau-ration possible de la situation finale du roman. C'est pourquoi *les Paysans* et leur espace textuel réduit à la contiguïté se présentent comme l'anamorphose de *La Comédie humaine* : ils en montrent l'image déformée, projetée sur la surface plane de la société bourgeoise. Et inversement *La Comédie humaine* joue le rôle du miroir qui dans sa verticalité hiérarchique redonne à cette image déformée sa figure régulière.

Paradoxalement, c'est dans l'anamorphose que la critique historique reconnaît la représentation la plus clairvoyante du réel, des contradictions de la société bourgeoise. Le réalisme aigu des *Paysans* naîtrait donc de la critique de la fiction par la fiction, de la mise à l'épreuve dans la fiction de l'ordre régulateur de l'univers romanesque. Mais en retour, c'est bien l'univers romanesque qui permet la radicalisation du point de vue critique en assumant la perspective unificatrice de l'œuvre, qui de la sorte peut tenter de représenter de la façon la plus violente (sans perspective restauratrice interne), et malgré tout à moyen terme autodestructrice, l'éclatement du réel.

Notes

1. *La Comédie humaine*, Gallimard, Pl. IX, 1978, introduction des *Paysans*, p. 5. Toutes les références aux *Paysans*, données entre parenthèses, renverront à cette édition.

2. *Les Paysans*, *op. cit.*, Dédicace, p. 49.

3. Blondet s'exclame : « Ma foi, c'est presque aussi beau qu'à l'Opéra », p. 70.

4. Georg Simmel, « Philosophie du paysage », dans *Tragédie de la culture*, Marseille, Éditions Rivages, 1988, p. 230.

5. Pierre Barbéris, *Mythes balzaciens*, Armand Colin, 1972, p. 244-247.

6. Cuvier-Geoffroy Saint-Hilaire, *La Querelle des analogues*, Textes présentés par Patrick Tort, Plan-de-la-Tour, Éditions d'Aujourd'hui, 1983, Introduction.

Épilogue

« Ci-gît Balzac. »

Roland Chollet

La pierre, la parole, le papier mâché

Dans la représentation mentale que Balzac n'a cessé de se faire de son œuvre en devenir – en devenir de *Comédie humaine* –, la métaphore du monument donne lieu, dans le métatexte de ses romans et dans sa correspondance, à une série de variations où se dessine parfois – époque oblige – le profil de la cathédrale. Production imaginaire au statut incertain – une « cathédrale de papier » –, que Stéphane Vachon examine dans le préambule d'une Chronologie que j'aimerais appeler une *biblio-chronie balzacienne*[1]. Avec cette édification constamment fantasmée, le faux architecte rassure le vrai constructeur, l'escortant de formules tutélaires qui ont en commun de dénoncer, avant le *moment* de *La Comédie humaine*, le caractère accidentel, provisoire de tout ce qui dans l'œuvre apparaît à l'auteur ou à son lecteur comme hésitation, incohérence, division, dispersion. Qu'on ne croie pas que la métaphore monumentale (ou architecturale) soit pour autant sans ambiguïtés ni conséquences. C'est sur les unes et les autres que je voudrais m'interroger pour commencer, en ajoutant quelques éléments de réflexion à l'étude de Stéphane Vachon, à qui je dédie la première partie d'un travail qui procède directement du sien, et où il reconnaîtra d'ailleurs aisément son bien.

Cette métaphore, de tout temps lieu commun de tout discours sur la littérature, et spécialement de celui qu'elle tient sur elle-même, Balzac l'a faite sienne dès la première pierre posée (on voit que je l'adopte à mon tour). En 1823 ou 1824, il veut être Parthénon[2], rien moins, et c'est par « le charme qui saisit l'âme à l'aspect des conceptions monumentales »[3] que le catholicisme en impose à cet incroyant militant. D'ailleurs tout lui est monument, même ses personnages.

Annette est « un bel édifice » qui s'écrie à l'intention d'Argow : « Soyez un beau monument de repentir »[4]. Mais il y a, on le voit, monument et monument. Il n'est peut-être pas inutile de rappeler que le discours de l'œuvre en devenir, ou discours de l'architecte et le discours sur le monde en proie au temps, ou discours de l'archéologue, entrecroisent dans le texte de Balzac leurs images monumentales. Il y aurait lieu de s'interroger sur les rapports de ces deux discours antithétiques. Je m'en tiens ici au premier, dans lequel Saint-Aubin en 1824, Morillon en 1828 [5], Balzac ensuite, répètent inlassablement leur credo en l'unité absolue et nécessaire de l'œuvre qu'ils entreprennent contre le temps.

Il ne faut pas se laisser abuser pour autant par l'image figée du monument, qui est au premier chef la traduction commode et conventionnelle d'une grande idée de composition ; cette idée a varié ou tout au moins évolué. Admirateur inconditionnel des *Cinq Livres,* et convaincu avec Nodier que la littérature est un univers que l'oralité dispute à l'écriture, Balzac avait formulé un pari ambitieux qu'il n'a peut-être pas entièrement tenu : « représenter l'ensemble de la littérature par l'ensemble de mes œuvres »[6]. Simultanément avec les *Études de mœurs* dont *La Comédie humaine* constituera l'aboutissement[7], il avait ébauché des ensembles d'œuvres régis par une architecture pseudo-orale à l'imitation du *Décaméron* et des conteurs français des XVe et XVIe siècles. Porté par la vogue du conte, s'était fait jour, dans le cadre même des *Études de mœurs,* un projet de *Conversation entre onze heures et minuit* – premier volume d'une série de *Scènes de la vie du monde* –, qui en fut expulsé pour être converti en prologue des *Contes bruns*[8]. Mais la principale pièce de l'édifice « oral », en 1832 et 1833, ce sont évidemment les deux premiers *Dixains* des *Contes drolatiques,*

et notamment *Le Succube,* petit traité en forme de scénario sur
les modes et fonctions de la narration parlée. C'est l'époque
où, dans sa *Théorie du conte,* il entend prouver – et il le répète
à Pichot – « que le conte est la plus haute expression de la littérature »[9] ; mais lorsqu'il écrit à Mme Hanska que les *Contes
drolatiques,* « c'est un monument bâti pour quelques connais-
seurs »[10], il admet implicitement l'échec de ce « monument »
qui semble en contradiction avec le principe unitaire de
l'œuvre. Aussi, entre 1833 et 1837, voit-on les *Contes
drolatiques* frappés d'un irrésistible déclin, tandis que les
Études de mœurs prennent leur assise.

Si l'écriture balzacienne a en définitive admirablement respecté, intégré la parole, contribuant à la revalorisation de
l'oralité qui caractérise d'après certains[11] la littérature du XIXe
siècle, il n'en demeure pas moins que le constructeur de *La
Comédie humaine* a nettement opté pour une conception
monumentale de l'écrit, avec les dangers qu'il y avait à vouloir
procéder, comme il dit, « par la masse et par l'amas »[12]. Son
« œuvre gigantesque »[13], en 1834, ce n'est pas une cathédrale,
c'est Pélion sur Ossa. Qu'on attende quatre ans – 1838 –
demande-t-il, et on verra comme tout cela vaudra par la super-
position, par la « masse ». Le rendez-vous de 1838 est manqué,
les *Études sociales* à paraître chez Delloye et Lecou ne
connaissent qu'un début d'exécution avec la belle édition
illustrée de *La Peau de chagrin,* tome XXVI d'une édition
complète avortée qui ne comptera que ce vingt-sixième et
unique volume. En 1838, subissant le même sort que la plupart
de ses grandes œuvres en train, « les *Illusions perdues* restent
une jambe en avant comme ces murs de Paris qui avancent leurs
pierres par intervalles égaux, en attendant qu'ils se marient à
d'autres »[14]. C'est comme si Prométhée avait conclu un pacte
provisoire avec le facteur Cheval. Il faut en prendre son parti :
« l'intérêt personnel ne peint point de fresques, n'élève ni
cathédrales ni monuments [...] »[15], et l'œuvre de 1838 est la
cathédrale dérisoire d'une époque de transition où il n'y a
point de cathédrales. « Le marbre est si cher ! » s'écrie le romancier dans la Préface à *La Femme supérieure,* et le bâtisseur en
est réduit au « carton pierre » et au « papier mâché ». Reste une
assez belle vision à sauver, telle que l'évoque cette même page de

1838, où font bon ménage la confiance en l'art et en l'avenir, la déception et la dérision, la poésie des métaphores de l'architecte et leur démystification, la cathédrale et la mosaïque, la verticalité gagnée par l'horizontalité, et enfin la conscience, toute politique, de la condition matérielle, commerciale de la littérature :

> Qui sait ! le hasard est un bon ouvrier. [...] Plus tard, il se pourrait que tous ces morceaux fissent une mosaïque : seulement il est certain qu'elle ne sera pas à fond d'or comme celles de Saint-Marc à Venise, ni à fond de marbre comme celles de l'antiquité, ni à fond de pierres précieuses comme celles de Florence, elle sera de la plus vulgaire terre cuite, matière dont sont faites certaines églises de village en Italie ; elle accusera plus de patience que de talent, une probe indigence de matériaux, et la parcimonie des moyens d'exécution. Mais comme dans ces églises, cette construction aura un portail à mille figures en pied, elle offrira quelques profils dans leurs cadres, des madones sortiront de leurs gaines pour sourire au passant : on ne les donnera pas pour des vierges de Raphaël, ni de Corrège, ni de Léonard de Vinci, ni d'Andrea del Sarto, mais pour des madones de pacotille, comme des artistes, pauvres de toute manière, en ont peint sur les murailles par les chemins en Italie. On reconnaîtra chez le constructeur une sorte de bonne volonté à singer une ordonnance quelconque, il aura tenté de fleureter le tympan, de sculpter une corniche, d'élever des colonnes, d'allonger une nef, d'élever des autels à quelques figures de saintes souffrantes. Il aura essayé d'asseoir des manières de démons sur les gargouilles, de pendre quelques grosses physionomies grimaçantes entre deux supports. Il aura semé ça et là des anges achetés dans les boutiques de carton pierre. Le marbre est si cher ! Il aura fait comme font les gens pauvres, comme la ville de Paris et le gouvernement qui mettent des papiers mâchés dans les monuments publics. Eh ! diantre, l'auteur est de son époque et non du siècle de Léon X, de même qu'il est un pauvre Tourangeau, non un riche Écossais. Toutes ces choses se tiennent. Un homme sans liste civile n'est pas tenu de vous donner des livres semblables à ceux d'un roi littéraire. Les critiques disent et le monde répète que l'argent n'a rien à faire en ceci. Dites donc ces raisons à la Chambre des députés, dites-lui que l'argent ne signifie rien pour achever un monument ![16]

Mes propriétés

Qu'est-ce que Corneille, Racine, Homère, Virgile ? se demandait le jeune Balzac aux prises avec un infaisable *Essai sur le génie poétique :* « La tombe garde leur réponse, et leurs œuvres sont des monuments admirables dont on peut faire le tour sans pouvoir deviner les secrets de l'architecte »[17]. Tel est le style, en 1819, de ce grand déchiffreur d'épitaphes, amateur de promenades philosophiques au cimetière du Père-Lachaise. Ces œuvres muettes comme des tombeaux, ces *monuments dont on peut faire le tour,* Balzac y verra, vingt ans plus tard, les biens du génie exproprié et payé en fausse monnaie de gloire posthume, cette spoliation se perpétuant au nom de la loi de 1793 sur la propriété littéraire. Mais en 1834 déjà, dans sa *Lettre aux écrivains français du XIXᵉ siècle,* se servant de la *Revue de Paris* comme d'une tribune, il adjure publiquement les créateurs intellectuels de prendre en mains collectivement leurs intérêts moraux et matériels. Car il y a urgence pour l'artiste de constituer *de son vivant* une propriété, de constituer son œuvre en propriété : « Nous croyons avoir le droit de mettre sur nos livres : *Exegi monumentum.* Palais ou bicoque, cathédrale ou chaumière, *cette œuvre est à moi.* »[18] Imposer la reconnaissance de cette propriété inaliénable, tel sera le premier mobile de Balzac en élaborant *La Comédie humaine.*

Il est temps de congédier la métaphore à tout faire du monument, de la cathédrale, qui figure le plus souvent l'œuvre du bâtisseur romantique comme une construction sans plan au sol qui « gagne en spirale les hauteurs de la pensée »[19], et dont l'unité à venir serait doublement garantie par la persévérance de l'ouvrier et la vision grandiose du génie. Or il faut convenir que le chantier marche mal. C'est toujours « quelque fragment » publié au gré des libraires, « une de ces pierres » que l'auteur voudrait « voir devenir un monument »[20], les morceaux d'une mosaïque dont il souhaite qu'un heureux hasard les réunisse. L'« histoire de la société moderne en action »[21], première en date des définitions de *La Comédie humaine* avant que le titre n'en soit fixé, demande encore en été 1839 – au dire de l'auteur – une dizaine d'années de travail. Quelque chose d'essentiel cependant est en train de changer dans l'image qu'il en donne. Les images connotant une organisation définitive me paraissent se mêler plus intimement dans la *Correspondance* des années 1839 à 1841 à celles d'un achèvement sans cesse repoussé. Certes le romancier continue à se présenter en « Hercule littéraire », en « Prométhée debout », son vautour au cœur et remuant un monde[22], mais l'idée d'une limite de l'œuvre s'impose à lui, d'un quadrillage, de cadres à remplir, de tout un cadastrage de l'objet littéraire qui aboutira au catalogue de 1845. Stéphane Vachon a attiré l'attention sur les images de classement et de collection, et il y a comme une homologie entre le plan de publication qui se fixe et la conception systématique de la société balzacienne étudiée jadis par S. de Sacy à la lumière de la dispute entre Cuvier et Geoffroy Saint-Hilaire sur l'unité de composition organique[23]. Sans refaire l'historique de la distribution des *Études de mœurs* en séries, remarquons qu'elle délimite, de part et d'autre d'une frontière de plus en plus étanche, un en-dehors et un en dedans de la future *Comédie humaine,* ce domaine intérieur comportant des zones quasiment inhabitées et qui le resteront – *Scènes de la vie politique* et *Scènes de la vie militaire* –, une sorte de vide sur lequel l'auteur de l'Avant-propos de 1842 revendique par avance ses droits[24].

On s'est souvent demandé – et c'est un des objets de ce volume – non seulement comment, mais pourquoi la mutation commerciale et esthétique des *Études de mœurs* (puis *Études sociales*) en *Comédie humaine* s'est produite en 1841. Il ne fait aucun doute à mes yeux que cette mutation est étroitement liée au débat public sur la révision de la loi de 1793 régissant la propriété littéraire. Partisan de la perpétuité de la propriété intellectuelle, Balzac a pris à ce débat une part importante, fort d'une théorie personnelle sur le pouvoir de l'artiste, qu'il tient à faire connaître, et dont on peut suivre l'évolution depuis ses articles de 1830 jusqu'à la fin de sa vie. On ne peut éviter de rappeler, de rapprocher ici quelques dates significatives. Amenée à se prononcer sur le nouveau projet de loi, la Société des gens de lettres charge Balzac, le 5 février 1841, de réviser son propre projet de manifeste. La commission nommée par l'Assemblée pour l'examen du projet de loi se réunit pour la première fois quatre jours au plus tard sous la présidence de Lamartine. Les 13 et 14 février Girardin et Lamartine s'affrontent dans *La Presse*, et Balzac a terminé ses *Notes sur la propriété littéraire*, il en informe Lamartine le lendemain, et Victor Hugo lui demande son texte le jour suivant. Lamartine présente son rapport à la Chambre le 13 mars, une semaine avant la publication officielle des *Notes* rédigées par Balzac. Le 23 ou le 30 mars Balzac et Vigny se rencontrent dans les tribunes du public tandis que le député Lamartine intervient dans la discussion[25]. On connaît l'issue de cette bataille perdue d'avance, et la confirmation donnée par le régime de Louis-Philippe à la loi de la Convention qui avait bafoué les droits du génie proclamés dans le fameux rapport Lakanal annexé au texte de la loi, rapport préalable qui était pourtant censé l'avoir inspirée. La propriété littéraire était condamnée à demeurer une propriété de deuxième ordre, frappée de caducité au bout de quelques années (scandale toujours actuel). Quinze jours plus tard Balzac signait avec Hetzel et Paulin, Dubochet et Sanches un premier traité – non exécuté – pour des *Œuvres complètes* en 20 volumes, et il annonçait le 1er juin à Mme Hanska la prochaine sortie de son œuvre en impression compacte sous le titre de *Comédie humaine*[26].

Je ne reviendrai pas sur les vicissitudes de cette publication qui n'eut lieu qu'une année plus tard, à la suite d'un second contrat. Mais pourquoi Balzac veut-il fonder cette énorme entreprise sur la librairie et la réédition, lui qui répète depuis dix ans que « la librairie se meurt », que « la librairie est morte »[27], et qu'il attend tout de ses nouvelles œuvres et des journaux (où il se propose de mettre 40 000 lignes en 1842) ? Certes *La Comédie humaine* pourrait, qui sait, payer ses dettes, mais il dit n'y pas compter[28]. Ce qui paraît primer pour lui, c'est la constitution d'une œuvre comparable à un bien fonds, sans attendre que la postérité en dessine les frontières, en fasse, sans son consentement, ce « *monument dont on peut faire le tour* ». Il a la hantise de l'hémorragie par le feuilleton, de la désagrégation par le désordre de la publication : avec *La Comédie humaine*, ses « œuvres pourront s'acheter car en ce moment personne ne sait où elles sont »[29]. Il redoute toutes les formes de dispersion ; ce qui ne saurait être circonscrit, enfermé – fût-ce après l'épreuve du journal – doit être renié : « J'ai fait bien des travaux inutiles pour vivre, j'appelle inutiles *parce qu'ils sont en dehors de mon œuvre* et qu'alors si c'est de l'argent gagné, c'est du temps perdu »[30].

Barricader hermétiquement le chantier six ou dix ans avant l'achèvement, lui donner son beau nom de *Comédie humaine,* c'est brandir un titre, un titre de propriété, faire par avance la preuve de l'exhérédation à terme couverte par la loi, c'est en même temps, dans le système censitaire auquel Balzac emprunte le langage comme défi d'artiste, fonder un droit politique. Dans la conjoncture biographique, c'est aussi fonder un droit amoureux[31].

C'est donc à une paradoxale clôture de l'œuvre sur elle-même que nous arrivons au terme des années 1839-1841, et c'est là qu'on peut voir le véritable *moment de* La *Comédie humaine*. La typographie compacte de l'édition Furne traduit concrètement un processus de densification qui a dû déconcerter les premiers lecteurs, habitués au découpage des feuilletons ou à la justification aérée des éditions in-8° blanchies pour le public des cabinets de lecture. Suppression des préfaces, insertion de dédicaces en forme d'inscription votives, disparition des parties, des chapitres, des blancs, des passages à la ligne, ce remembrement autoritaire ne va pas sans un effet d'opacification, parfois augmenté jusqu'à l'illisibilité par les corrections de ponctuation du texte « posthume » (« Furne corrigé) » reproduit dans l'édition de « La Pléiade ».

Tout au long des quelques dix dernières années de son activité, Balzac a cherché à conjurer ce risque de pétrification ; soucieux de maintenir à tout prix la fluidité de l'écriture, magicien de l'illusion d'oralité – à travers dialogues, confessions, interventions de la « parole » judiciaire –, il a aussi multiplié les connexions internes de son œuvre en exploitant à outrance le système des personnages reparaissants : il y en a près de trente dans *Un prince de la bohème*, plus de quatre-vingt-dix personnages s'accumulent dans les 100 pages du *Député d'Arcis*[32], toute une foule difficile à gérer se retrouve dans les salons de *La Comédie humaine*. Le lecteur traverse parfois malaisément ces zones surpeuplées. En outre, parce qu'elle s'inscrit fatalement dans la durée, la technique des personnages reparaissants, facteur de liberté et d'invention en 1834, impose à la dernière période de la création balzacienne l'empreinte du biographique, en forçant certains héros qui seraient plus justement nommés désormais « disparaissants », à vieillir avec le romancier, à inscrire dans *La Comédie humaine* l'angoisse de la fin de *La Comédie humaine*.

Adieu à beaucoup de personnages

Au *moment* de *La Comédie humaine*, nous passons donc sur l'autre versant, le versant obscur de l'œuvre, quand Balzac a décidé de mettre fin. Ce sont les longues dernières années des fins longtemps différées et des fins inévitables, fins d'œuvres et fins de personnages, que le romancier accompagne parfois jusqu'au moment où la date de la fiction est sur le point de se confondre avec celle de la rédaction. Avec *Les Souffrances de l'inventeur*, la trilogie d'*Illusions perdues* a enfin la troisième «journée» longtemps attendue, *La Dernière Incarnation de Vautrin* met un point final au cycle issu du *Père Goriot*, *Les Paysans* en voie d'achèvement, *Béatrix*, *Le Curé du village*, *L'Envers de l'histoire contemporaine* complétés remplissent peu à peu les cadres, comme le dit Balzac en 1841[33]. Dans cet univers sous le signe de la fin, les *suites* semblent impossibles. *Le Député d'Arcis* n'arrive pas à être le *Trente-cinq ans après* d'*Une ténébreuse affaire*, *Les Employés* n'auront pas pour épilogue *Les Petits Bourgeois*. Cette conjonction de fins réussies et de suites inachevables avait déjà marqué le déclin des *Contes drolatiques,* qui préfigurent à tant d'égards l'évolution de *La Comédie humaine*.

À partir des années 40, il se produit dans l'œuvre un grand afflux de tristesse. Les personnages demandent à vieillir, à finir. Les arrivistes sont arrivés, et ils sont sur le point de disparaître. De Marsay n'a pas quarante ans, et il parle comme dans une page, rédigée en 1841, d'*Autre étude de femme* : premier ministre depuis six mois, il en est réduit à raconter aux habitués de Mme d'Espard son premier amour[34] ; le même vieux beau, secoué de quintes de toux, apparaît encore une fois vers 1834 – il mourut l'année suivante – dans l'épilogue d'*Une*

ténébreuse affaire, pour faire la lumière sur l'enlèvement, vingt
ans plus tôt, de Malin de Gondreville, personnage que le
lecteur vient d'apercevoir quelques instants auparavant, « vieillard de soixante-dix ans qui s'en allait lentement »[35]. Quant à
Rastignac, le jeune coq de la Pension Vauquer, devenu comte,
pair de France, ministre de la Justice, il joue les utilités dans les
romans situés à la fin de la monarchie de Juillet. Toutes ces
« fins » ne sont pas contemporaines dans la durée fictive. Par
son suicide, le 15 mai 1830, dans un épisode de *Splendeurs et
misères des courtisanes* publié en 1846, Lucien met à mort un
double de Balzac depuis longtemps condamné[36]. Jacques Collin
se dit « enterré [...] avec Lucien »[37], et la plus grande figure de
La Comédie humaine se reconvertit dans la police – « il me
faut une place où aller, non pas y vivre, mais y mourir... »[38]–
en attendant, fonctionnaire zélé, de faire valoir ses droits à la
retraite à la dernière ligne du roman.

L'intransigeant d'Arthez s'est éteint dans un mariage niais
avec une beauté frelatée du noble faubourg, Joseph Bridau
l'indomptable – quoiqu'il ne soit « pas encore de l'Institut en
1839 »[39], circonstance atténuante – n'en reçoit pas moins
60 000 francs de rente à la dernière page de *La Rabouilleuse,*
David l'inventeur se résigne à la médiocrité de son bonheur
provincial. Félicité des Touches se jette dans un couvent,
Savarus désespéré entre à la Trappe, Godefroid, jeune vieillard,
se retire chez les Frères de la Consolation. À qui Balzac fera-t-il
croire, malgré son éloquence, que l'intelligence, le rêve, la
jeunesse ont définitivement sombré sous la meilleure des répu-
bliques ! Mais son œuvre est condamnée à vieillir avec lui, c'est
comme s'il n'y avait plus d'avenir : quel de ses héros, à part les
cinq rêveurs suicidaires d'*Une ténébreuse affaire,* voudrait-il
encore vivre « pour l'amour et la gloire » ?[40] Steinbock est
« célèbre par ses avortements autant que par l'éclat de ses
débuts »[41] ; d'ailleurs il n'y a plus de « début dans la vie» en
France, dans la France de *La Comédie humaine,* que pour
finir, comme Oscar Husson, receveur à Pontoise. Vieux à
trente-sept ans, barré de son Z fatal, Marcas est jeté à la fosse
commune ; les deux étudiants témoins de sa maladie et de sa
mort, et qui l'accompagneront jusqu'au cimetière du Montparnasse, ne recommenceront pas l'aventure humaine de Rastignac

et de Bianchon : Charles Rabourdin, l'étudiant en droit,
s'embarque pour la Malaisie, tandis que Juste, l'étudiant en
médecine, ira exercer son art quelque part au fond de l'Asie[42].
D'un épisode à l'autre de *Béatrix*, Madeleine Fargeaud-
Ambrière décrit une sorte d'obscurcissement – jusqu'à ces
« désillusionnements » de la fin, où elle croit lire « presque le
dernier mot du roman, le dernier mot en tout cas de tous les
personnages, et de Balzac lui-même à cette date »[43] (1844-1845).
Faut-il voir des images substitutives, tragiques et dérisoires, de
la jeunesse défaillante dans l'amitié tardive et passionnée de
Pons et Schmucke, dans ces vieux qui ne veulent pas mourir,
comme ce Poupillier centenaire qui refuse de tester à la fin de la
partie rédigée des *Petits Bourgeois,* ou dans l'irrésistible
remariage du baron Hulot octogénaire avec Agathe Piquetard, à
la fin de *La Cousine Bette* ?

Une série de mises à mort disent aussi l'impossibilité
croissante d'être un romancier de la vie, ou tout simplement
d'être romancier. Le sinistre hallali du *Cousin Pons* retentit
dans toute *La Comédie humaine* ; mais combien de personnages jeunes créés pour être aussitôt sacrifiés : Pierrette mar-
tyrisée, Lydie Peyrade séquestrée, violée, rendue folle, les
jeunes gens de Cinq-Cygne condamnés à se faire massacrer
pour une cause qui n'est pas la leur, tandis que la guillotine se
remet à fonctionner dans *Une ténébreuse affaire* pour
l'exécution de Michu innocent. De ce roman à *Véronique au
tombeau* ou à *L'Initié* (1848), *La Comédie humaine* figure
encore une fois, au moment de s'achever, les thèmes de
l'innocence et de l'expiation inextricablement liés, obsession
fondatrice de l'imaginaire balzacien.

Il va sans dire que la lecture cavalière que j'ai proposée du
moment de *La Comédie humaine* et de ses suites se veut ten-
dancieuse, aux seules fins d'attirer l'attention sur la formidable
injection de pessimisme et d'encre noire qui assombrit à cette
époque un univers romanesque de plus en plus enfermé.

L'effet tombeau

On n'entre pas dans *La Comédie humaine* : on y est. On n'en sort pas non plus, les balzaciens savent cela. À la différence de la *Divine Comédie* qu'elle défie, la Comédie de Balzac est une œuvre sans voie d'accès, sans porte, et l'Avant-propos de 1842 n'en constitue que le portail, magnifique, certes, mais factice. Nous retrouvons en fin de parcours cette image monumentale sur laquelle je jetais au début de cette étude un regard méfiant. Il est commode d'imaginer que Balzac travaille pour ainsi dire de l'intérieur, comme il le laissait entendre « au moment du *Père Goriot* », quand, relatant à Mme Hanska le succès de cette œuvre, il constatait : « Moi, je n'en sais rien. Il m'est impossible de la juger. Je suis toujours resté dans l'envers de la tapisserie »[44]. Cherchant Balzac dans et à travers son œuvre, Henry James, un des lecteurs les plus lucides de *La Comédie humaine*, l'aperçoit, non pas derrière la tapisserie, mais comme prisonnier derrière des barreaux, un prisonnier qui ferait corps avec sa prison, une prison impossible à distinguer de la réalité qui lui sert de modèle :

> L'idée nous vient, en reprenant son œuvre, que son esprit avait bel et bien fait de lui-même une cage dans laquelle Balzac devait sans cesse tourner en rond, déroulant sans fin le fil d'une bobine, à la façon d'un criminel condamné aux travaux forcés à perpétuité. La cage est tout simplement la société française, compliquée, mais terriblement délimitée, qui l'a si solidement enfermé dans des murs surmontés d'un toit si impénétrable. [Et nous sommes] emprisonnés avec lui dans ce monde fermé [...].[45]

Ce n'est qu'à partir du *moment* de *La Comédie humaine* que le poids immense pris dans l'ensemble de l'œuvre par le développement quantitatif des *Études de mœurs* a pu produire sur James, et sur nous, cet effet hallucinatoire de condensation du réel. Il s'accompagne d'une contraction du temps historique plusieurs fois évoquée par Balzac, notamment dans *Une ténébreuse affaire*, et d'une concentration de l'espace romanesque, confondu avec une France fantasmée, absolument incompatible avec le projet de *Scènes de la vie militaire* énoncé dans l'Avant-propos de 1842 : « Cette vaste peinture de la société finie et achevée, ne fallait-il pas la montrer dans son état le plus violent, se portant hors de chez elle, soit pour la défense, soit pour la conquête ? »[46] On sait que Balzac a entièrement échoué dans ce projet. C'est à cet enfermement géonarratif qu'il faut, je crois, imputer la non-réalisation de toutes les *Scènes* étrangères et exotiques, à l'exception de la fusée stendhalienne de l'incursion de Laurence de Cinq-Cygne sur le champ de la bataille d'Iéna, dans *Une ténébreuse affaire.*

La cathédrale rêvée naguère serait-elle devenue place forte, cage, prison, mausolée ? Nous « ne perdons [...] jamais le sentiment, écrit encore H. James, que le combattant est prisonnier de son destin. Il s'est enfermé à clef – sans doute par sa propre faute – et il a jeté la clef »[47]. Et plus loin :

> « Comment donc, ainsi privé d'air extérieur, presque comme s'il creusait un passage pour un chemin de fer à travers une Alpe, comment donc a-t-il pu vivre ? » c'est la question qui nous hante...[48]

C'est la question que *La Comédie humaine* ne cesse de poser au moyen d'un effet de lecture dont je me bornerai à indiquer quelques exemples, et qu'on pourrait l'appeler « l'effet tombeau ». Ce que Balzac a voulu constituer avec *La Comédie humaine*, j'ai essayé de le montrer, c'est un domaine d'outre-tombe, une propriété qu'il puisse gérer de son vivant comme une propriété posthume, en s'y enfermant à clef et en jetant la clef, pour reprendre l'heureuse formule de James. Vivant et mort, l'écrivain n'a jamais quitté son œuvre, où nous nous enfermons avec lui. De là peut-être dans les derniers romans, la multiplication des huis clos, des images carcérales en abîme, des tombeaux : la caverne de la forêt de Nodesme, le long épisode de la Conciergerie dans *Splendeurs et misères des courtisanes* où « Jacques Collin au secret – comme Balzac – remue tout le monde »[52]. De là aussi cet hommage funéraire aux trois grands héros de ce roman ajouté sur l'épreuve de la dernière page de *La Dernière Incarnation de Vautrin* : « Le monument ordonné par Lucien, pour Esther et pour lui, passe pour être un des plus beaux du Père-Lachaise, et le terrain au-dessous appartient à Jacques Collin »[51]. C'est là aussi que Balzac a réservé sa place.

Va, mon ami [s'écriait trente ans plus tôt Vanehrs, un de ses premiers héros], qu'importe où l'on nous jette ; notre plus beau sarcophage, c'est la seconde existence que l'on se crée dans la mémoire des hommes. Le ci-gît de Platon c'est sa gloire et je pardonne ce marbre-là.[52]

On peut bien me pardonner ce « Ci-gît Balzac ».

Notes

1. Voir *Les Travaux et les jours d'Honoré de Balzac.* PUV, Presses du CNRS, PU Montréal, 1992.
2. *Corr.* I, p. 233 : « [...] quant à tout ce que la terre pensera de lui, il s'en moquera comme du sable qui s'attache au Parthénon. Il tâche à être quelque chose et quand on veut élever un monument, on ne pense pas aux effrontés qui affichent le spectacle du jour sur la barricade ».
3. *Traité de la prière*, dans *Œuvres diverses*, « Bibliothèque de la Pléiade », 1990, t. I, p. 604.
4. *Annette et le criminel*, « Folio », Introduction d'André Lorant, p. 31.
5. Voir ci-dessus note 2 et Avertissement du *Gars*, Pl. VIII, p. 1681.
6. *Lettres à Madame Hanska*, éd. R. Pierrot, « Bouquins », Laffont, 1990, 2 vol., t. I, p. 11. Désormais abrégé en *LH* B I ou II.
7. Voir ci-dessus Roger Pierrot, « Un tournant longuement médité ».
8. Voir mon *Balzac journaliste*, Klincksieck, 1983, p. 268.
9. Voir *Théorie du conte, Œuvres diverses, op. cit.*, p. 518 et *Corr.* II, p. 1185.
10. *LH* B I, p. 49.
11. Daniel Sangsue évoque cette question dans « Démesures du livre », *Romantisme* n° 69, 1990-3 , p. 46.
12. *LH* B I, p. 11.
13. *LH* B I, p. 204.
14. Préface de Balzac à *La Femme supérieure*, Pl. VII, p. 893.
15. Compte rendu de la *Biographie universelle* (partie mythologie), *La Quotidienne*, 22 août 1833. Voir Balzac, *Œuvres complètes*, Club de l'honnête homme (CHH), t. XXVII, p. 262.
16. Préface de Balzac à *La Femme supérieure*, Pl. VII, p. 882-883.
17. *Œuvres diverses, op. cit.*, t. I, p. 594.
18. CHH, t. XXVII, p. 233.
19. *LH* B I, p. 204.
20. *Corr.* III, p. 642-643.
21. *Corr.* III, p. 643.
22. *LH* B I, p. 529 et 539.
23. S. de Sacy, « Balzac et Geoffroy Saint-Hilaire. Problèmes de classification », *Mercure de France*, 1950, p. 519-534 et p. 642-666.
24. Pl. I, p. 19 : « Les *Scènes de la vie militaire*, la portion la moins complète encore de mon ouvrage, mais dont la place sera laissée

dans cette édition, afin qu'elle en fasse partie quand je l'aurai terminée ».

25. Sur les faits que nous évoquons ci-dessus, voir, dans l'ordre, *Corr.* IV, p. 283, n. 1 ; V, p. 865, n. 1 et 2 ; V, p. 866 ; IV, p. 250-251. La lettre de Vigny signalée par Roger Pierrot (p. 250, n. 1), où il est fait allusion à cette rencontre, est datée du 15 septembre 1850.

26. Voir dans l'ordre *Corr.* IV, p. 271-275 et *LH* B I, p. 530.

27. À Charles Sédillot, le 24 novembre 1830 : « La librairie est morte. Il n'y a pour moi de ressources que dans les journaux [...] » (*Corr.* I, p. 476) ; à Périolas, en juin ou juillet 1839 : « La librairie se meurt, et je ne peux vivre qu'avec les journaux [...] » (*Corr.* III, p. 643).

28. *LHB* I, p. 538.

29. *Ibid.*, p. 537.

30. *Ibid.*, p. 531.

31. Entre Balzac et Mme Hanska, au début de 1841, la rupture est presque consommée. Du début de 1839 à juin 1841, les lettres écrites à l'Étrangère occupent à peine 50 pages. Objet d'un mépris blessant – dont il se plaint à plusieurs reprises dans ses lettres – de la part des proches parents de Mme Hanska, Balzac artiste, ou marquis de Carabas, constitue un patrimoine matériel et moral pour lequel une vraie princesse puisse abandonner de vraies terres en Ukraine. Rappelons que M. Hanski est mort à propos le 11 novembre 1841. C'est une date qui compte aussi pour l'histoire de *La Comédie humaine*.

32. Voir Préfaces de Patrick Berthier à *Un prince de la bohème*, Pl. VII, p. 806, et de Colin Smethurst au *Député d'Arcis*, Pl. VIII, p. 712.

33. Voir *LH* B I, p. 538.

34. Pl. III, p. 678.

35. Pl. VIII, p. 686 et 688.

36. Pl. VI, p. 794.

37. Pl. VI, p. 923.

38. *Ibid.*

39. *La Rabouilleuse*, Pl. IV, p. 540.

40. Comme l'écrivait Honoré à sa sœur en septembre 1819 : « [...] rien, rien que l'amour et la gloire ne peut remplir la vaste place qu'offre mon cœur » (*Corr.* I, p. 42).

41. *La Femme auteur*, Pl. XII, p. 617.

42. Le 10 janvier 1842, revenant sur les années antérieures, Balzac écrit à Mme Hanska qu'il a souvent, « lassé de la lutte », pensé « à tout quitter et à aller à l'étranger » (*LH* B I, p. 551).

43. Préface de Madeleine Fargeaud à *Béatrix*, Pl. II, p. 633. Cf. Préface de Colin Smethurst au *Député d'Arcis*, pl. VIII, p. 705.

44. *LH* B I, p. 224.

45. Henry James, « Honoré de Balzac » (II), traduit par Joséphine Ott, *AB 1981*, p. 39.

46. Pl. I, p. 19.

47. Henry James, texte cité, p. 41.

48. *Ibid.*, p. 43.

49. Dans *Une ténébreuse affaire.*

50. Tel était le titre d'un chapitre de l'épisode intitulé *Où mènent les mauvais chemins* (Pl. VI, p. 732, var. *b*, p. 1421.)

51. Pl. VI, p. 935.

52. *Sténie*, dans *Œuvres diverses, op. cit.*, t. I., p. 734.

Coulisses

Balzac et la problématique de *La Comédie humaine*
Bibliographie analytique

Isabelle Tournier

Après-propos

Nous avons tenté ici de rassembler les éléments de réflexion actuellement existants sur La Comédie humaine, *la (ou les) signification(s) du titre (ou, à défaut, ses intentions), la portée et le sens d'un geste à la fois éditorial et créateur. Et spécialement les études où* La Comédie humaine *est envisagée comme tentative unitaire, avec ses effets, ses pouvoirs et ses failles, sa préhistoire et son histoire (également recontextualisées).*

C'est aussi le lieu de mettre en perspective le « système », que notre ouvrage contourne, bien qu'il soit nécessairement impliqué, selon nous, par la problématique du moment: le « système » achève en effet le retranchement de l'œuvre en elle-même, vers sa fiction ésotérique, qui suppose un lecteur « spécial », et constitue la dernière défense de l'œuvre, la citadelle de l'homme intérieur, et sa preuve, tout le reste étant, dramatiquement, littérature. Du point de vue de ce volume, la seule question que nous poserions est celle de l'antériorité du système sur la comédie, (à moins qu'il ne soit engendré par ce qu'il produit). Cette involution vers l'origine, ou le principe, est l'une des deux tendances du procès d'écriture balzacien, l'autre étant la dépense ludique.

Nous n'avons retenu ici que les ouvrages et articles en rapport explicite avec la problématique de La Comédie humaine. *Cette bibliographie est donc assez largement indépendante des références citées dans le corps de l'ouvrage qui répondent aux exigences de démonstrations particulières.*

ALLEMAND, André, *Unité et structure de l'univers balzacien*, Plon, 1965. Le premier des grands livres fondés sur l'hypothèse du « Système ».

AMBRIÈRE-FARGEAUD, Madeleine, Introduction et Notes de l'Avant-propos de *La Comédie humaine*, « Bibliothèque de la Pléiade », Gallimard, t. I, 1976, respectivement p. 3-6 et p. 1110-1142. Fondamental, l'explication détaillée de la clef de voûte du monument.

ANDRÉOLI, Max, *Le Système balzacien. Essai de définition synchronique*, Lille, Atelier de reproduction des thèses, 1984, 2 vol. Large synthèse de la pensée de Balzac conçue comme unitaire. Cherche à dégager, dans la lignée de E.R. Curtius et de Per Nykrog, les lignes de force organisatrices de l'architecture de l'œuvre.

BALDENSPERGER, Fernand, « Une suggestion anglaise pour le titre de *La Comédie humaine* », *Revue de littérature comparée*, I, 1921, p. 638-639.

Balzac, l'invention du roman (Claude Duchet, Jacques Neefs, éd.), Colloque international de Cerisy-la-Salle, 1980, P. Belfond, 1982. Voir l'Introduction des éditeurs, p. 7-10 et les articles, cités ci-dessous, de F. Gaillard et B. Leuilliot.

BARBÉRIS, Pierre, *Aux sources de Balzac. Les romans de jeunesse*, Les Bibliophiles de l'Originale, 1965.

— *Balzac et le mal du siècle. Contribution à une physiologie du monde moderne*, Gallimard, 1970. La formation de la pensée.

— *Balzac, une mythologie réaliste*, « Thèmes et textes », Larousse, 1971. Il s'agit de « mettre en place l'image d'un Balzac total et continu de 1820 à 1850 ». Un chapitre essentiel pour les interrogations qui nous occupent : « *La Comédie humaine*, ordre, logique, significations », p. 154-171.

— *Le Monde de Balzac*, Arthaud, 1973. Pour la prise en compte de « tout » Balzac au-delà de *La Comédie humaine*.

BARDÈCHE, Maurice, *Balzac romancier*, Genève, Slatkine, 1980. Première édition, Plon, 1940. Balzac des origines au *Père Goriot*. La préhistoire et les débuts de *La Comédie humaine*.

BARDÈCHE, Maurice, *Balzac*, « Les vivants », Julliard, 1980. À ce jour la meilleure biographie de Balzac, une histoire intellectuelle qui suit pas à pas l'invention du monument comme tous les avatars de la création et des publications.

BASCHET, Armand, *Honoré de Balzac, essai sur l'homme et l'œuvre, avec des Notes historiques* par Champfleury, Paris, D. Giraud et J. Dagneau, 1852. Publié à la suite de: Mme de Surville (née de Balzac [sic]): *Balzac, sa vie et ses œuvres d'après sa correspondance*, Librairie nouvelle, 1858, 120 p. Pour ses indications sur la méthode de travail balzacienne.

BÉGUIN, Albert, *Balzac lu et relu*, Seuil, 1965. (Réédition du *Balzac visionnaire*, Genève, Skira, 1946 et de préfaces pour l'édition du Club français du livre.)

BELLOS, David, *Balzac criticism in France 1850-1900. The making of a reputation*, Oxford, Clarendon Press, 1976. Contient (p. 201-259) « Bibliography of Balzac criticism, 1850-1900 ». Comment s'imposa peu à peu la foi dans l'unité de l'Œuvre.

BIASI, Pierre-Marc de, « Système et déviance de la collection », *Romantisme* 27, 1980.

BILLOT, Nicole, « Balzac vu par la critique » (1839-1840), *L'Année balzacienne 1983*, p. 229-267. Ce que l'on dit de Balzac au moment où le projet va prendre corps. L'importante thèse de Nicole Billot, qui présentera l'historique complet de la réception des œuvres, sera soutenue en Sorbonne en 1993.

BLANCHARD, Marc, *Témoignages et jugements sur Balzac. Essai bibliographique. Recueil de jugements*. Genève, Slatkine Reprints, 1980, Reproduction d'une thèse dactylographiée publiée chez H. Champion en 1931. Complémentaire des deux précédents.

BOUVIER, R. , MAYNIAL, E., *De quoi vivait Balzac ?* Édition des deux rives, 1949. Utile pour comprendre en quoi *La Comédie humaine* fut (aussi) une opération commerciale.

BUTOR, Michel, « Balzac et la réalité », dans *Répertoire I*, Les Éditions de Minuit, 1960, p. 79-93. Choisit d'« affronter » *La Comédie humaine* dans « son mouvement général » où réside, selon lui, l'« audace » et la « nouveauté » balzacienne. Étudie le retour des personnages et autres « relations interromanesques ».

CANFIELD, A., « Les personnages reparaissants de *La Comédie humaine* », *Revue d'histoire littéraire de la France*, janv.-mars et avr.-juin 1934. Sur le procédé qui fonde l'organisation de la société balzacienne du roman.

« Catalogue des ouvrages que contiendra *La Comédie humaine*. Ordre adopté en 1845 pour une édition complète en 26 volumes ». Texte publié par Amédée Achard une première fois dans l'*Époque*, le 22 mai 1846 en même temps qu'un article critique de sa plume puis, à la mort de Balzac, une seconde fois dans *L'Assemblée Nationale*, le 25 août 1850. Reproduit ci-dessous, p. 317.

CASTEX, Pierre-Georges, « L'univers de *La Comédie humaine* », Introduction à *La Comédie humaine*, Nouvelle édition, Pl. I, 1976, p. IX-LXXVI.
— Voir *La Comédie humaine*...

CHOLLET, Roland, *Balzac journaliste. Le Tournant de 1830*, Klincksieck, 1983. Malgré son titre, a annulé la solution de continuité existant avant lui entre le Balzac d'avant et de pendant *La Comédie humaine*.

CITRON, Pierre, *Dans Balzac*, Seuil, 1986. Pour le chapitre III, la « Naissance de *La Comédie humaine* » (1829-1830) qui propose une autre manière d'anticiper celle-ci, sur la scène de l'inconscient.

La Comédie humaine, (Pierre-Georges Castex, dir.), « Bibliothèque de la Pléiade », Nouvelle édition, Gallimard, 1976-1981, 12 vol. Le monument en majesté. L'édition de référence mais complétée pour la première fois, pour chaque œuvre de ses avant-textes et de sa (ou de ses) préface(s) originale(s), ce qui relativise de l'intérieur (un peu) l'impression d'ensemble et rend à chaque roman ou traité une part de son autonomie.

CONDÉ, Michel, *La Genèse sociale de l'individualisme romantique. Esquisse historique de l'évolution du roman en France du dix-huitième au dix-neuvième siècle*, « Mimesis », Niemeyer, Tübingen, 1989. Pour le chapitre V, « Balzac et le savoir du monde » : *La Comédie humaine* témoigne du « souci balzacien de soumettre la diversité du réel à une signification cohérente et supérieure ». L'assimilation et l'engendrement des savoirs par le roman.

CONNER, Wayne, « Les titres de Balzac », *Cahiers de l'association internationale des études françaises*, 15, mars 1963, p. 283-294.

CURTIUS, Ernst Robert, *Balzac*, Grasset, 1933 (traduction par H. Jourdan du livre publié chez Cohen, à Bonn, en 1923). La première étude qui procéda à une lecture d'ensemble, par associations topiques, et aborda *La Comédie humaine* comme une « unité de composition ». Le chapitre XII, « L'Œuvre », part du postulat qu'« on ne peut comprendre Balzac qu'en partant de [l']idée de la totalité ».

DÄLLENBACH, Lucien, « *La Comédie humaine* et l'opération de lecture ». I, Du fragment au cosmos. II, Le tout en morceaux, *Poétique* n° 40 (nov. 1979) et n° 42 (avril 1980).

— « D'une métaphore totalisante, la mosaïque balzacienne », *Lettere Italiane*, Année XXXIII, n°4, oct.-déc. 1981, p. 493-508.

— « La lecture comme suture », dans *Problèmes actuels de la lecture*, Clancier-Guénaud, 1982, p. 35-47. Problèmes de la réception du texte fragmentaire, Balzac et Claude Simon.

DÄLLENBACH, Lucien, « Le pas-tout de *La Comédie humaine* », *Modern Langage Notes*, mai 1983, p. 702-711. L'auteur poursuit dans cette série d'articles l'analyse des effets de lecture induits par *La Comédie humaine* dans chacun des textes qui la composent.

DARGAN, Ethel PRESTON, v. *The Evolution of Balzac's* Comédie humaine...

DESCOMBES, Vincent, « Le titre de *La Comédie humaine* », dans *Problèmes actuels de la lecture*, Clancier-Guénaud, 1982, p. 179-192. Le titre comme appel de lecture.

DESCOMBES, Vincent, « Who's who dans *La Comédie humaine* ?» dans *Grammaire d'objets en tous genres*, Les Éd. de Minuit, 1983, p. 251-280. Sur la lecture des répertoires et dictionnaires de *La Comédie humaine* et sa construction « fictive ».

DIAZ, José-Luis, « Balzac et ses mythologies de l'écrivain » dans « Mythologies du romantisme », numéro spécial de *La Licorne*, n° 18, Université de Poitiers, 1990, p. 75-85.

DUCHET, Claude (éd.), voir *Balzac, l'invention du roman*.

Evolution of Balzac's Comédie humaine *(The)*, Studies edited by E. Preston Dargan and Bernard Weinberg, Chicago, The University of Chicago Press, 1942, XI-441 p., fac-similé, index. L'ancêtre méconnu des études génétiques d'ensemble sur Balzac. Des synthèses encore fort utiles malgré les avancées de la connaissance des textes et des avant-textes. Notamment le chapitre I, « Introduction, Balzac's method de révision » by E. Preston Dargan, p. 1-21 ; l'excellent chapitre II, « Developpement of the scheme of *The Comédie humaine*, distribution of the stories » by Brucia L. Dedinsky, p. 22-187 (avec un tableau des classements d'œuvres, p. 180) et le commode chapitre V, « Summary of variants in twenty-six stories », by Bernard Weinberg, p. 368-421.

FELKAY, Nicole, *Balzac et ses éditeurs (1822-1837). Essai sur la librairie romantique*, Promodis/Éditions du Cercle de la librairie, 1987. Le contexte éditorial de l'invention de *La Comédie humaine* et le portrait des différents « accoucheurs » de l'œuvre avant Charpentier et Furne.

FRAPPIER-MAZUR, Lucienne, *L'Expression métaphorique dans* La Comédie humaine, *Domaine social et physiologique*. « Bibliothèque française et romane », série C, Études littéraires 58, Klinksieck, 1976. Pour l'étude des textualisations du titre qui s'opèrent dans les œuvres.

GAILLARD, Françoise, « La science, modèle ou vérité, réflexion sur l'"Avant-propos" à *La Comédie humaine* », dans *Balzac, l'invention du roman*, p. 57-83. Sur le projet dans sa formulation de 1842.

GRACQ, Julien, *En lisant, en écrivant*, José Corti, 1981. Pour les pages 37-40 : relecture de Balzac.

GRANGE, Juliette, *Balzac, l'argent, la prose, les anges*, « Mobile matière », La Différence, 1990. Considère *La Comédie humaine* comme un unique roman. Voir en particulier le chapitre IX, « Totalité ».

GUISE, René, « Balzac et Dante », *L'Année balzacienne 1963*, p. 297-. 319. Défend l'idée que le titre de *La Comédie humaine* vient de *La Divine Comédie*.

— « Balzac et le roman-feuilleton », *AB 1964*, p. 283-338.

GUYON, Bernard, « Préface aux préfaces », *La Comédie humaine*, éd. A. Béguin, J.-A. Ducourneau, Formes et reflets, t. XV, 1953.

HUNT, Hubert J., *Balzac's* Comédie humaine, London, University of London, The Alhlone Press, 1959, XV-506 p., bibl., index. Une histoire de l'œuvre.

IKNAYAN, Marguerite, *The Idea of the Novel en France, the critical reaction, 1815-1848*, Genève/Paris, Droz/Minard, 1961. Panorama de la critique très riche de références et de citations. Indispensable pour évaluer justement la situation institutionnelle du roman, moins favorable que l'on pourrait le croire, et restituer par conséquent l'audace de l'entreprise balzacienne.

LE HUENEN, Roland, PERRON, Paul, « Les *Lettres à Madame Hanska*. Métalangage du roman et représentation romanesque », *Revue des sciences humaines* n° 195, 1984-3, p. 25-40. Sur le journal de bord de l'œuvre en devenir.

LEUILLIOT, Bernard, « Œuvres complètes, œuvres diverses » dans *Balzac, l'invention du roman*, p. 257-277. Les livres et le Livre chez Chateaubriand, Michelet, Hugo, et dans *La Comédie humaine*.

LE YAOUANC, Moïse, « Note sur le titre de *La Comédie humaine* », *Revue d'histoire littéraire de la France*, oct.-déc. 1956, p. 572-575.

MAYNIAL, Edouard, v. BOUVIER, René.

Moment de La Comédie humaine *dans l'écrit balzacien (Le). Génétique et textualité, gestion du passé, nouvelles entreprises.* Dossier multigraphié pour le colloque des 23, 24 et 25 juin 1988, CNRS/ Paris VIII. Établi et présenté par Stéphane Vachon. Ensemble de documents comportant entre autres, les contrats d'avril et octobre 1841, la couverture et la page de titre du tome Ier de l'édition Furne, le « Catalogue des ouvrages que contiendra *La Comédie humaine* » et divers manuscrits, épreuves corrigées, annonces de librairie, feuilletons, journaux reproducteurs, contrefaçons. Sélection bibliographique d'ouvrages et d'articles qui se sont intéressés au processus de totalisation, à l'unité de composition et aux restructurations opérées à partir de 1842. Déposé en bibliothèque, en particulier à la Maison de Balzac.

MOZET, Nicole, « L'effet *Comédie humaine* » dans *Balzac écrivain*, PUF, 1990, p. 287-307. Article essentiel sur le geste de

MOZET, Nicole, « L'effet *Comédie humaine* » dans *Balzac écrivain*, PUF, 1990, p. 287-307. Article essentiel sur le geste de rassemblement balzacien et ses conséquences sur la lecture des œuvres.

NEEFS, Jacques, v. *Balzac, l'invention du roman...*

NESCI, Catherine, *La Femme mode d'emploi. Balzac, de la Physiologie du mariage à* La Comédie humaine, French Forum publishers, Lexington Kentucky, 1992. Pour le chapitre 4, « Vers, et par-delà *La Comédie humaine* », qui traite des enjeux du réemploi de la *Physiologie* dans *La Comédie humaine*, p. 183-212.

NYKROG, Per, *La Pensée de Balzac. Essai sur quelques concepts clefs,* Copenhague, Munskaard, Paris, Klincksieck, 1966. Tentative ambitieuse de réfléchir l'organisation de *La Comédie humaine* en en articulant les concepts clefs.

PARIS, Jean, *Balzac, (une œuvre, une vie, une époque)*, « Phares », Balland, 1986. « Branches » et « branchements ». Une déconstruction magistrale des machineries et du système balzacien : le personnage, le roman, etc.

PERRON, Paul, v. LE HUENEN, Roland.

PIERROT, Roger, « Les enseignements du Furne corrigé », *L'Année balzacienne 1965*, p. 291-308. Le dernier état des lieux.

— « Chronologie de Balzac » dans *La Comédie humaine*, « Bibliothèque de la Pléiade », nouvelle édition, Gallimard, 1976, t. I, p. LXXVI-CXVII.

PROUST, Marcel, *Contre Sainte-Beuve*, « Bibliothèque de la Pléiade », Gallimard, 1971 Par l'autre grand architecte de cathédrale romanesque. Les arguments du chapitre « Sainte-Beuve et Balzac », p. 274 notamment, sont repris dans l'œuvre romanesque. (Voir Jacques Borel, *Proust et Balzac*, José Corti, 1975).

PUGH, Anthony R., « Personnages reparaissant avant *Le Père Goriot* », *L'Année balzacienne 1964*, p. 115-137.

SCHUEREWEGEN, Franc, *Balzac contre Balzac. Les cartes du lecteur*, « Présences critiques », SEDES/Paratexte, Paris/Toronto, 1990. Série de monographies dont l'introduction manifeste la volonté de faire « *reculer* cet objet appelé *Comédie humaine* ».

SPOELBERCH DE LOVENJOUL, Vicomte Charles de, *Histoire des œuvres de Honoré de Balzac*, Calmann-Lévy, 1888. Troisième édition revue et augmentée (Première édition, 1879, deuxième édition, 1886). Réimpression en fac-similé, Genève, Slatkine, 1968. Inventaire des prépublications et des premières éditions, documents et articles reproduits. Malgré son ancienneté et le « Vachon », c'est le classique de référence.

TAKAYAMA, Tetsuo, *Les Œuvres romanesques avortées de Balzac (1829-1842)*, Tokyo/Paris, The Keio Institute of cultural and linguistics studies, José Corti, 1966. L'envers du décor.

TOURNIER, Isabelle, *Balzac, le hasard, le roman*, Lille, Atelier des thèses, 1993, microfilmé. Pour une analyse chronologique des romans balzaciens et une histoire des intrigues contre le dispositif de lecture imposé par *La Comédie humaine*. Exemple au t. II, chapitre I (« Tous comptes faits »), le hasard dans la triple perspective de *La Comédie humaine*, de l'ordre de l'écriture et de l'ordre des actions.

VACHON, Stéphane, « Balzac en feuilletons et en livres, quantification d'une production romanesque » dans *Mesure(s) du livre*. Colloque organisé par la Bibliothèque nationale et la Société des études romantiques, les 25 et 26 mai 1989, textes réunis et présentés par Alain Vaillant, Publications de la Bibliothèque nationale, 1992, p. 257-287. Analyse de graphiques et tableaux qui visualisent l'ensemble de la production balzacienne.

— Voir *Moment de* La Comédie humaine *(Le)*...

— *Les Travaux et les jours d'Honoré de Balzac. Chronologie de la création balzacienne*, PUV, Presses du CNRS, Presses de l'Université de Montréal, 1992. La plus récente synthèse des connaissances sur l'histoire de l'œuvre. De 1822 à 1856 et aux œuvres posthumes, des tableaux au jour le jour des publications complétés de notices annuelles décrivant les rédactions en cours. Index exhaustif des œuvres dans, et hors, *La Comédie humaine*.

— « Les travaux et les jours d'Honoré de Balzac », *Le Courrier balzacien* n° 47, 1992. Présentation du livre publié sous le même titre.

— Compte rendu des *Lettres à Madame Hanska* (éd. Roger Pierrot, « Bouquins », Laffont, 1990), *Romantisme* n° 79, 1993-1. Insiste sur la lassitude du dernier Balzac et son éloignement de l'œuvre.

— La gestion balzacienne du classement : du « catalogue Delloye » aux *Notes sur le classement et l'achèvement des œuvres*, *Le Courrier balzacien* n° 51, 1993-2, p. 1-17. Un complément indispensable à *Les Travaux et les jours d'Honoré de Balzac*.

VANONCINI, André, « Pour une critique balzacienne, esquisse d'une problématique », *Littérature* n° 42, mai 1981, p. 57-65. Article-plaidoyer qui rappelle la nécessité de lire *La Comédie humaine* dans son contexte de réception.

Van SCHENDEL, Michel, « Analyse d'une « composition » [*La Femme de trente ans*] », dans *Le Roman de Balzac*, (Roland Le Huenen, Paul Perron [éd.]), Ottawa, Didier, 1980, p. 195-211.

WEINBERG, Bernard, v. *The Evolution of Balzac's* Comédie humaine...

Traces et échos
Quelques documents

NOTE D'ÉDITION

Pour parfaire la contextualisation de La Comédie humaine *que souhaitait accomplir ce volume, nous reproduisons en conclusion quelques documents majeurs de son histoire, connus des spécialistes mais parfois d'accès malaisé ou trop oubliés, qui éclairent les circonstances de son lancement comme les avatars de sa réception, de sa mise en œuvre et de sa reconnaissance.*

Édition de luxe à « bon marché » selon son Prospectus de 1842 publié par Furne, Dubochet, Hetzel et Paulin, La Comédie humaine *vise, au plus large, tous les publics. Ce qui réclame un accompagnement préfaciel en finesse programmé par un Hetzel conscient du caractère tout à la fois novateur, décisif et incertain de l'affaire. Sa lettre à Balzac sur l'Avant-propos, analysée ci-dessus par José-Luis Diaz, met en lumière son difficile accouchement et la collaboration proprement littéraire de l'éditeur et de son auteur.*

Les critiques virulentes d'un Gaschon de Molènes, jeune rédacteur de La Revue des deux mondes, *ont beau accuser Balzac de déshonorer la Littérature par ses viles spéculations, l'opération avance cahin-caha et projette ses suites et ses fins dans le* Catalogue *reproduit dans* L'Époque.

La reconnaissance institutionnelle vient enfin sous la forme ultime et funèbre des oraisons du Père-Lachaise. Comme plusieurs autres quotidiens, L'Événement *les cite* in extenso, *mais Victor Hugo est l'inspirateur de ce journal fondé en juillet 1848, qu'il tienne lui-même la plume, ou l'abandonne à son fils Charles ou à tel de ses disciples. À ce titre,* L'Événement *nous a semblé la meilleure tribune des hommages posthumes.*

Dans tous ces textes, la graphie de l'époque a été respectée.

LA COMÉDIE HUMAINE

PROSPECTUS DE « LA COMÉDIE HUMAINE »

Les lecteurs intelligents n'avaient pas attendu jusqu'à ce jour pour comprendre que M. de Balzac avait conçu, dès le commencement de sa carrière d'écrivain, un vaste plan dont chacun de ses romans ne devait être, en quelque sorte, qu'une scène détachée. Maintenant que le cadre est en grande partie rempli, que tout le monde aperçoit l'idée d'ensemble qui a présidé à tous ces détails, le moment nous semble favorable pour présenter au public les *Œuvres complètes* de cet écrivain.

Le plan de l'auteur consistait à tracer, dans ses détails infinis, la fidèle histoire, le tableau exact des mœurs de notre société moderne. Quelques-uns se sont plaints que le portrait ne fût pas toujours assez flatteur ; un physiologiste aussi sûr que M. de Balzac pouvait s'attendre à ce reproche et ne point s'y montrer sensible : aussi l'auteur de *La Comédie humaine* a-t-il poursuivi sa tâche en observateur impitoyable.

Après avoir revu et corrigé avec soin chacun de ses ouvrages, M. de Balzac a assigné à tous, dans notre édition leur ordre définitif, et leur a donné un titre général : *La Comédie humaine*, titre qui résume la pensée de l'écrivain et qui éclaire l'ensemble aussi bien que chaque détail d'une œuvre littéraire à laquelle on ne peut refuser d'être une des plus grandes et des plus hardies de ce siècle.

Les œuvres de M. de Balzac forment, dans les éditions ordinaires, environ 120 volumes in-8°. À l'aide d'un caractère nouveau, fondu exprès et parfaitement lisible, quoique compact, il nous a été possible de renfermer ces 120 volumes in-8°, du prix de 7 fr. 50 cent. chacun, en 16 volumes du même format et du prix de 5 francs seulement : — c'est-à-dire qu'il ne sera guère plus coûteux d'acheter les œuvres de M. de Balzac qu'il ne l'a été jusqu'à présent de les lire, en les louant volume par volume dans les cabinets de lecture.

À l'attrait d'un bon marché véritablement inouï en librairie dans des conditions d'exécution que nous offrons au public, nous avons joint l'attrait d'une collection de vignettes qui renfermera les portraits et les types des principaux personnages des romans de M. de Balzac.

MM. Tony Johannot, Messonier, H. Monnier, Bertall se sont mis à l'œuvre, et nous avons entre les mains une série de dessins qui sont autant de petits tableaux de genre.

N. B. – À mesure que M. de Balzac remplira les vides qui restent à combler dans son cadre, nous imprimerons ses nouvelles productions. Cette édition renfermera donc véritablement les *Œuvres complètes* de l'auteur.

PIERRE-JULES HETZEL A BALZAC[*]

[Paris, fin juin 1842.]

Mon cher Balzac,

Il est impossible de reproduire ces préfaces signées F[élix] Davin. Elles ont le tort d'avoir l'air écrites en grande partie par vous et signées d'un autre. Je les trouve en cela extrêmement maladroites. Leur effet à la tête d'une chose capitale comme notre édition complète serait détestable.

Ces préfaces ont quelque chose d'académique, bon pour un éloge ou pour un plaidoyer, mais qui manque son but dans une préface qui veut avant tout être simple, naturelle, quasi modeste et toujours bon-homme, sans prétentions littéraires ou autres. Un résumé, une brève explication de la chose, écrite, signée par vous ce qui implique une grande sobriété et une mesure très grande, voilà ce qu'il faudrait.

Il n'est pas possible qu'une édition complète de vous, la plus grande chose qui se soit osée sur vos œuvres, s'en aille au public sans quelques pages de vous en tête.

Non. L'opération aurait l'air abandonnée par vous, son père. On dirait un fils renié, ou au moins négligé par son auteur.

J'ai lu ce que vus aviez commencé. Cela m'a paru mieux que tout le reste d'un ton meilleur. Résumez, résumez, le plus modeste-ment possible. C'est là le vrai orgueil, quand on a fait ce que vous avez fait. Contez votre affaire tout doucement. Figurez-vous, vieux, dégagé de tout, même de vous-même. Parlez comme un de vos héros, et vous ferez une chose utile, indispensable.

A l'œuvre, mon gros père ; permettez à un maigre éditeur de parler ainsi à votre grosseur. Vous savez que c'est à bonne intention.

C'est une réclame à faire. Si je savais écrire, je l'écrirais, en matière de réclame, mieux vaut un marchand qu'un poète.

Comment nous publierions vos livres qui paraîtraient pour la 1ʳᵉ fois sous ce titre d'ensemble

la Comédie humaine,

et la 1ʳᵉ ligne ne serait pas celle-ci :

« Je donne ce nom (la Comédie humaine) *à mes œuvres complè-tes pour les raisons que voici : etc., etc. ? »*

---

[*] Texte et note de l'édition Roger Pierrot de la *Correspondance*, Garnier, t. IV, 1964, p. 464-465. Aut., Lov., A. 256, fol. 99-100.

Et après, vous ne trouveriez pas à dire que si vous avez été attaqué beaucoup moins dans vos œuvres que dans votre personne, cela prouve peut-être que votre personne est moins connue que vos œuvres ! Qu'assurément vous ne pouvez être votre biographe à vous-même, mais qu'il est pourtant quelques erreurs d'une part, et aussi quelques mensonges, à rectifier ! Qu'on a pu médire de vous comme de tout autre, mais qu'on n'aurait pas dû vous calomnier ! Qu'on a eu tort de le faire parce que c'était facile et sans danger, puisque vous n'avez jamais répondu à une attaque dirigée contre votre personne !

[Il faut] dire aussi que vous avez eu beaucoup à vous louer de vos critiques qui se sont si mal entendus pour vous louer ou pour vous critiquer, que les uns vous ont accordé ce que les autres vous refusaient et vice-versa. La critique est pleine de fatuité. Quelques-uns ont espéré faire faire un pas à l'humanité, *– pour nous servir d'un de leurs mots, – en écrivant la chose en deux colonnes dans un journal, qui crieraient de leur mieux contre un auteur qui dirait la moitié de ces 3 mots :* un pas à l'humanité !

Je bavarde... et vous dis adieu. Je vous ai quitté bien portant, et me suis trouvé très malade pendant 2 jours, je le suis encore.

Maintenant, gros père, mettez-vous en train d'aller, ou nous nous fâcherons. Attelez-vous à votre machine. Nous sommes les roues, soyez la vapeur.

On nous attaque de toutes parts ; Old Nick ici, et là dans la Revue de Paris, *ce crapaud de Chaudesaigues.*[1]

Adieu et tout à vous

                                                    [J. Hetzel]

1. Nous n'avons pas trouvé d'articles de Chaudesaigues, ni d'allusions à Balzac dans la *Revue de Paris* d'avril à juillet 1842, sa signature n'apparaît pas non plus dans la *RDM* à cette époque ; Hetzel avait peut-être sous les yeux un éreintement du *Curé de village* publié par l'ancien rédacteur de la *Chronique de Paris* dans *La Revue de Paris* du 30 mai 1841. Cette lettre montre bien que l'Avant-propos de *La Comédie humaine* a été rédigé à l'instigation d'Hetzel. On a retrouvé dans les papiers d'Hetzel trois feuillets in-4°, rédigés de sa main, avec au verso du second de la même main « préface refaite » ; ces feuillets donnent un texte très proche de celui du début de l'Avant-propos (A. Parménie et C. Bonnier de La Chapelle, [*Histoire d'un éditeur et de ses auteurs, P.-J. Hetzel* (Stahl), Albin Michel, 1953], p. 32-33). Il s'agit probablement de la copie par Hetzel d'un des brouillons de Balzac, ce qui expliquerait la mention de « préface refaite », c'est-à-dire refaite par Balzac peut-être à partir d'un canevas fourni par Hetzel. Balzac travailla longuement son Avant-propos : « Je viens de relire l'*Avant-propos* qui commence *la Comédie humaine.* Il a vingt-six pages et ces vingt-six pages m'ont donné plus de mal qu'un ouvrage, car elles prennent, par la circonstance, un caractère de solennité qui effraie celui qui prononce ces quelques paroles en tête d'une collection si volumineuse. Gavault a été mon critique, et mon critique plein de paternité, je dirais presque de maternité. Quand vous lirez ces pages, vous ne me demanderez plus si je suis catholique et quelles sont mes opinions ; elles ne sont que trop tranchées, dans un siècle aussi éclectique que le nôtre » (*Lettres à l'Étrangère...* du 13 juillet 1842).

« Simples essais d'histoire littéraire »[*]

« [...] Que dirait-on d'un homme qui voudrait toujours voir sa maîtresse dans de radieuses parures, mais qui entendrait qu'elle gagnât ces parures par un travail meurtrier ? Les romanciers actuels sont avec leur muse comme cet homme serait avec sa maîtresse : ils trouvent que le luxe lui sied ; ils veulent qu'elle se procure le luxe. L'imagination se prête avec peine aux obligations journalières d'un travail forcé ; la folle du logis sent qu'elle n'est point faite pour bailler des sacs d'écus à jours fixes comme un fermier normand, elle est de trop noble origine pour souffrir qu'on la rende taillable et corvéable à merci. Elle se révolte, et, si sa révolte est comprimée, elle se dégrade. Ainsi, la vanité et le désir du gain sont les deux fléaux de notre littérature. Ces fléaux, que nous rencontrerons sans cesse et que nous ne nous lasserons jamais de signaler, se sont exercés, on doit le reconnaître, sur de belles intelligences. Il est certain que toutes les expériences faites par nos pères et par nous-mêmes dans des années si peu nombreuses et cependant suffisantes pour nous faire voir l'impuissance de tant d'hommes et la vanité de tant de choses, ont développé chez la plupart des esprits de notre temps des facultés nouvelles de comprendre et de sentir. Ces facultés ont trouvé dans le roman de mœurs une de leurs applications les plus naturelles. L'homme que nous étudierons le premier est un de ceux qui avaient reçu au plus haut degré la puissance de sonder les caractères et de faire pénétrer une lumière saisissante dans leurs plus intimes profondeurs.

« Le nom de M. de Balzac, puisque c'est de lui qu'il s'agit, vient d'être rappelé récemment au public par une entreprise, car je ne sais de quel autre terme appeler cette publication bizarre, où se confondent de la façon la plus malheureuse les deux esprits dont nous venons de parler, l'esprit de spéculation et l'esprit de vanité. Peut-être sera-t-il utile

[*] Dans la *Revue des deux mondes* du 1er novembre 1842 (p. 396-398) le titre complet est : « Simples essais d'histoire littéraire, II. La seconde famille des romanciers, I. M. de Balzac ».

de faire remarquer à la librairie, en ce moment où elle pousse des cris de détresse, avec quel aveuglement elle dirige la plupart de ses efforts. Elle ressemble à ces gouvernemens inintelligens qui méconnaissent la force, la jeunesse et l'avenir, pour se livrer à une classe d'hommes affaiblie et corrompue. Tandis qu'elle redouble envers la vaillante cohorte des nouveaux venus ses plus décourageantes duretés, elle prodigue aux gens épuisés par de longues années d'une production hâtive des faveurs presque extravagantes. Ce qui jadis était réservé aux seuls chefs-d'œuvre de notre langue, le luxe des caractères et surtout le luxe des gravures, est employé maintenant dans le but de réveiller le public de son indifférence pour des ouvrages qu'il a repoussés toujours, ou sur lesquels sa curiosité est depuis long-temps blasée. Le crayon du dessinateur doit constater le succès de l'écrivain, non point militer pour ce succès. Si, au lieu de donner une consécration nouvelle à des passages consacrés déjà par l'admiration générale, les images qu'on place dans un livre ne sont là que pour commenter le texte, quelquefois même pour le suppléer, elles nous reportent aux âges les plus grossiers de l'art. Telles sont les réflexions que nous a inspirées le livre où M. de Balzac a rassemblé, rajeunies par tous les gracieux artifices de l'*illustration* contemporaine, des œuvres évoquées de la retraite des in-octavo et des catacombes du feuilleton. Cependant, si la dernière publication de M. de Balzac n'était qu'une spéculation maladroite, nous la passerions sous silence ; mais, à côté de la question commerciale, elle soulève de nouvelles questions littéraires. Le titre seul, *la Comédie humaine*, révèle une des plus audacieuses prétentions qui se soient encore produites de nos jours, et je ne sais rien qui puisse surpasser en bizarrerie la préface par laquelle cette prétention est soutenue. Non, M. de Balzac ne se trompe pas quand il représente sa vie tout entière aboutissant à *la Comédie humaine* ; cette entreprise est tellement le terme fatal où l'ont conduit les écarts de son talent, qu'en le suivant dans sa carrière littéraire, nous verrons chacun de ses pas l'en rapprocher d'une façon inévitable. L'incroyable préface où il se déclare le législateur du siècle qu'il vient de doter d'une nouvelle édition de ses œuvres résume d'une manière si frappante toutes ses ambitieuses folies, que nous réserverons pour conclusion de ce chapitre l'examen de ce curieux morceau. »

CATALOGUE

DES OUVRAGES QUE CONTIENDRA

LA COMÉDIE HUMAINE.*

Les ouvrages en italique sont ceux qui restent à faire

PREMIÈRE PARTIE : ÉTUDES DE MŒURS.
DEUXIÈME PARTIE : ÉTUDES PHILOSOPHIQUES.
TROISIÈME PARTIE : ÉTUDES ANALYTIQUES

Première partie : ÉTUDES DE MŒURS.

*Six livres : 1. Scènes de la Vie Privée ; 2. de Province ;
3. Parisienne ; 4. Politique; 5. de la Vie Militaire ;
6. de la Vie de Campagne.*

SCÈNES DE LA VIE PRIVÉE. (Quatre volumes, tomes 1 à 4.) – 1. *Les Enfants.* – 2. *Un pensionnat de demoiselles.* – 3. *Intérieur de Collège.* – 4. La Maison du Chat-qui-Pelote. – 5. Le Bal de Sceaux. – 6. Mémoires de Deux Jeunes Mariées. – 7. La Bourse. – 8. Modeste Mignon. – 9. Un Début dans la Vie. – 10. *Albert Bavarus.* – 11. *La Vendetta.* – 12. *Une double Famille.* – 13. *La Paix du ménage.* – 14. Madame Firmiani. – 15. Étude de Femme. – 16. *La Fausse Maîtresse.* – 17. Une Fille d'Ève. – 18. Le Colonel Chabert. – 19. Le Message. – 20. La Grenadière. – 21. La Femme abandonnée. – 22. Honorine. – 23. Béatrix ou les Amours forcés. – 24. Gobseck. – 25. La Femme de trente ans. – 26. Le Père Goriot. – 27. Pierre Grassou. – 28. La Messe de l'Athée. – 29. L'Interdiction. – 30. Le Contrat de mariage. – 31 *Gendres et Belles-Mères.* – 32. Autre Étude de femme.

SCÈNES DE LA VIE DE PROVINCE. (Quatre volumes, tomes 5 à 8). – 33. Le Lys dans la Vallée. – 34. Ursule Mirouët. – 35. Eugénie Grandet. – LES CÉLIBATAIRES : 36. Pierrette. – 37. Le Curé de Tours. – 38. Un ménage de Garçon en province. – LES PARISIENS EN PROVINCE : 39. L'Illustre Gaudissart. – 40. *Les Gens ridés.* – 41. La Muse du Département. – 42. *Une Actrice en voyage.* – 43. *La Femme supérieure.* – LES RIVALITÉS : 44.

---

* Publié pour la première fois dans *L'Époque* du 22 mai 1846.

L'original. – 45. *Les Héritiers Boirouge.* – 46. La Vieille Fille. – LES PROVINCIAUX À PARIS : 47. Le Cabinet des Antiques. – 48. *Jacques de Metz.* – 49. ILLUSIONS PERDUES : 1re partie. Les Deux poètes. – 2e partie. Un Grand Homme de province à Paris. – 3e partie. Les Souffrances de l'Inventeur.

SCÈNES DE LA VIE PARISIENNE. (Quatre volumes, tomes 9 à 12.) – HISTOIRE DES TREIZE : (1er épisode) 50. Ferragus. – (2e épisode) 51. La Duchesse de Langeais. – (3e épisode) 52. La Fille aux yeux d'or. – 53. Les Employés. – 54. Sarrasine. – 55. Grandeur et Décadence de César Birotteau. – 56. La Maison Nucingen. – 57. Facino Cane. – 58. Les Secrets de la Princesse de Cadignan. – 59. Splendeurs et Misères des Courtisanes. – 60. Dernière Incarnation de Vautrin. – 61. Les Grands, L'Hôpital et le Peuple. – 62. Un Prince de la Bohême. – 63. Les Comiques sérieux. – 64. Echantillons de Causerie française. – 65. *Une Vue du Palais.* – 66. Les Petits Bourgeois. – 67. *Entre Savants.* – 68. *Le Théâtre comme il est.* – 69. *Les Frères de la Consolation.*

SCÈNES DE LA VIE POLITIQUE. (Trois volumes, tomes 13 à 15). 70. Un Épisode de la Terreur. – 71. *L'Histoire et le Roman.* – 72. Une Ténébreuse affaire. – 73. *Les Deux Ambitieux.* – 74. *L'Attaché d'ambassade.* – 75. *Comment on fait un Ministère.* – 76. Le Député d'Arcis. – 77. S. Marcas.

SCÈNES DE LA VIE MILITAIRE. (Quatre volumes, tomes 16 à 19.) – 78. *Les Soldats de la République* (trois épisodes). – 79. *L'Entrée en campagne.* – 80. *Les Vendéens.* – 81. Les Chouans. – LES FRANÇAIS EN ÉGYPTE : (1er épisode) 82. *Le Prophète.* – (2e épisode) 83. *Le Pacha.* – (3e épisode) 84. Une Passion dans le désert. – 85. *L'Armée Roulante.* – 86. *La Garde consulaire.* – 87. SOUS VIENNE : 1re partie. *Un combat.* – 2e partie. L'Armée assiégée. – 3e partie. *La Plaine de Wagram.* 88. *L'Aubergiste.* – 89. *Les Anglais en Espagne.* – 90. *Moscou.* – 91. *La Bataille de Dresde.* – 92. – *Les Traînards.* – 93. *Les Partisans.* – 94. *Une Croisière.* – 95. *Les Pontons.* – 96. *La Campagne de France.* – 97. *Le Dernier champ de bataille.* – 98. *L'Émir.* 99. *La Pénissière.* – 100. *Le Corsaire algérien.*

SCÈNES DE LA VIE DE CAMPAGNE. (Deux volumes, tomes 20 à 21.) – 101. les Paysans. – 102. Le Médecin de campagne. – 103. *Le Juge de Paix.* – 104. Le Curé de village. – 105. *Les Environs de Paris.*

Deuxième partie : ÉTUDES PHILOSOPHIQUES.

(Trois volumes, tomes 22 à 24.) 106. *Le Phédon d'aujourd'hui.* – 107. La Peau de chagrin. – 108. Jésus-Christ en Flandre. – 109. Melmoth réconcilié. – 110. Massimilla Doni. – 111. Le Chef-d'œuvre inconnu. – 112. Gambara. – 113. Balthasar Claës ou la Recherche de l'Absolu. – 114. *Le Président Fritot.* – 115. *Le Philanthrope.* – 116. L'Enfant maudit. – 117. Adieu. – 118. Les Marana. – 119. Le Réquisitionnaire. – 120. El Verdugo. – 121. Un Drame au bord de la mer. – 122. Maître Cornélius. – 123. L'Auberge rouge. – 124. Le Martyr calviniste. – 125. La Confession des Ruggieri. – 126. Les Deux Rêves. – 127. *Le Nouvel Abeilard.* – 128. L'Élixir de Longue vie. – 129. *La Vie et les Aventures d'une Idée.* – 130. Les Proscrits. – 131. Louis Lambert. – 132. Séraphita.

Troisième partie : ÉTUDES ANALYTIQUES.

(Deux volumes, tomes 25 à 26). 133. *Anatomie des Corps enseignants.*
– 134. La Physiologie du Mariage. – 135. Pathologie de la vie sociale. –
136. *Monographie de la Vertu.* – 137. *Dialogue philosophique et politique
sur les perfections du XIXe siècle.*

———

*Chaque tome devra se composer d'au moins 40 feuilles (640 pages)
grand papier, en philosophie sur corps de petit-romain, de manière à faire
tenir trois milles lettres à la page.*

LES OBSÈQUES D'HONORÉ DE BALZAC.*

....

Le convoi s'est dirigé vers le cimetière du Père-Lachaise, salué au passage par une foule respectueuse et sympathique.

Lorsqu'il est arrivé au cimetière, on a fait le cercle autour de la fosse, et M. Victor Hugo a pris la parole en ces termes :

« Messieurs,

» L'homme qui vient de descendre dans cette tombe était de ceux auxquels la douleur publique fait cortége. Dans les temps où nous sommes, toutes les fictions sont évanouies. Les regards se fixent désormais non sur les têtes qui règnent, mais sur les têtes qui pensent, et le pays tout entier tressaille lorsqu'une de ces têtes disparaît. Aujourd'hui, le deuil populaire, c'est la mort de l'homme de talent ; le deuil national, c'est la mort de l'homme de génie.

» Messieurs, le nom de Balzac se mêlera à la trace lumineuse que notre époque laissera dans l'avenir.

» M. de Balzac faisait partie de cette puissante génération des écrivains du dix-neuvième siècle qui est venue après Napoléon, de même que l'illustre pléiade du dix-septième est venue après Richelieu, – comme si, dans le développement de la civilisation, il y avait une loi qui fît succéder aux dominateurs par le glaive les dominateurs par l'esprit.

» M. de Balzac était un des premiers parmi les plus grands, un des plus hauts parmi les meilleurs. Ce n'est pas le lieu de dire ici tout ce qu'était cette splendide et souveraine intelligence. Tous ses livres ne forment qu'un livre, livre vivant, lumineux, profond, où l'on voit aller et venir et marcher et se mouvoir, avec je ne sais quoi d'effaré et de terrible mêlé au réel, toute notre civilisation contemporaine ; livre merveilleux que le poëte a intitulé comédie et qu'il aurait pu intituler histoire, qui prend toutes les formes et tous les styles, qui dépasse Tacite et qui va jusqu'à Suétone, qui traverse Beaumarchais et qui va jusqu'à Rabelais ; livre qui est l'observation et qui est l'imagination ; qui prodigue le vrai, l'intime, le bourgeois, le trivial, le matériel, et qui par moment, à travers toutes les réalités brusquement et largement déchirées, laisse tout à coup entrevoir le plus sombre et le plus tragique idéal.

---

* Les deux oraisons funèbres prononcées le 18 août 1850 par Victor Hugo et Louis Desnoyers. *L'Événement* des 22 et 23 août 1850, p. 1.

» A son insu, qu'il le veuille ou non, qu'il y consente ou non, l'auteur de cette œuvre immense et étrange est de la forte race des écrivains révolutionnaires. Balzac va droit au but. Il saisit corps à corps la société moderne. Il arrache à tous quelque chose, aux uns l'illusion, aux autres l'espérance, à ceux-ci un cri, à ceux-là un masque. Il fouille le vice, il dissèque la passion. Il creuse et sonde l'homme, l'âme, le cœur, les entrailles, le cerveau, l'abîme que chacun a en soi. Et, par un droit de sa libre et vigoureuse nature, par un privilége des intelligences de notre temps, qui, ayant vu de près les révolutions, aperçoivent mieux la fin de l'humanité et comprennent mieux la Providence, Balzac se dégage souriant et serein de ces redoutables études qui produisaient la mélancolie chez Molière et la misanthropie chez Rousseau.

» Voilà ce qu'il a fait parmi nous. Voilà l'œuvre qu'il nous laisse, œuvre haute et solide, robuste entassement d'assises de granit, monument ! œuvre du haut de laquelle resplendira désormais sa renommée. Les grands hommes font leur propre piédestal ; l'avenir se charge de la statue.

» Sa mort a frappé Paris de stupeur. Depuis quelques mois, il était rentré en France. Se sentant mourir, il avait voulu revoir la patrie, comme la veille d'un grand voyage on vient embrasser sa mère !

» Sa vie a été courte, mais pleine ; plus remplie d'œuvres que de jours !

» Hélas ! ce travailleur puissant et jamais fatigué, ce philosophe, ce penseur, ce poète, ce génie, a vécu parmi nous de cette vie d'orages, de luttes, de querelles, de combats, commune dans tous les temps à tous les grands hommes. Aujourd'hui, le voici en paix. Il sort des contestations et des haines ; il entre, le même jour, dans la gloire et dans le tombeau. Il va briller désormais au-dessus de toutes ces nuées qui sont sur nos têtes, parmi les étoiles de la patrie !

» Vous tous qui êtes ici, est-ce que vous n'êtes pas tentés de l'envier ?

» Messieurs, quelle que soit notre douleur en présence d'une telle perte, résignons-nous à ces catastrophes. Acceptons-les dans ce qu'elles ont de poignant et de sévère. Il est bon peut-être, il est nécessaire peut-être, que dans une époque comme la nôtre, que de temps en temps une grande mort communique aux esprits dévorés de doute et de scepticisme un ébranlement religieux. La Providence sait ce qu'elle fait lorsqu'elle met ainsi le peuple face à face avec le mystère suprême, et quand elle lui donne à méditer la mort qui est la grande égalité et qui est aussi la grande liberté.

» La Providence sait ce qu'elle fait, car c'est là le plus haut de tous les enseignemens. Il ne peut y avoir d'austères et sérieuses pensées dans tous les cœurs quand un sublime esprit fait majestueusement son entrée dans l'autre vie ! Quand un de ces êtres qui ont plané longtemps au-dessus de la foule avec les ailes visibles du génie, déployant tout à coup les autres ailes qu'on ne voit pas s'enfonce brusquement dans l'inconnu.

» Non, ce n'est pas l'inconnu ! Non, je l'ai déjà dit, dans une autre occasion douloureuse, et je ne me lasserai pas de le répéter, non ce n'est pas la nuit, c'est la lumière ! Ce n'est pas la fin, c'est le commencement ! Ce n'est pas le néant, c'est l'éternité ! N'est-il pas vrai, vous tous qui m'écoutez ? De pareils cercueils démontrent l'immortalité ; en présence de certains morts illustres, on sent plus distinctement les destinées divines de cette intelligence qui traverse la terre pour souffrir et pour se purifier et qu'on appelle l'homme, et l'on se dit qu'il est impossible que ceux qui ont été des génies pendant leur vie ne soient pas des âmes après leur mort ! »

Après ce discours, qui a produit sur tous les assistants une inexprimable émotion, M. Louis Desnoyers, le spirituel feuilletoniste du *Siècle*, a pris la parole au nom de la commission des gens de lettres. Le temps nous manque pour pouvoir donner dès ce soir les touchantes paroles que M. Desnoyers a prononcées.

Après ces adieux solennels, qui étaient déjà pour Balzac les premiers échos de la postérité, la foule choisie qui avait reconduit le grand artiste dans son dernier voyage s'est retirée au milieu du plus profond recueillement.

....

[23 août 1850]

Voici l'excellent discours prononcé hier par M. Louis Desnoyers, président de la société des gens de lettres, sur la tombe d'Honoré de Balzac :

« La société des gens de lettres, messieurs, avait sa place doublement marquée dans la triste cérémonie qui nous rassemble tous, parents, amis, admirateurs et confrères.

» L'admiration, en effet, l'eût pieusement conduite auprès de cette tombe, quand bien même la gratitude ne lui eût pas rappelé que le nom d'Honoré de Balzac a figuré parmi ceux de ses fondateurs.

» Elle ne pouvait donc vouloir que sa propre douleur ne se mêlât pas hautement à l'adieu suprème qu'une voix si éloquente vient de nous faire entendre.

» Qu'il me soit seulement permis, messieurs, de déplorer qu'elle n'ait pas choisi une parole plus imposante que la mienne, pour interpréter plus dignement son affliction profonde. Un regret silencieux eût convenu beaucoup mieux à mon obscurité. Mais l'honneur qu'elle a bien voulu faire à son président, est de ceux que la modestie la plus sincère ne saurait décliner, car cet honneur est un devoir. Ce n'est pas l'expression d'une douleur individuelle que j'apporte ici : c'est l'expression de la douleur commune, et, si j'ose m'y faire entendre, c'est que j'y parle au nom de tous.

» Voici bien des fois, peu d'années, messieurs, que la littérature contemporaine mène ainsi le deuil de ses plus illustres représentans. Mais le grand nombre même de ces funèbres solennités n'est-il pas un sujet de noble orgueil pour elle, en même temps, hélas ! que d'amère tristesse ?

» Glorieux sont les temps qui ont à pleurer beaucoup de gloires !

» Le nôtre est de ceux-là, et, quoi qu'en disent la routine, l'envie et l'inintelligence, c'est un grand siècle assurément, celui qui, à la moitié de son cours, a dû pleurer déjà, – et nous ne rappelons que ses pertes les plus récentes, – des écrivains tels que Frédéric Soulié, tels que Charles de Bernard, tels que Chateaubriand, tels que Balzac, et qui peut s'enorgueillir de leur voir survivre tant de dignes émules.

» Ce ne fut qu'un romancier ! dira peut-être je ne sais quelle littérature qui se prétend sérieuse, – par politesse envers elle-même, – et aussi je ne sais quelle politique béate qui cache son impuissance et sa jalousie sous les grands mots de décence et de moralité, s'écriant, à l'exemple de son vertueux modèle : « Cachez-moi ces romans, ces inventions diaboliques !

« Par de pareils objets les ames sont blessées,
» Et cela fait venir de coupables pensées. »

» Mon Dieu ! oui, l'auteur des *Treize*, de la *Recherche de l'absolu*, d'*Eugénie Grandet*, du *Père Goriot*, du *Lys dans la vallée*, de la *Peau de chagrin*, des *Parens pauvres* et de tant d'autres merveilles de conception, de dessin, de perspective et de couleur, – ce si grand peintre de la vie humaine, Balzac, – Balzac ne fut qu'un simple romancier ; un simple romancier, comme l'Arioste, comme Cervantes, comme Richardson, comme l'abbé Prévost, comme Lesage, comme Walter Scott, comme les sublimes ou charmans conteurs de tous les pays et de tous les temps dont le génie a révélé à l'humanité ses vices et ses vertus, ses joies et ses douleurs ; qui l'ont peinte, qui l'ont amendée, qui l'ont consolée de la réalité par la fiction, et dont les œuvres constituent, en définitive, une des meilleurs parts de sa gloire traditionnelle.

» Le roman, en effet, n'en déplaise à ses détracteurs, le roman est une des grandes formes de l'art. Le roman marche l'égal de la poésie, du théâtre et de l'histoire elle-même. Et ce n'est que justice. Car le roman, qu'est-ce donc, tout bien considéré, qu'est-ce donc, si ce n'est de l'histoire aussi ? Si ce n'est l'histoire des sentimens, des illusions, des destinées, des travers, des bonheurs et des souffrances intimes de l'humanité, comme, de son côté, l'histoire est le roman de ses passions, de ses fanatismes, de ses ambitions, de ses crimes, de ses prospérités et de ses désastres publics ?

» Eh bien ! nous ne craignons pas de le dire, jamais ce beau titre de romancier, jamais ce beau titre d'historien de l'ame, de l'esprit et du cœur de l'humaine espèce ne brilla d'un aussi vif éclat que de nos jours. Mais nous ne sommes pas ici pour juger les vivans. Ne nous occupons que des morts.

» Originalité puissante, observation profonde, sagacité incomparable, sensibilité poignante, comique vigoureux et vrai, style prestigieux, fécondité merveilleuse, telles furent en résumé, les qualités qui distinguèrent Balzac à un degré si éminent, et qui recommandent ses œuvres à l'admiration de l'avenir.

» Et cependant la France, non ! la politique béate dont je parlais plus haut, les a frappées d'un timbre, d'un droit de patente, d'un impôt de circulation, d'une sorte de *passavent*, comme on disait naguère en matière de douanes, et comme on dira désormais en matière d'intelligence ! Singulière façon d'encourager les lettres ! Mais l'Europe littéraire, mais le monde tout entier les venge, en ce moment même, par l'unanimité de ses regrets, de la ruineuse protection de leurs étranges Mécènes.

» L'illustre défunt, messieurs, eut encore un mérite que je ne saurais omettre, puisque j'ai l'honneur de parler au nom d'une société littéraire. Ce mérite, assez difficile, selon beaucoup trop d'apparence, ce fut de rester fidèle jusqu'à sa mort aux travaux qui avaient illustré sa vie ; ce fut dans ce temps d'assez subites métamorphoses, de ne pas même apostasier sa gloire. La littérature ne fut pas une simple étape pour son ambition : ce fut une carrière complète ; elle ne fut pas un vulgaire moyen, elle fut un noble but. Et si le cours irrésistible des événements l'eût entraîné malgré lui de la sphère des idées dans la sphère des faits, il eût imité, sans aucun doute, le consolant exemple que lui donnaient quelques-uns des plus beaux génies de notre époque : l'homme de lettres fût resté intact chez l'homme politique ; son titre le plus cher, le plus précieux, eût continué d'être celui de poète, d'artiste, d'écrivain, de philosophe, de romancier. Le fils de la littérature, en un mot, n'eût pas non plus renié sa mère.

» Mais à propos de titres, messieurs, permettez-moi d'exprimer le pénible étonnement dont nous étions tous frappés depuis longtemps, que rend bien plus vif encore la solennité de cette dernière heure, Balzac est mort en léguant cinquante chefs-d'œuvre à la postérité, et cependant il est mort comme Charles de Bernard et Frédéric Soulié étaient morts déjà, et comme moururent aussi Jean-Jacques, Beaumarchais et Molière ; – oui, Balzac est mort, sans que le premier corps littéraire de ce littéraire pays ait conquis le droit d'associer ici sa douleur à la nôtre.

» Donc, ci-gît qui ne fut rien... rien qu'un grand penseur, qu'un grand écrivain, qu'un grand romancier ! » Certes, je ne sais aucun titre qui ajoutât le moindre lustre à une telle épitaphe. Mais si de pareils morts ont pu se passer de nos vains hommages, nous ne saurions nous passer, nous, survivans, de les leur avoir rendus. Il est en effet des hommages qui honorent ceux qui les décernent bien plus encore que ceux qui les reçoivent. Mes paroles, au surplus, n'ont rien d'accusateur ; elles ne renferment qu'un regret pour le passé, qu'un espoir pour l'avenir. Je n'ai ni la mission ni le droit de leur donner un autre caractère. Espérons donc, messieurs, – et ce vœu doit être celui de tous les hommes qui ont au cœur le sentiment du juste, – espérons que cette fois est la dernière où, sur la tombe d'un homme de génie, la partialité, ou tout au moins l'indifférence, aura lieu de s'appliquer ce vers, qui n'était déjà que trop fameux :

» Rien ne manque à sa gloire : il manquait à la nôtre !

» Quel serait d'ailleurs le déni de justice que ne pourraient compenser par la cérémonie et le pieux recueillement de l'illustre défunt, que le char funèbre a rencontré partout sur sa route, et le louable hommage que le pouvoir lui-même a cru devoir lui rendre ici, et enfin la présence de cette immense foule qui se presse autour de ce cercueil, et dont la sympathie trouvera un fidèle écho dans celle de tous les peuples civilisés ? Honneur au pays qui peut offrir de semblables spectacles, et dont les douleurs privées deviennent ainsi des douleurs universelles ! Le pays est resté grand parmi les autres. Il n'a changé que de domination. Ce n'est plus par l'épée de ses vaillants soldats qu'il règne, c'est par la plume de ses philosophes, de ses poètes, de ses dramaturges, de ses historiens, de ses romanciers, ce sera par la liberté quelque jour. En attendant, ses victoires aujourd'hui, ce sont des chefs-d'œuvre, et son impérissable conquête, c'est l'admiration du monde.

» Soyons fiers, messieurs, – car cet orgeuil est encore un hommage à la mémoire de Balzac, – soyons fiers d'avoir à proclamer, une fois de plus, sur cette tombe, la souveraineté intellectuelle de la France. C'est un grand conquérant, vous le savez tous, que nous venons d'y déposer dans toute sa gloire ! »

Index des titres d'œuvres de Balzac citées

Chaque entrée de l'index reçoit d'abord la liste de ses références propres. Mais on sait que, dans La Comédie humaine, *de nombreux changements de titres et de multiples réutilisations d'œuvres placent souvent une matière textuelle identique ou analogue sous des intitulés différents. Dans la perspective génétique qui est celle de notre ouvrage, ces premiers titres, souvent disparus ultérieurement, sont fréquemment cités. Il nous a semblé gênant qu'un lecteur peu familier de* La Comédie humaine, *des (re)nominations et recompositions qui s'y produisent, ne puisse pas récupérer l'information sur tel roman, essai ou article dont il ignorerait les « incarnations » antérieures. Aussi, avons-nous, après un point virgule démarcatif, donné systématiquement pour chaque œuvre, l'indication de sa (ou ses) localisation(s) initiales ou de son intitulé-emplacement actuel. Ainsi,* Autre étude de femme 000, 000 *; cf.* La Grande Bretèche, *signale que les références du premier titre doivent être complétées par celles du second qui représente un état antérieur du roman. Les différentes contributions du volume expliciteront à l'utilisateur le détail des relations ainsi mises en lumière par notre index.*

En ce qui concerne les notes nous avons pris le parti suivant : lorsque, dans la page, seule la note est à consulter, l'indication de page n'est pas suivie de virgule ; lorsque la référence apparaît et dans la page et dans la note, la page est suivie d'une virgule.

A

Adieu 44, 56 n. 14 ; cf. *Souvenirs soldatesques.*

Albert Savarus 46, 47, 172-173, 223.

Ambitieux de province (Les) 192.

Anatomie des corps enseignants 147, 158.

Annette et le criminel 255 n. 13, 296 n. 4.

« *Artistes (Des)* » 113, 133 n. 32.

« *Au rédacteur de La Presse* » 78, 104 n. 8, 98.

Autre étude de femme 203-214, n. 1, n. 2, n. 3, n. 5, n. 6, 215 n. 13, n.16, 216 n. 26, n. 30, 291 ; cf. *La Grande Bretèche.*

« Avant-propos de *La Comédie humaine* » 12, 13, 14, 16, 17, 44, 45, 46, 51; 52, 55, n. 8, 93, 103, 115-130, 132 n. 14, 133 n. 23, n. 27, 135 n. 47, n. 50, n. 51, n. 52, 137, 139, 140, 142, 144-147, 148 n. 9, 151, 153, 154, 193, 234, 276, 294, 296 n. 24, 297 n. 46.

« Avertissement du *Gars* » 14, 51, 56 n. 12, 13, 130, 131 n. 2, n. 4, 132 n. 13, 133 n. 26, 296 n. 5.

B

Béatrix 46, 108 n. 34, 113, 132 n. 14, 291, 293.

n. 10, 135 n. 43, n. 44, 147,
157, 162, 193, 194, 196, 199,
200, 202 n. 12, 214 n. 7, 284,
288, 294.
Études philosophiques 45, 46, 51,
56 n. 16, 95, 134 n. 30, 147,
148 n. 17, 157, 193, 194.
Études sociales 45, 51, 56 n. 17,
285, 288.
« Études sur M. Beyle » 60, 61, 66,
67, 70-72, 74.
Eugénie Grandet 95, 99, 179, 261.
Excommunié (L') 44.

F

Faiseur (Le) 265.
Fausse Maîtresse (La) 108 n. 34.
Femme auteur (La) 297 n. 41.
Femme de trente ans (La) 47, 122,
134 n. 35, 165, 166.
Femme supérieure (La) 83, 106
n. 19, 285, 296 n. 14; cf. *Les
Employés.*
Ferragus 94, 134 n. 39, 153.
Fille aux yeux d'or (La) 94, 154,
222, 224.
Frères de la consolation (Les) 240
n. 1.

G

Galerie physiologique 56 n. 14.
Gambara 113.
Gloire et malheur 12; cf. *La Maison
du chat-qui-pelote.*
Gobseck cf. *L'Usurier.*
Grand Propriétaire (Le) 244.
Grande Bretèche (La) 204-214, 215
n. 12; cf. *Autre étude de femme.*

H

Héritiers Boirouge (Les) 219, 221,
225; cf. *Ursule Mirouët.*
Histoire de France pittoresque 44,
50, 51, 56 n. 11, 129.
*Histoire de la grandeur et décadence
de César Birotteau* 99, 101,
106 n. 18, 261.
Histoire des Treize 152, 255 n. 11.
Histoire du chevalier de Beauvoir
214 n. 8; cf. *Contes bruns* et
La Muse du département.

« Historique du procès auquel a
donné lieu *Le Lys dans la
vallée* » 226.
Honorine 104 n. 5.

I

Illusions perdues 62-65, 67, 70, 72,
75 n. 1, n. 8, 83, 102, 104 n. 5,
109 n. 50, 176, 177, 187 n. 13,
188 n. 16, n. 19, n. 27, 261,
285, 291; cf. *Un grand homme
de province à Paris* et *David
Séchard.*
Initié (L') 230-231, 293;
cf. *L'Envers de l'histoire
contemporaine.*
Interdiction (L') 226, 241 n. 19.
Intérieur de collège 98.

L

« Lettre adressée aux écrivains
français du XIXᵉ siècle » 113,
225, 287, 296 n. 18.
« Lettre à Hippolyte Castille »
117, 121, 127, 132 n. 14, 133
n. 25.
Lettres à Madame Hanska 45, 47
n. 3, n. 4, n. 6, n. 7, n. 8, 51, 53,
54, 55, 56 n. 15, n. 17, 57
n. 24, 75 n. 14, 84, 85, 86, 89,
99, 106 n. 21, n. 24, 115, 117,
125, 131 n. 8, 132 n. 16, n. 18,
133 n. 24, 134 n. 31, n. 33,
n. 38, 148 n. 17, 167 n. 1, 180,
188 n. 20, 192, 202 n. 5, 277,
289, 296 n. 6, n. 10, n. 12,
n. 13, n. 19, n. 22, 297 n. 28,
n. 29, n. 30, n. 31, n. 33, n. 42,
n. 44.
« Lettres sur la Russie » 60 .
« Lettres sur la littérature, le théâtre
et les arts » 60, 61, 66, 69, 73,
74.
« Lettres sur les ouvriers » 60.
Louis Lambert 134 n. 33, 158, 165.
Lys dans la vallée (Le) 104 n. 3,
191-201, 202 n. 1, n. 11.

M

Madame de la Chanterie 104 n. 5,
230, 240 n. 5, 241 n. 6; cf.

Ont participé à cet ouvrage

Anne-Marie BARON, Société des Amis d'Honoré de Balzac
Roland CHOLLET, CNRS (ITEM)
Claude DUCHET, Université Paris VIII-Saint-Denis
Jeannine GUICHARDET, Université Paris III-Censier
Raymond MAHIEU, Université d'Anvers
Chantal MASSOL-BEDOIN, Université Stendhal III-Grenoble
Joëlle MERTÈS-GLEIZE, Université de Provence
Nicole MOZET, Université Denis Diderot, Paris VII-Jussieu
Jacques NEEFS, Université Paris VIII-Saint-Denis
Catherine NESCI, Université de Californie, Santa-Barbara
Paule PETITIER, Université François Rabelais, Tours
Roger PIERROT, Bibliothèque nationale
Franc SCHUEREWEGEN, Université d'Anvers
Isabelle TOURNIER, Université Paris XIII-Villetaneuse
Alain VAILLANT, Université Jean Monnet, Saint-Étienne
Françoise VAN ROSSUM-GUYON, Université d'Amsterdam

ACHEVÉ D'IMPRIMER
SUR LES PRESSES DE
L'IMPRIMERIE CHIRAT
42540 ST-JUST-LA-PENDUE
EN OCTOBRE 1993
DÉPÔT LÉGAL 1993 N° 8312

Composition, mise en pages,
traitement informatique, conseils techniques,
scanner, laserscrit
Arlette CHANCRIN, Paris
45 82 69 76
Fax 44 24 52 00

IMPRIMÉ EN FRANCE